NÁHRADNÍ ŘEŠENÍ

VAL McDERMIDOVÁ

NÁHRADNÍ ŘEŠENÍ

Přeložila Radmila Damová

Vydalo nakladatelství BB/art s.r.o. v roce 2018
Bořivojova 75, Praha 3
Copyright © 2017 Val McDermid
All rights reserved.

Z anglického originálu *Insidious Intent*
(First published by Little, Brown, Great Britain, 2017)
přeložila © 2018 Radmila Damová
Redakce textu: Dana Packová
Jazyková korektura: Ludmila Böhmová

Tisk: CENTA, spol. s r. o., Vídeňská 113, Brno

První vydání v českém jazyce

ISBN 978-80-7595-025-3

Tuto knihu věnuji profesorce Dame Sue Blackové
a profesorce Niamh Nic Daiedové – za přátelství,
legraci a hry a za forenzní tipy

Otevře se černá scéna pomluv; ale vy, doktore, zase všechno napravíte.

Vražda jako krásné umění
(Druhá přednáška)
Thomas de Quincey

PRVNÍ ČÁST

1

Kdyby Kathryn McCormicková věděla, že bude žít už jen necelé tři týdny, možná by se víc snažila užít si Suzanninu svatbu. Místo toho zaujala svoji obvyklou pózu odevzdaného smíření se s osudem a pokoušela se netvářit příliš bezútěšně při sledování ostatních hostů, kteří tancovali, jako by se na ně nikdo nedíval.

Bylo to přesně takové jako každý den v práci. I tam vždycky zůstávala outsiderem. Přestože titul vedoucí kanceláře nabízel jen velmi málo skutečné úřední moci, bohatě postačil k tomu, aby ji odloučil od ostatních. Pocítila to pokaždé, když vstoupila do kuchyňky, aby si uvařila kávu. Veškerá konverzace, která tam probíhala, buď úplně utichla, nebo se z důvěrného rázu stočila k nějakému bezvýznamnému tématu.

Vážně byl nesmysl, když si myslela, že to dnes bude jiné. Kdysi někde četla výrok, který jí uvízl v paměti – definicí nerozumu je při neustálém opakování té samé činnosti očekávat odlišné výsledky. Podle tohoto měřítka rozhodně postrádá rozum. Sedět v sobotu večer na svatební hostině na samém okraji a domnívat se, že bude v centru zábavy a smíchu, je přesným potvrzením podstaty opakovaného chování, které nikdy nevyvolá nic jiného než naprosto předvídatelné selhání.

Kathryn se nenápadně podívala na hodinky. Tanec nezačal dřív než před půlhodinou. Jí ten čas ovšem připadal mnohem delší. Nikki z účtárny kroutila boky jako nějaká tanečnice u tyče proti Zrzkovi Gerrymu, kterému potěšením poklesla čelist. Anya, Lynne, Mags a Triona v úpravné formaci čtyřlístku přitáhly lokty k tělu, které sebou škubalo v křeči, a kývaly hlavami do rytmu. Emily a Oli synchronně šoupali nohama, pohledy zaklesnuté do sebe, usmívali se jeden na druhého jako idioti. Jako idioti, kteří na konci večera nejspíš odejdou domů společně.

Sotva si dokázala vzpomenout, kdy měla naposledy sex. S Niallem se rozešli před víc než třemi lety. Dosud to ovšem pálilo jako říznutí žiletkou.

Jednoho večera nakráčel domů, v jeho dechu byl cítit ostrý nakyslý pach piva, na kůži se mu slabě leskl pot. „Naverbovali mě pro práci v Cardiffu. Povedu svůj vlastní designérskej tým," prohlásil, jeho vzrušení nebylo možné přehlédnout.

„To je senzace, zlato." Kathryn sklouzla ze stoličky u snídaňového baru, objala ho a snažila se utlumit hlas ve své hlavě, který křičel: „Cardiff? Co si *do prčic* počnu v Cardiffu?"

„Taky dostanu dost přidáno," pokračoval Niall. Jeho tělo zůstávalo podivně klidné, nereagovalo na objetí.

„Páni! Kdy se teda budeme stěhovat?"

Vymanil se jí z náručí. Kathryn se sevřel žaludek. „O to právě jde, Kath." Sklopil zrak k podlaze. „Chci odjet sám."

Ta slova nedávala smysl. „Jak to myslíš, sám? To budeš domů jezdit jen o víkendech? To je šílenství, můžu si tam sehnat práci. To, co dělám, můžu dělat kdekoli."

Couvl o krok. „Ne. Poslyš, neexistuje způsob, jak to říct zaobaleně… Nejsem šťastnej a už to nějakou dobu trvá. Myslím, že to bude pro nás oba nejlepší řešení. Odstěhuju se, začnu znovu. Oba budeme moct začít znovu."

A bylo to. No, ne tak úplně. Následovaly slzy a křik a vyřízla mu rozkroky na všech jeho kalhotách od Calvina Kleina, ale stejně odešel. Přišla o muže, o důstojnost i o domov, protože polovina krásného řadového domu na jejím oblíbeném předměstí Bradfieldu patřila Niallovi a ten trval na tom, že ho musejí prodat. A tak teď bydlí v malém bytě v hranaté krabici ze šedesátých let až příliš blízko domu, kde spolu žili. Byla to chyba přestěhovat se nedaleko místa, kde bývala šťastná, nedaleko domu, kolem kterého teď musí každé ráno chodit na tramvajovou zastávku. Zkoušela se mu vyhnout oklikou, která ji stála deset minut, ale bylo to ještě horší. Jakoby ještě silnější políček do tváře. Čas od času, když procházela kolem, se ze dveří vynořil pár, který od nich dům koupil, lehce jí zamávali a rozpačitě se pousmáli.

Kathryn od té doby absolvovala několik opatrných pokusů o návrat k randění. Přihlásila se na internetovou seznamku a prozkoumala několik desítek možností. Když si představila samu sebe, jak stojí vedle těch mužů, žádný jí nepřišel ani sebeméně věrohodný. Jeden z bývalých Niallových spolupracovníků jí poslal esemesku a pozval ji na večeři. Nedopadlo to dobře. Zjevně si myslel, že bude ráda za soulož ze soucitu, a netvářil se zrovna šťastně, když mu řekla, ať se kouká ztratit. Na čtyřicetinách sestřenice se dala dohromady s jedním sladkým mladíkem ze Severního Irska. Skončili spolu v posteli, ale nedalo se mluvit zrovna o třeskutém úspěchu. Vrátil se do Belfastu se slibem, že se ozve, který nedodržel.

To bylo nejspíš naposledy, co měla sex. Před rokem a čtvrt. A přitom by měla být na vrcholu sexuální aktivity. Kathryn potlačila povzdech a znovu se napila sauvignonu blanc. Musí se přestat takhle litovat. Všechny časopisy, které kdy četla, se shodovaly v jednom – nic muže neodradí víc než sebelítost.

„Sedí tady někdo?" Mužský hlas. Hluboký a vřelý.

Kathryn se lekla a se škubnutím se otočila. Vedle ní, s rukou na opěradle sousední židle stál cizí člověk. A nevypadal zrovna špatně, zaregistrovala automaticky, už když ze sebe vykoktávala: „Ne. Teda chci říct, byli tady, ale teď tu nejsou." Kathryn byla zvyklá odhadovat potenciální klienty. Má bezmála sto osmdesát centimetrů, pomyslela si. Něco přes třicet. Hnědé vlasy, ani světlé, ani tmavé, lehce prošedivělé na spáncích. Husté, pěkně tvarované obočí nad světle modrýma očima, kolem nichž se tvořily vrásky, jakmile se usmál. Jako teď. Nos působil u kořene poněkud zesíleně, jako kdyby si ho kdysi zlomil a špatně mu ho spravili. Úsměv odhalil lehce nepravidelné zuby, nicméně byl přitažlivý.

Posadil se vedle ní. Kalhoty od obleku, dokonalá bílá košile s rozepnutým horním knoflíčkem, povolená modrá hedvábná kravata. Nehty na rukou měl přiměřeně dlouhé a dobře upravené, bezchybný účes a byl dohladka oholený. Líbili se jí muži, kteří si dávali práci se svým vzhledem. Niall byl v tomhle ohledu vždycky velice pečlivý. „Jsem David," představil se. „Patříte ke straně nevěsty, nebo ženicha?"

„Pracuju se Suzanne. Jsem Kathryn. S ypsilonem." Neměla nejmenší tušení, proč mu to vykládá.

„Rád vás poznávám, Kathryn s ypsilonem." V hlase mu zaznívalo pobavení, ale výsměch podle jejího názoru ne.

„Takže vy jste Edův kamarád?"

„Známe se z malé kopané."

Kathryn se zahihňala. „Svědek ji zmínil ve svém projevu."

„Aby ne." Odkašlal si. „Všiml jsem si, že tu sedíte o samotě. Říkal jsem si, jestli byste třeba neuvítala společnost?"

„Nevadí mi sedět sama." Jakmile ta slova vypustila z úst, okamžitě jich zalitovala. „Ale nevykládejte si to špatně, vážně jsem vás ráda potkala."

„Ani mně nevadí být sám. Občas je ovšem pěkné popovídat si s přitažlivou ženou." Opět ten úsměv. „Hádám, že tanec moc nemilujete. Takže vám nehodlám navrhovat, abychom se šli předvádět na taneční parket."

„Ne, nejsem zrovna dobrá tanečnice."

„Hudby už mám až až. Já osobně dávám přednost konverzaci. Nechcete si zajít k baru? Je tam větší klid a budeme si moct povídat, aniž bychom na sebe museli křičet."

Kathryn nedokázala uvěřit svému štěstí. Dobrá, nevypadá zrovna jako George Clooney, ale je upravený a zdvořilý a přitažlivý, a přestože je to zvláštní, chová se, jako by o ni jevil zájem. „To je výborný nápad." Odstrčila židli a zvedla se.

Když se proplétali mezi stoly k východu ze sálu, muž, který si říkal David, ji ochranitelsky uchopil rukou za loket. Vrah Kathryn McCormickové byl cokoli, jen ne ochránce.

2

Detektiv vrchní inspektorka Carol Jordanová se nasoukala do těžkého voskovaného kabátu a na spánkem zcuchané vlasy si narazila teplou čepici. Kolem nohou jí tančila černobílá kolie, celá nedočkavá, už chtěla být venku v ranním chladu. Carol si zavázala tkaničky u pevných vycházkových bot a vykročila do přívalového deště. Zavřela za sebou dveře přestavěné stodoly, dávala pozor, aby západka zámku tiše dosedla na místo. A pak vyrazili, žena a pes, který křižoval vřesoviště v rozmáchlých obloucích. Nutnost soustředit se na cestu vyhnala na několik krátkých okamžiků z Caroliny hlavy zmatek, nicméně ten byl příliš neodbytný na to, aby si ho dokázala nadlouho udržet od těla. Telefonát, který zčistajasna obdržela včera večer, ji připravil o jakoukoli naději na pokojnou noc a teď, jak se zdá, i o klid po ránu. Nemůže žádným způsobem uniknout před vinou, kterou na ni seslal zahořklý hlas volajícího.

Léta policejní práce v terénu vybavila Carol hojnými důvody k lítosti. Každý policista zná trpkou pachuť selhání, sevřenou hruď, která doprovází doručování té nejhorší možné zprávy na světě. Případy, v nichž se nepodařilo přinést žádnou úlevu lidem, kterým náhle vznikla mezera v místě, kde měla být milovaná bytost, takové případy ji dosud pálily, naplňovaly řezavým pocitem vlastní nedostatečnosti, kdykoli projížděla ulicemi, procházela krajinami, kdykoli navštívila města, o nichž věděla, že se v nich přihodily neuvěřitelné věci.

Jenže všechny tyhle věci měly obecnou platnost. Takové břímě s sebou nosili všichni policisté, kteří v sobě měli kapku vnímavosti k tomu, co dělají. Tohle je ovšem jiný případ. Tahle poslední nálož viny je osobní záležitost.

Domnívala se, že výsledkům, které ji trýzní jako utahující se smyčka, unikne, když odejde z práce, od odznaku a hodnosti. Carolino neúnavné pronásledování několikanásobného vraha stálo život jejího bratra a jeho ženy. Jaký význam by mělo zůstávat? Nechtěla už mít nic společného se zaměstnáním, které si od ní vybralo tak krutou daň.

Jenže jiní lidé moc dobře věděli, kde zatlačit, aby ji přitáhli zpátky k policejní práci, tak jako je můra přitahována k plameni.

#1: Nuda. Šest měsíců rozebírala bratrovu přestavěnou stodolu na holou kostru a pak ji znovu vystavěla, potřebné dovednosti získávala z videí na YouTube a od staříků v místní hospodě. Pudilo ji to, aby vymazala všechny stopy toho, co se tu stalo, jako by ji snad přestavba mohla přesvědčit, že Michaelova a Lucyina smrt byla pouhá halucinace. Až ve finálním stadiu projektu její zlost konečně vychladla natolik, že pochopila, nakolik ji její volba začíná nudit. Je detektiv, ne stavebník, jak jí zdůraznil muž, který teď spává v jejím pokoji pro hosty.

#2: Osamělost. Carolina přátelství byla vždycky výlučně spjata s jejím zaměstnáním. Tým pro ni byl rodinou a některým ze spolupracovníků se podařilo proniknout bariérou a stát se jejími přáteli. Od té doby, co odešla, je od sebe držela dál na délku paže. Jeden z jejích sousedů George Nicholas se pokusil prolomit její obrannou zeď. Velkorysý člověk, to on byl důvodem, proč má psa. Flash je potomkem jeho ovčáckého psa. Štěně mělo anomálii, bálo se ovcí. Carol si tuhle ztracenou existenci vzala k sobě, protože měla pocit, že k sobě tak nějak patří. George to vnímal jako signál k většímu sblížení, ale on nebyl tím, koho chtěla. George pro ni nikdy nemůže představovat domov. Ale návrat k policii? To by ji dosadilo zpátky na oběžnou dráhu k lidem, kteří v ní probudili víru, že někam patří.

#3: Pýcha. Byla to vražedná zranitelnost, způsobila, že byla přístupná nabídce, kterou měla odmítnout, ale nedokázala to. Pýcha na vlastní dovednosti, pýcha na vlastní intelekt, pýcha na schopnost nalézt odpovědi tam, kde to nikdo jiný nedovede. Věděla, že je dobrá. Věřila, že je nejlepší, zejména když kolem sebe má správný vlastnoručně vybraný tým. Ostatní ji mohou považovat za domýšlivou; Carol Jordanová dobře ví, že v sobě má něco, co ji k domýšlivosti opravňuje. Tuhle práci by nikdo nedokázal dělat lépe. Má pochybnosti o spoustě věcí, ale ne o své schopnosti být šéfovou.

A nakonec vražedné spouštěcí tlačítko. #4: Pokušení. Mávali před ní něčím mnohem větším než pouhou šancí na návrat k práci, která ji tak dlouho určovala a odměňovala. Vymysleli něco nového, něco zářivého a lesklého, něco, co by mohlo změnit budoucnost toho, jak bude vypadat policejní práce. A ona byla jejich první volbou, kdo to povede. Regionální tým pro závažné zločiny – ReTZZ – by posbíral všechny náhlé násilné smrti, nejzvrácenější sexuální napadení i nejzvrhlejší únosy dětí od šesti různých policejních sborů. Možná první opatrný krůček směrem k celostátnímu orgánu, jako je FBI. Kdo jiný by tohle dokázal, pokud ne Carol Jordanová?

Jenže ona to parádně pokazila ještě dřív, než se jí stačili zeptat. A pokazila to tak neuvěřitelně stupidně, až to vyráželo dech, a jedinou cestou k její záchraně byl troufalý plán korupce z bohulibých důvodů, o němž neměla nikdy ani na nanosekundu uvažovat, natož po něm dychtivě skočit. Zaslepil ji hlas důvěry v její schopnosti, zalichotilo jí, že jistý čestný člověk riskoval svoji integritu pro to, aby ji dosadil tam, kam patří, a jako poslední hřebíček do rakve ji k záhubě odsoudily požadavky vlastního ega.

A teď má na rukou ještě víc krve a nemůže z toho obviňovat nikoho než sebe.

Carol vyrazila ostřeji do svahu, svaly zaprotestovaly, v plicích ji pálilo. Flash křižovala kopec před ní, králíci se jí rychle klidili z cesty, špinavě bílé ocásky poskakovaly v trávě vřesoviště jako náhodně uvolněné bílé tenisové míčky. Carol neměnila tempo, neregistrovala svoje okolí, uvízla v zuřivosti nasměrované výlučně na vlastní osobu.

Co si teď počne? Jediný princip, kterým se vždy řídila, byla snaha o dosažení spravedlnosti. Zavedla ji do temných míst a nutila ji používat nepohodlné cestičky, ale nikdy ji nezklamala. Předávat zločince justici ji vždycky naplňovalo. Pocit opětovného nastolení jakési rovnováhy ve světě dodávalo rovnováhu i jejímu životu. Ale tady nemůže být ani řeč o nějaké spravedlnosti.

Pokud by Carol připustila existenci spiknutí, jehož byla součástí, stala by se pouze nepatrným zlomkem rozsáhlé škody a destrukce. Zničilo by to regionální tým pro závažné zločiny ještě dřív, než se zavede a pořádně rozběhne. A to by zvýšilo pravděpodobnost, že těžcí zločinci uniknou trestu za své činy. Zničila by kariéru policistům, kteří na ni spoléhají. Nejspíš by šla do vězení. A co je ještě horší, strhla by tam s sebou další lidi.

Vina padá výlučně na její hlavu. Krev má na svých rukou. Existuje jediná cesta k nápravě. Regionální tým pro závažné zločiny musí být úspěšný. Pokud dokáže jednotku proměnit v elitní tým, který i za těch nejnáročnějších podmínek skutečně dosahuje zatčení a rozsudků, který umí dostat vrahy za mříže dřív, než zbytečně zmaří další životy, pokud dosáhne nějaké výrazné změny… Ještě pořád jí zůstane dluh za ta ostatní úmrtí, ale bude alespoň mít co položit na druhou misku vah.

3

"Dělám si s Torinem starosti," poznamenala detektiv seržant Paula McIntyreová, když pubertální chlapec odcházel od auta a naznačil zamávání na rozloučenou, aniž by se doopravdy obrátil. Doktorka Elinor Blessingová ztlumila rádio. "Já taky." Myslela na to už několik dní. Byla to poslední věc, kterou držela v mysli, než ji přepadl spánek, i první myšlenka po probuzení.

Brzo ráno zasténala při agresivním tónu vyzvánění partnerčina iPhonu. Zatracené kostelní zvony. Jak může tak malá destička ze silikonu vydávat takový rámus? Když to takhle půjde dál, velice rychle skončí jako Quasimodo ambulantního oddělení. "Paulo," zamumlala ospale. "Mám dneska volno."

Paula McIntyreová se k Elinor přitulila a lehce ji políbila na tvář. "Já vím. Ale já a Torin se musíme vysprchovat, nasnídat a včas vypadnout. Klidně zase spi. Budu tichá jako myška, ani nebudeš vědět, že jsem tady."

Elinor cosi nepřesvědčeně zabrumlala. Matrace se zhoupla, jak Paula vyskočila z postele a zamířila do sprchy. Kombinace znepokojivých obav o Torina, rachotu sacího ventilátoru a sykotu sprchy byla na Elinor příliš. Jakákoli vyhlídka, že by se mohla vrátit ke spánku, se rozplynula jako pára nad hrncem. Smířila se s nevyhnutelným, vydala ze sebe hrdelní zvuk vyjadřující znechucení a vstala.

Zahalená do županu vystoupala schody k půdní vestavbě, kterou jejich čtrnáctiletý svěřenec proměnil v rádoby mužskou jeskyni. Napřed zaklepala – protože skutečnost, že Torina přijaly teprve nedávno, si vyžádala pečlivou četbu na téma, jak přežít rodičovství puberťáka – a pak strčila hlavu do dveří. "Ahoj, Torine." Znělo to mnohem veseleji, než jak se cítila. "Vyspal ses dobře?"

Zabručení přesně odráželo její vlastní probuzení, jen o oktávu níž.

"Je čas vstávat." Elinor počkala, dokud se zpod přikrývky nevynořila dlouhá hubená chlupatá noha, pak se stáhla dolů do kuchyně. Káva. Miska čerstvého ovoce pro Torina. Toast pro Paulu. Dvě vajíčka daná stranou na sázená vejce pro Torina, fazole už čekaly na pánvi. Džus pro všechny tři. Všechno bylo nachystané a připravené ke konzumaci bez jakékoli nutnosti přemýšlení. Elinořinu hlavu ovšem nezaměstnávala snídaně, ale chlapec. Do života jim vstoupil náhodou. Ani jedna z nich necítila biologické puzení k mateřství, ale poté co Torinovu matku zavraždili, se chlapec razantně odmítl odstěhovat z Bradfieldu a žít s tetou a babičkou, s příbuznými vzdálenými, pokud šlo o emoce i kilometry. Torinův otec pracoval v zahraničí a nevyskytoval se poblíž už celou řadu let. „Potřebuju zůstat tam, kde mám přátele," trval na svém Torin, vzdorovitě, ale z Elinořina pohledu nikoli nerozumně. Díky kombinaci Elinořina přátelství s jeho matkou a Paulina profesního zapojení do vyšetřování případu skončil Torin u nich doma, v jejich péči. Žádná z nich si nebyla tak úplně jistá, jak k tomu došlo. Ale ani jedna nebyla ochotná odmítnout kluka, který ztratil svou poslední kotvu.

A tak se jejich společný život rozšířil a zahrnul pubertálního chlapce. Nešlo o zrovna obvyklé uspořádání, ale několik měsíců se zdálo, že to funguje. Elinor žasla – a aby byla upřímná, dělalo jí to trochu starosti –, že se Torin se smrtí matky zdánlivě tak snadno vyrovnal. Jejich přítel, klinický psycholog Tony Hill ji uklidňoval. „Žal je individuální. Někteří lidé rádi truchlí veřejně, jiní v soukromí. Někteří to mají složité, protože jejich život s mrtvým byl značně komplikovaný. Pro jiné – jako zjevně pro Torina – je situace relativně jednoznačná. Je smutný, utrpěl bolestnou ztrátu, ale nezmocnil se ho hněv nebo rozmrzelost, se kterými se nedokáže vypořádat. Nepochybně se dočkáte neočekávaných výbuchů, které se objeví zdánlivě zčistajasna. Ale nemyslím si, že by v sobě dusil nějaké trauma, které by před vámi tajil." Pak se usmál svým křivým sebeironizujícím úsměvem: „Samozřejmě, pokud ovšem nejsem úplně vedle."

Ale ukázalo se, že měl pravdu. Torin a obě ženy se vzájemně přizpůsobili. Elinor a Paula znovu objevily, že deskové hry mohou být zábavné, a zjistily, že celá nová generace těchto her čeká na to, až je někdo koupí a bude hrát. Torin se s nimi díval na filmy, které by nikdy nepovažoval za hodné sledování. Pomalu a opatrně se učili tomu, co jeden o druhém potřebovali vědět.

Torinova práce ve škole se vzpamatovala z náhlého zhoršení způsobeného šokem z matčiny smrti a nezdálo se, že by se jakkoli obával nezadržitelně se blížících zkoušek. Paulu trápilo, že podle ní nežije dost společenským životem. V jeho věku byla součástí skupiny dívek, které spolu trávily celé hodiny vždy v ložnici jedné z nich, experimentovaly s líčením, porovnávaly způsoby mazlení s chlapci, s nimiž se líbaly – protože Paula ještě nenašla způsob, jakým sama sobě vysvětlit samu sebe –, a pomlouvaly každého, kdo nepatřil do jejich uzavřeného kroužku. Chlapci měli stejně pevná uskupení kamarádů, přestože Paula ani v nejmenším netušila, o čem si povídají, kromě toho, že to bude o něčem jiném.

Torinův život takhle nevypadal. Občas se v sobotu sešel s přáteli a poflakovali se kolem drahých obchodů se značkovým zbožím, soustředěných v uličkách za Bellwether Square, ale většinou jako by preferoval samotu. I když se nikdy příliš nevzdaloval od pupeční šňůry spojení s tou či onou obrazovkou nebo displejem. Ale Elinor, jejíž kolegové z Bradfield Cross Hospital pokrývali široké věkové spektrum a nejrůznější prostředí, ji ujistila, že teenageři současné doby prostě takoví jsou. Komunikují spolu přes selfíčka a Snapchat, přes tagování a Twitter, přes obrázky na Instagramu. A až se změní doba, bude to zase úplně jiná věc. Setkání tváří v tvář bylo typické pro dvacáté století.

Jenže v posledních dvou nebo třech týdnech je něco jinak. Torin upadl do nevrlého mlčení, sotva vnímal jejich otázky a poznámky. Stal se zosobněním klišé nabručeného, nekomunikativního teenagera, při jídle vůbec nepřispíval ke konverzaci, a jakmile si přestal cpát jídlo do pusy, zmizel do svého pokoje. Když se ho Elinor zeptala, jestli si nechce popovídat o své matce, polekal se, jako by mu vyťala políček. „Ne,“ řekl a stáhl tmavé obočí do prudkého zamračení. „Co se k tomu dá říct?“

„Říkala jsem si, jestli ti máma nechybí víc než obvykle,“ odpověděla stoicky tváří v tvář jeho nepřátelství.

Povzdechl si. „Byl bych pro ni jedině zklamáním.“ Pak odstrčil židli, přestože mu na talíři zůstal ještě kousek pizzy. „Musím si napsat úkoly.“

A teď i Paula připouští to, čím se Elinor znepokojuje. Mají dobrý důvod dělat si o Torina starosti. Když Paula vklouzla autem do pomalu se pohybující ranní dopravy, Elinor pečlivě volila slova. „Řekla bych, že ho něco trápí. Myslím tím něco víc než jeho matka. Něco, co nedokážeme uhodnout, protože s tím nemáme zkušenost."

„Tak co si počneme?"

„Myslíš, že by mělo smysl promluvit si s někým ve škole? Jeho třídní učitelka nám moc pomohla, když Bev zemřela."

Paula se zapojila do proudu dopravy, která odbočovala vpravo. „Za pokus to stojí. Nemám zařídit, aby k nám Tony přišel na večeři, jestli třeba Torinovi nerozváže jazyk?"

„To si nechme v záloze, pokud uvízneme ve slepé uličce." Elinor se snažila nepodléhat malomyslnosti. „Možná to celé souvisí s tím, že je mu čtrnáct a nemá poblíž muže, se kterým by si mohl promluvit."

„Může se přes FaceTime spojit s otcem, kdykoli se mu zachce. A často si povídá s Tonym. Nemyslím, že bychom měly důvod k sebemrskačství, Elinor." Znělo to ostře. Elinor doufala, že za Paulinu podrážděnost nemůže nic víc než doprava.

„Když to říkáš. Ale…"

Paula přerušila ticho. „Ale co?"

Elinor se křivě pousmála. „Carol Jordanová pořád opakuje, že jsi nejlepší vyšetřovatel, jakého kdy zažila. A nedokážeš Torina přimět, aby se otevřel. Tak počítám, že musí jít o něco vážného."

Paula zavrtěla hlavou. „Torin není žádný podezřelý, El. Je to adolescent, ve kterém bouří hormony a který za sebou má závažnou tragédii. Bojím se, že v sobě něco dusí, ne že skrývá trestnou činnost."

Elinor si shrnula z obličeje dlouhé černé vlasy, vychutnávala si skutečnost, že je může mít rozpuštěné, a ne pevně stažené jako v práci. Uchechtla se. „Máš pravdu. Pěkně jsi mě srovnala. Díky, vždycky mě uklidníš."

Paula se zamračila. „I když nedokážu uklidnit samu sebe?"

„Zejména když vnímám lehké hlodání pochybností, které mi napovídá, že jsi člověk." Pohladila Paulu po paži. „Co máte na programu dneska?"

„No, teprve se v regionálním týmu dostáváme do tempa. Ten případ internetového trollingu, to byla spíš náhoda než něco, čím nás formálně pověřili. Takže prostě musíme čekat a uvidíme, co Carol přistane na stole. Těším se na to."

Elinor se usmála. „Já vím." Poposedla si, natáhla krk, aby viděla na ulici před sebou. „Za těmi semafory mi zastav, vezmu to odtamtud zadem k obchodům. Ušetřím tě tak objíždění bloku a neuvízneš v dopravě na Campion Way."

Paula zastavila a naklonila se, aby Elinor políbila na rozloučenou. „Bude za tím něco bezvýznamného," tvrdila. „V tomhle věku všechno hned znamená konec světa. Až na to, že to tak nikdy není." Znělo to sebejistě, ale z Pauliných modrých očí Elinor vyčetla pochybnost.

A když procházela ranními davy, řekla si, že musí partnerčina slova vzít za bernou minci. „Něco bezvýznamného."

Přestože jim ani na chvíli neuvěřila.

4

Nesešlo na tom, že Carol dveře stodoly zavřela téměř neslyšně; Tony Hill žil tak dlouho sám, že i ve spánku vnímal drobné změny ve svém okolí. Část stodoly, kterou Michael Jordan vybudoval jako apartmá pro hosty, mu sloužila zároveň jako softwarová laboratoř a vytvořil ji doslova zvukotěsnou. Přesto Carolin odchod dokázal Tonyho probudit ze vždy lehkého spánku. Stačilo sebemenší rušení ve vzduchu, slabá trhlina ve zvukové paletě jeho snů. Ať už šlo o cokoli, probudil se a okamžitě věděl, že Carol odešla z domu.

Chvíli ležel, přemítal o tom, jak se oba udrželi na oběžné dráze toho druhého. Tu a tam se snažili od sebe vzdálit, ale nikdy to nemělo dlouhého trvání. A teď je tady, pod Carolinou střechou. Přestože by se ani jeden z nich nepřiměl tu skutečnost připustit, je tady, protože Carol potřebuje, aby jí pomohl, když se odříká alkoholu, a protože on ji potřebuje pro svůj pocit, že jeho lidství je reálnější než pouhá maska. A právě proto byl u toho, když zazvonil telefon a přinášel temnou zprávu.

Okamžitě věděl, že ten telefonát znamená potíže. Caroliny šedé oči potemněly a obličej jí ztuhl, odhalil jemné vrásky, kterých si Tony nikdy dřív nevšiml. Prohrábla rukou husté světlé vlasy, slabé světlo ve stodole odhalilo víc stříbra, než tam bylo před pouhými několika měsíci. Hluboce dojímavá chvíle pochopení, že Carol viditelně stárne.

Je zvláštní, že takové okamžiky přinášejí podivnou úlevu. Vnímal to už dřív u svého obličeje. Měsíce proběhnou bez jakékoli viditelné změny a pak najednou jednoho rána člověk v zrcadle po straně zachytí letmý pohled a dojde mu, že to, co kdysi bývaly vrásky od smíchu, zůstává permanentně vryto do pokleslých tváří. Občas mu při vstávání z postele zaprotestuje tělo. Vzpomněl si, jak se mu jednoho dne, když se zvedal ze židle, Carol smála, že vydává, jak to ona nazývala, „stařecké hekání". Nikdy moc nepřemýšlel o tom, že oba stárnou; když si to nyní začal uvědomovat, věděl, že se mu myšlenky k tomuto tématu budou vracet, dokud nepřijde na to, co to pro něj znamená. Břímě psychologa: práce, která nezná oddechu.

Teď ovšem musí vyzkoumat, jak Carol pomoct, aby se nesesypala v důsledku nejnovějšího problému. Zná ji velice dobře, takže ji podezírá, že toho využije jako popudu, aby na sebe kladla ještě větší požadavky. Vlastní sebehodnocení propojí s úspěchem regionálního týmu pro závažné zločiny do dvoušroubovice, jakou má DNA, ty dvě věci na sobě budou plně závislé. A to je nebezpečná strategie. Protože ať je Carol sebelepší detektiv, nemůže ovlivnit výsledek každého případu.

Než se Tony stačil ponořit do hlubšího zkoumání nastalé situace, upoutalo jeho pozornost slabé vrčení motoru. Zřídkakdy se objevující vozy na klidné silničce vedoucí kolem stodoly byly obvykle slyšet jen několik málo vteřin, ale tenhle vůz se musel zdržet poblíž, zvuk neutichal ani nezesiloval. Zdá se, že mají návštěvu.

Tony se vydrápal z postele, div nepřepadl zpátky dozadu, když se nemotorně snažil rychle nasoukat do džín. Popadl tlustý rybářský svetr, který si navykl nosit na své lodi, a zamířil přes hlavní část stodoly ke vchodovým dveřím, poskakoval, jakmile zaregistroval chlad kamenných dlaždic pod nohama. Uvědomil si, že zvuk motoru ustal. Dveře otevřel právě ve chvíli, kdy měkce zaklaply zavírající se dveře drahého německého stroje. Muže, který se napřímil a obrátil se k němu tváří, znal až moc dobře.

„Johne," pozdravil ho Tony, ani se nesnažil skrývat unavenou rezignaci. Příjezd Johna Brandona, Carolina bývalého šéfa, muže, který vymyslel a zorganizoval Carolin návrat k policii, nebyl nikterak překvapivý, ne po včerejší večerní zprávě. „Pojďte radši dovnitř."

Brandon se přiblížil a jeho podobnost s utrápeným policejním psem byla ještě výraznější než kdy jindy. „Z vašeho výrazu soudím, že už to víte?"

Tony poodstoupil, aby Brandon mohl vejít. „Má moc nepřátel, Johne. Vážně jste se domníval, že žádný z nich nezvedne sluchátko?"

Brandon si povzdechl. „Špatné zprávy se šíří rychle." Rozhlížel se kolem sebe a Tony zaznamenal, že jeho cvičené oko policajta registruje detaily nově zařízených prostor. Odhalené trámy, dokonalou omítku. Střídmé jednoduché vybavení a masivní kamenný krb s pečlivě vystavěnými poleny, připravenými k zapálení. Na stěnách ještě chyběly obrázky, na podlaze z kamenných desek koberce. Japonské zástěny, které uzavíraly místo určené pro spaní; oddělený kout, o němž Tony věděl, že ukrývá luxusní koupelnu. „Odvedla tu skvělou práci," poznamenal Brandon.

„To by nikoho nemělo překvapovat."

„Kde je?"

„Nahoře na kopci se psem. Šla ho vyvenčit."

Brandon se posadil na jednu z hlubokých pohovek potažených tvídem. „Kdo jí to řekl?"

„Detektiv vrchní inspektor John Franklin ze Západního Yorkshiru. Bylo na něm znát, jakou z toho má škodolibou radost." Pouhá vzpomínka na Carolin sklíčený výraz postačila k tomu, aby se Tonymu ve tváři objevila pobouřenost. „Pořádně ji to vzalo."

Brandon si povzdechl. „Kéž by býval mlčel."

„Proč? Neexistuje způsob, jak to podat, aby výsledek nebyl stejný."

„Chtěl jsem jí to říct osobně. Chtěl jsem jí vysvětlit, že to není její chyba. To, co se stalo, spadá do kategorie zákona o neúmyslných škodách."

„Cože?" Tony si v zoufalém gestu prohrábl tmavé vlnité vlasy. „Vy a vaši mocní přátelé jste obešli právní systém, abyste Carolino zatčení za jízdu pod vlivem alkoholu mohli svést na technický problém. Akorát díky tomu z obvinění vyvázli i další tři řidiči. Jeden z nich pak znovu usedl za volant, jenže tentokrát se opil tak, že v pozdní večerní bouračce zabil sebe a další tři nevinné lidi. A vy si myslíte, že můžete jenom pokrčit rameny a odmávnout to jako ‚neúmyslnou škodu'?" Tony ve vzduchu prsty zagestikuloval sardonické uvozovky.

„Nikdo nic neodmává. Ale pokud by za to někdo měl nést vinu, pak jsem to já a tým z ministerstva vnitra, kdo jsme celou věc v první řadě považovali za dobrý nápad. Ne Carol."

Tony netrpělivě vrtěl hlavou. „Hodně štěstí, až ji budete přesvědčovat, aby se na to dívala takhle. Budete moct mluvit o štěstí, pokud na sklonku dnešního dne zůstane Carol na svém postu."

Brandon si neklidně poposedl, přehodil jednu hubenou nohu přes druhou. „Doufal jsem, že mi ji třeba pomůžete přesvědčit, že teď není vhodná doba, aby odstoupila z funkce. Co se stalo, stalo se. Regionální tým pro závažné zločiny dřív nebo později dostane živý případ a my potřebujeme, aby Carol tým vedla."

„Ráno jsem s ní ještě nemluvil. Ale udělá to, co bude ona považovat za nejlepší, nehledě na to, co jí kdokoli z nás bude vykládat, Johne."

Ještě ani nedomluvil, když se otevřely dveře a Flash přeběhla místnost, olízla na přivítanou Tonyho stehno a pak se obrátila k Brandonovi, uši našpicované, hlavu vysunutou dopředu, větřila ve vzduchu.

„Přesně tak." Carol k nim popošla těch několik zbývajících kroků. „Říkala jsem vám to už tenkrát, že není dobrý nápad vměšovat se do oprávněného zatčení, Johne."

„Pokud si vzpomínám, zas tak moc jste neprotestovala." Slova zněla obranně. Ale tón Brandonova hlasu byl lítostivý.

Carol si povzdechla. „Dokonale jste odhadli moji slabost. A já podlehla pokušení a pochlebování."

„Nešlo o žádné pochlebování," zaprotestoval Brandon. „Byla jste nejlepší osoba, která může vést regionální tým pro závažné zločiny. Pořád jste."

Carol vyklouzla z kabátu a pověsila ho na věšák. „Nejspíš máte pravdu. A proto odjíždím do práce." Obrátila se k nim tváří, oči jí studeně blýskaly hněvem. „Provedli jste mi strašlivou věc, Johne. Čtyři lidi jsou mrtví, protože jste se vy a vaši kamarádi rozhodli, že je třeba mě očistit. Můžete se schovávat za své přesvědčení, že jste udělali správnou věc. Ale já ne. Nechala jsem se umluvit k tomu, abych díky marnivosti a vlastnímu egu přijala práci v regionálním týmu pro závažné zločiny." Prohrábla si rukama čepicí slehlé vlasy, umožnila jim tak nabrat původní tvar. „Dovolila jsem si uvěřit, že moje motivy byly čisté. Ale upřímně? Nebyly. Takže musím žít s vinou. Teď se stydím za svůj souhlas, že se stanu součástí vaší nepoctivé úmluvy. A jediná věc, kterou můžu udělat a která se alespoň trochu přiblíží mému očištění, je vypadnout odsud a dělat práci, která možná jiné lidi zachrání před smrtí."

Tony při jejích slovech cítil hrdost i lítost. „To není zrovna maličkost," řekl měkce.

„Čtyři životy, Johne," pokračovala Carol. „Pro dobro nás všech raději doufejte, že nikdo nikdy neodhalí, co se doopravdy stalo v halifaxské soudní budově."

5

Paulu překvapilo zjištění, že do kanceláře dorazila jako první. V době, kdy přicházeli ostatní členové týmu, bývala už za ochranným štítem půltuctu počítačových monitorů usazená detektiv konstábl Stacey Chenová. Jenže dnes samostatná kancelář, v níž Stacey provozovala svou černou magii digitálního vyšetřování, zůstala temná, dveře zavřené, a jak Paula předpokládala, zamčené. Pověsila kabát, ale než si stačila připravit posilnění z kávovaru určeného pro tým, vysoce sofistikovaného stroje zpracovávajícího kávu od zrna po šálek, zazvonil v Carolině kanceláři telefon.

Dveře byly otevřené. Ve starém Carolině bradfieldském týmu pro závažné zločiny platilo pravidlo, že každý telefonát musí být přijat. Proto Paula spěšně přešla místnost, sluchátko zvedla při čtvrtém zazvonění. „Regionální tým pro závažné zločiny, detektiv seržant McIntyreová."

„Je tam vrchní inspektorka Jordanová?" Neidentifikovaný ženský hlas, který jí ani nebyl povědomý.

„Kdo volá?"

„Detektiv superintendant Hendersonová ze Severního Yorkshiru."

Takovou hodnost mělo dosud jen velmi málo žen, takže Paula znala renomé Anne Hendersonové. Patřila k tichým, ale nebezpečným lidem. Nikdy nezvyšovala hlas, jenže na druhou stranu ji nikdy nikdo nezaskočil. „Když se rozdával smysl pro humor, zapomněla si přijít," zněl verdikt jednoho bradfieldského seržanta, který začínal kariéru u sboru Severního Yorkshiru. Paula si nemyslela, že by taková věc z někoho dělala špatného člověka, i když právě černý humor často dostával detektivy týmu z největších hrůz, s nimiž se běžně setkávali. „Je mi líto, madam," odpověděla Paula. „Detektiv vrchní inspektorka Jordanová má právě jednání. Mohu vám nějak pomoct? Nebo předat vzkaz?"

„Máme něco, o čem si myslíme, že byste se na to rádi podívali," prohlásila Hendersonová stroze. „Jak postupujete při podobných předáváních?"

28

„Ještě si nejsem úplně jistá protokolem," přiznala Paula. „Ale předpokládám, že detektiv vrchní inspektorka Jordanová bude chtít přijet se svým týmem na místo činu."

„To nebude možné." Hendersonová mluvila úsečně, v hlase jí zaznívala podrážděnost. „Policisté na místě nepovažovali smrt za podezřelou."

„Takže jak? Neuchovali místo činu?"

„Je to složité. Patrně by bylo nejlepší, kdyby vám místní hlavní vyšetřovatel mailem zaslal podrobnosti. Pak byste to odtud převzali?"

Paula netušila, co na to říct. Jak by to Carol Jordanová chtěla? Pokud je místo činu zničené, budou muset začít někde jinde. „To bude asi nejlepší," souhlasila.

„Zařídím to. Jakmile se na to detektiv vrchní inspektorka Jordanová podívá, může mi zavolat a dohodneme se, jak postupovat dál."

A bylo to. Když Paula položila sluchátko, dveře místnosti týmu se otevřely a dovnitř vešla Stacey Chenová a jí v patách detektiv konstábl Karim Hussain. Stacey se tvářila ponuře, ale Karim se pohyboval se živostí štěněte, kterému hodili úplně nový tenisový míček. „Dobré ráno, kapitáne," halasil Karim. „Mám všem připravit něco k pití?"

Stacey obrátila oči v sloup a zamířila ke své kanceláři. „Earl Grey," zamumlala a odemkla dveře.

„Já vím," hlásil Karim vesele. „Bez mléka, stejný odstín jako Famous Grouse." Pro účely kontroly kvality stála na poličce pod konvicí miniaturní lahvička whisky. „Učím se, pane Fawlty." V parodii na flirtujícího číšníka zamrkal svými absurdně dlouhými řasami. Nikdo mu ovšem nevěnoval pozornost. Pokrčil rameny a pokračoval v přípravě nápojů. Ještě že ho v tuhle chvíli nemůže vidět sestra. Nadšeně by si z něj utahovala, velký detektiv, ponížený na roznašeče čaje.

Paula zašla za Stacey. „Jsi v pořádku?"

„Nic mi není. Udělala jsem, co bylo třeba."

„Jak to vzal?"

„Nemám nejmenší tušení. Zablokovala jsem mu přístup ke všem svým prostředkům komunikace." Stacey se usadila za monitory, jejichž strašidelné blikání promítalo na její obličej a bílou blůzu vzory náhodných barev. Ve tváři měla prázdný a odrazující výraz. Paula si pomyslela, že většina lidí by ráda využila příležitosti pěkně si popovídat o bývalém příteli tak zrádném, jakým se ukázal Sam Evans. Nicméně Stacey není jako většina lidí.

„Před chvílí volala detektiv superintendant Hendersonová se Severního Yorkshiru. Posílají nám podrobnosti k případu."

Stacey se zachmuřeně usmála. „Výborně. Máme se do čeho zakousnout."

Paula se stáhla, byla ráda za kávu, kterou před ni postavil Karim. Přihlásila se do systému a zkontrolovala úložiště cloudu ReTZZ. V Severním Yorkshiru nemarnili čas. Jejich označení NYP se stalo prvním identifikačním údajem jediné složky souborů v sekci Okamžitá pozornost. Paula cítila, jak se jí zrychlil pulz. Regionální tým pro závažné zločiny poprvé dostal případ od jiného sboru. Začínají prokazovat své kvality.

V půlce dopoledne se malý tým shromáždil do tvaru podkovy kolem dvou bílých tabulí. Detektiv vrchní inspektorka Carol Jordanová stála před nimi, ramena vzpřímená, ruce sevřené v pěsti podél boků. Kromě Karima se jako před startem nedočkavě tváří jen detektiv inspektor Kevin Matthews, pomyslela si Paula. Carol Jordanová má temné kruhy pod očima, Stacey připomíná velice přesvědčivého náhradníka Smrtky a Tony Hill, jejich první a největší naděje, že se energicky pustí do toho, co mají před sebou, se nepřestal mračit od chvíle, co před deseti minutami přišel. Poslední člen týmu detektiv seržant Alvin Ambrose se tvářil působivě apaticky, paže měl volně založené na hrudi v póze „počkáme a uvidíme", vyholená hlava se leskla pod pásovým osvětlením, tmavý oblek mu dodával vzezření vyhazovače z nočního klubu, s nímž není radno se přít.

„Máme naprosto zničené místo činu," začala Carol. „K ideálnímu startu v naší nové roli regionálního týmu pro závažné zločiny to má pěkně daleko. Ale nedopustíme, aby nás to zastavilo." Obrátila se a sevřenými velkými tiskacími písmeny napsala na horní část tabule *Kathryn McCormicková*. „Před třemi dny na odpočívadle narazil motorista vracející se po vedlejší silnici ze Swarthdale do Riponu na hořící vůz. Zaparkoval o dvacet metrů dál, pak se on i jeho spolucestující vrátili zpátky. Uvnitř vozidla zuřil oheň a na sedadle řidiče rozeznali obrysy lidské postavy. Řidič, šestatřicetiletý inženýr, se pokusil k vozu přiblížit, ale žár ho zahnal."

Carol na tabuli menšími písmeny napsala *Simon Downey*. Pod něj *Rowan Calvert*. „Rowan zavolal hasiče, zatímco Simon běžel zpátky k autu pro hasicí přístroj."

Kevin si odfrkl. „Ten má asi tak stejný účinek jako uprdnutí v bouři."

„Je to tak," souhlasila Carol. „Než o sedmnáct minut později dorazili hasiči, začaly plameny ustupovat, ale vnitřek auta – Fordu Focus – se proměnil v ohořelou skořápku. Předpoklad zněl, že auto z nějakého důvodu chytlo, řidič zastavil, ale nepodařilo se mu dostat se ven. Závěrem šetření byla nehoda, s okrajovou možností sebevraždy."

„Viděli svědci, že by se řidič pokoušel dostat ven?" zajímala se Paula.

„Pro plameny a kouř nic moc neviděli, ale podle jejich výpovědí se prý ta osoba občas trhaně pohnula," odpověděla Carol.

„To je velice nepravděpodobné," oponoval Kevin. „V takhle intenzivním ohni? V tom člověk nepřežije dostatečně dlouho, aby se mohl vážně pokusit dostat se ven."

„Pojivová tkáň se přece v ohni stahuje, ne? Proto ohořelá těla končívají v pozici boxera. Možná ti svědkové viděli tohle a považovali to za spontánní pohyb, ne za účinek plamenů," přemítala Paula.

„Pravděpodobně." Carol rychle nahlédla do složky před sebou, ověřovala si, co stojí ve zprávě ze Severního Yorkshiru. „Na místě činu patrně všechno zmatlali od začátku až do konce. Dvě okna auta buď vyletěla, nebo se roztekla intenzitou žáru, takže vnitřek auta i tělo byly zmáčené pěnou z hasicího přístroje a sprškou vody. A ráno, když auto dostatečně vychladlo, ho umístili na nízký nakládač a převezli na požární stanici k prohlídce."

„Co tělo?" zeptal se Alvin. „Kdy ho vyprostili?"

„Až na požární stanici. Díkybohu tam mají patologa, který dohlížel na vyproštění těla a jeho přemístění. Kdoví, jak by to jinak skončilo." Carol si povzdechla. „Vyšetřovatel požárů nezačal na autě pracovat hned, protože měl rozpracované nějaké žhářství v Harrogate, tak zůstalo na stanici."

„Kde s ním, předpokládám, mohl kdokoli manipulovat?"

„Ne úplně kdokoli, Kevine, ale ano, chápu, co máte na mysli. Protože případ považovali za nehodu, nepřiřadili mu zrovna nejvyšší prioritu."

„Co je přimělo ke změně názoru?" zeptal se Tony.

„To, co patolog zjistil při včerejší pitvě. Ať se v tom autě přihodilo cokoli, nebyla to nehoda. Ani sebevražda."

„Jak to?" Z Karima vylétla ta slova bez přemýšlení. Zachytil pobavený pohled, který si Paula vyměnila s Kevinem, sotva potlačované zakoulení očima u Stacey a náhlý Alvinův zájem o podlahu.

„Protože zavraždění lidé nepáchají sebevraždy," odpověděla Carol.

6

O necelou půlhodinu později byla hlavní kancelář regionálního týmu pro závažné zločiny zase prázdná. Stacey seděla ve své místnosti za zavřenými dveřmi, začínala postupovat po internetové stopě Kathryn McCormickové. S trochou štěstí se Paula s Karimem z prohledávání bytu oběti vrátí s tabletem nebo s počítačem, které odemknou Kathrynin život. Do té doby ovšem Stacey využije veškeré oficiální přístupy i neoficiální zadní vrátka, která má k dispozici, začne vytvářet skicu a s jejím vybarvením jí pak pomůže nově dodaný kus hardwaru.

Na opačném konci místnosti týmu za zavřenými dveřmi kanceláře na sebe přes stůl hleděli Carol a Tony. Znal ji velice dobře, takže si uvědomoval, že má emoce pod tak enormním tlakem, že by těžko zvládala i otázku ohledně výběru kávy. Měl by být ve své kanceláři v Bradfield Mooru, provádět supervizi postgraduální studentky, ale odložil ji. Ať se to Carol líbí, nebo ne, dnes má v úmyslu držet se jí po boku, děj se co děj.

„Zdá se, že patolog nakonec odvedl slušnou práci," poznamenal Tony.

„No, poznal to okamžitě podle plic. Ani náznak vdechnutí kouře, žádné popáleniny od dýchání v horkých plynech. Takže byla rozhodně mrtvá ještě před začátkem požáru."

„Přesto mohlo jít pořád ještě o nehodu, ne? Mohlo dojít ke krvácení do mozku nebo k aneurysmatu aorty nebo k nějaké podobné náhlé příhodě a upustila zapálenou cigaretu. Absence poškození plic není průkazná, ne?"

„Tos tam nedával pozor?" Carol mluvila ostře, v hlase jí zaznívalo obvinění.

„Promiň, přišla mi esemeska od studentky, které jsem zrušil dopolední schůzku. Musel jsem to vybavit."

„Předně nechápu, proč jsi ji vůbec rušil. Nejsem malé dítě, nepotřebuju chůvu, aby dohlížela na jedinou věc na světě, v níž si připadám kompetentní." Znělo to unaveně, tónu Carolina hlasu odpovídaly temné kruhy pod očima.

„Měl jsem za to, že bys třeba ocenila někoho, kdo při tobě stojí.“

Carol se ušklíbla. „Od toho mám lidi tam venku. Svůj tým. Ať se pokazí cokoli, kryjou mi záda.“

Tony si nebyl jistý, jestli se Carol snaží přesvědčit jeho nebo samu sebe. Velice nedávná zrada – odněkud zevnitř prosákla do tisku informace o staženém obvinění proti ní – byla ještě čerstvá. Jednou už se to stalo; vědomí, že k tomu může dojít znovu, teď musí Carol strašit někde v zadním koutku mysli. A vzhledem k tomu, co dosud zůstalo skryto, by další odhalení bylo hotovým výbuchem granátu, tak hlasitým, že by mohl potopit všechno ostatní, čeho kdy Carol dosáhla. „Děláme to všichni,“ řekl smířlivě. „Ale ostatní se musí soustředit na svoje úkoly. Já zatím nemám dost materiálu, tak…“

„Každopádně,“ přerušila ho. „Typ nehody, jaký naznačuješ, vyloučilo to, co patolog našel, když se na tělo podíval detailněji. Jazylková kost Kathryn McCormickové byla rozlomená vedví. To samo o sobě ještě nedokazuje, že by byla uškrcená. Je notoricky známé, že se jazylková kost může zlomit při autonehodě, když bezpečnostní pás rozdrtí hrdlo. Ale tady se nenašla žádná indikace jakékoli nehody nebo náhlého zastavení. Stacey bedlivě prozkoumala fotografie poslané ze Severního Yorkshiru a na odpočívadle nejsou žádné brzdné stopy, žádná znamení prudkého brzdění. A vnějšek auta není poškozený, alespoň co dokážeme posoudit z fotografií. Takže zlomená jazylková kost ve spojitosti s čistými plícemi nám jasně vypovídá, že požár byl založen k zamaskování vraždy.“

„Jako zamaskování to moc nefungovalo.“

„Ne.“ Carol se jízlivě zasmála. „Při posedlosti lidí forenzními vědami a reálnými zločiny je v poslední době každý přesvědčený, že nás dokáže přechytračit. Lidé sledují televizní seriály, poslouchají podcasty, čtou knihy. Ale jakmile dojde na skutečnou vraždu a snahu zbavit se těla… No, není to tak jednoduché. To se pak kolečka rozeběhnou a pachatelé se začnou dopouštět zásadních chyb.“

„Hmmm,“ zamumlal Tony. „Nejspíš máš pravdu. Ale pěkně rychle se jim povedlo zjistit totožnost, viď? I to byla zásluha patologa?“

Carol zavrtěla hlavou. „Stará dobrá policejní práce. Tedy vícemeně. Policisté, co byli na místě činu, protáhli registrační číslo vozu celostátní počítačovou databází. A vyskočilo jim jméno Kathryn McCormickové a adresa v Bradfieldu. Pak nějaký chudák musel tak dlouho obvolávat dentisty, dokud nenašel toho, u něhož byla registrovaná. Dnes ráno provedli porovnání chrupu a potvrdili shodu."

„Takže totožnost jste ještě neoznámili?"

„Veřejně ne. Zatím jsme nevypátrali nejbližšího příbuzného." Carol si povzdechla. „Stejně je to divný případ."

Tony souhlasně přikývl. „Většina vrahů, kteří si dají tu práci, aby zakryli svůj zločin, chtějí, aby tělo zmizelo, ne udělat vatru až do nebe. Pravda, došlo k tomu na vedlejší silnici. Ale i tak by nemohl být nápadnější, i kdyby se sebevíc snažil." Tony vyskočil ze židle a začal křižovat malou místnost, mluvil při chůzi. „Snažil se ji tak urputně spálit proto, aby u nikoho nevzniklo podezření na vraždu? Chtěl si být absolutně jistý, že je mrtvá, mělo to být něco jako hrůzostrašná pojistka? Nebo je to celé o tom ohni? Zabití nebylo podstatné a to pravé vzrušení spočívá ve spálení těla?"

„Nebo jen chtěl zajistit, aby se zbavil forenzních stop?"

Tony se zastavil, obrátil oči v sloup v mlčenlivém předvedení stupidity. „To bude nejspíš ono. Občas zapomínám, že nejjednodušší odpověď je ta nejpravděpodobnější." Klesl zpátky na židli. „Jak ti je?"

„Jsem v pořádku," vystřelila Carol okamžitě. „Víš přece, že jsem vždycky v pořádku, když pracuju."

Věděl, že tohle si vždycky namlouvala. „Myslíš, že tisk přijde na…"

„Nevím a momentálně se snažím na to nemyslet. Snažím se nedohadovat, jestli mě John Franklin a jeho kamarádi ze Západního Yorkshiru tolik nenávidí, že by riskovali důsledky proniknutí této informace do médií. Snažím se nepředstavovat si titulky v novinách. Snažím se přesvědčit samu sebe, že odpovědí na to není obrovské množství vodky." Zmohla se na křivý úsměv. „Takže prosím tě, pokud už si dneska chceš hrát na ‚Já a můj stín', tak o tom do prdele nemluv."

Ten úsměv ho zachránil před panikou. Carolin hněv je ještě stále namířený proti vlastní osobě. A přestože to nebude bez následků, může alespoň zůstat při ní a pomoct jí z těch nejhorších. „Dobře," souhlasil. „Tak jaký je plán?"

„Říkala jsem si, že bych zajela do Severního Yorkshiru. Místo činu nám toho moc nevypoví, co se týče forenzních stop, ale chtěla bych se místo na videa a fotografie podívat na realitu. A vím, že se rád porozhlížíš po místech činu a rád všechno vidíš na vlastní oči."

„Rád v sobě zkoumám pocit z terénu, který si vrah vybral." Tony se opět postavil a natáhl se pro svou ošuntělou hnědou bundu. Nikdy v životě ani na chvíli nezakoketoval s módou, zajímala ho ze všeho nejmíň. Ale i on musel připustit, že se začíná až příliš podobat bradfieldským bezdomovcům. „Myslíš, že bych potřeboval novou bundu?" zeptal se Carol, když vycházeli z místnosti.

„Myslím na to v jednom kuse," odpověděla suše. „Cestou z města se zastavíme v některém z obchodů se sportovním oblečením."

„Není to trochu… narychlo?"

Když čekali na výtah, Carol se uchechtla. „Železo se musí kout, dokud je žhavé. Kdybych čekala do zítřka, proměnila by se ta bunda v tvůj nejcennější majetek, ve věc, bez které nedokážeš napsat jediný profil."

Do výtahu vstoupila před ním. Tony těžce polkl. Možná přece jen bude všechno v pořádku.

1

Na policistu byl Karim překvapivě rozvážný řidič. Nepřekračoval povolenou rychlost, dokonce ani třicítku na předměstí Harriestown. Zastavoval před křižovatkami, dával přednost přecházejícím chodcům, a když se blížil k semaforům, zpomaloval, místo aby dupl na plyn a zaručeně stihl zelenou. Paule to připomínalo dobu, kdy ji vozila matka, která se v pětašedesáti s úlevou vzdala řízení, když odešla z místa účetní. Paula si nebyla jistá, jestli je Karim tenhle typ úzkostlivého řidiče, nebo se na ni snaží udělat dojem tím, jak dodržuje předpisy.

Jakmile dojeli do Harriestownu, převzala navigování Paula. Po celý život v dospělosti pracovala v Bradfieldu a zaměstnání ji několikrát přivedlo na jižní předměstí. Začínala jako pochůzkářka, většinou tu šlo o drobnou pouliční zločinnost, drogy a krádeže. Během let ovšem oblast získala lesk, ulice s řadovými domy se staly žádanou akvizicí dobře placených mladých lidí. Hospody se vyšperkovaly, nabízely kvalitní menu a občasnou živou hudbu. Vznikla tu tržnice se širokým sortimentem potravin a v ošumělých parčících vyrašilo tak krásné vybavení dětských hřišť, až Paula zatoužila být znovu dítětem. Ale zušlechtění, které zvýšilo průměrný příjem oblasti, ji neučinilo imunní vůči zločinu. Během let, kdy Paula sloužila jako detektiv týmu pro závažné zločiny, vyšetřovala tři vraždy silně propojené s poštovním směrovacím číslem Harriestownu. A teď to vypadá na čtvrtou.

Kathryn McCormicková nebydlela v žádné z ulic s řadovými domky, které se rozprostíraly v mřížce kolem parku rozkládajícího se mezi impozantními viktoriánskými budovami dřívějšího reformního klubu a konzervativního klubu, jež nyní upravili na údajně luxusní byty. Kathrynin byt byl mnohem méně elegantní. Karim zabočil na pozemek bloku ze šedesátých let, který patrně nahradil dvojici bytelných dvojdomků. Zaváhal, zadíval se na ceduli, na níž stálo SOUKROMÝ POZEMEK, PARKOVÁNÍ POUZE PRO REZIDENTY.

„Ignorujte to," poradila mu Paula. „Prostě najděte nějaké místo."

„Co když mi dají botičku?"

„Nedají. Vždycky je můžu setřít za nějakou maličkost."

Karim na ni nevěřícně pohlédl, pak se opatrně usmál. Úpravně zaparkoval v nejbližší mezeře a pak vyrazil za Paulou k hlavním dveřím budovy. Na vstupním interkomu bylo patnáct zvonků označených pouze čísly. „Sakra," zaklela Paula. „Tak nějak jsem doufala, že tu bude vrátný." Bez očekávání jakékoli reakce stiskla zvonek bytu číslo 14 uvedeného v adrese, na níž byl v registru zapsán vůz. Bez odezvy.

Paula začala bytem číslo 15 a propracovávala se zvonky směrem dolů. Štěstí jí přálo na čísle 9. O osobě na druhém konci se dalo těžko říct cokoli kromě toho, že jde pravděpodobně o ženu. Paula se představila a vysvětlila, proč se potřebují dostat do budovy.

„Jak můžu vědět, že jste to, co tvrdíte?" vyžadoval hlas odpověď.

Reagovala tak proto, že policie upozorňovala lidi na pravděpodobnost, že mohou být podvedeni, okradeni a zavražděni na vlastním prahu. „Můžete sejít dolů a podívat se na naše průkazky," nabídla Paula.

„Nejsem oblečená," postěžoval si hlas ublíženě. „Mám po noční šichtě. Probudili jste mě."

„To se moc omlouvám. Pokud budete ochotná pustit nás bzučákem, zastavíme se u vašich dveří a můžete nás klidně zkontrolovat." Zavrtěla hlavou směrem ke Karimovi, který na oplátku udělal grimasu. „Jsme policisté."

„Bydlím v prvním patře," ozvalo se a bzučák hlasitě zavrčel.

Dveře bytu číslo 9 byly na škvíru pootevřené, mezerou viditelný obličej s rozespalýma očima lemoval mrak kaštanově hnědých vlasů. Soudě podle rozmazaného líčení kolem očí a úst bojovala jeho majitelka v předem prohrané bitvě s věkem. „Ty průkazky?"

Oba policisté před ní podrželi svoje nové lesklé průkazy.

„ReTZZ? Co to je? Vy nejste od bradfieldské policie?" Žena se podezíravě mračila.

„Jsme regionální tým," usadila ji Paula. „Neznáte náhodou svou sousedku z bytu 14?"

Žena si odfrkla. „Bydlí nade mnou. Když se nastěhovala, musela jsem si jít stěžovat. Chodit na vysokých podpatcích po dřevěné podlaze v domě jako tenhle, to je pořádně asociální chování."

„Jak to vzala?"

„Omlouvala se," přiznala žena neochotně. „A abych byla fér, sundávala si od té doby boty u dveří. Ale jinak jsem s ní neměla nic do činění."

„Měla tady v domě nějaké přátele?" zajímal se Karim.

Žena si ho prohlédla od hlavy až k patě, obočí povytažené. Jeho černé džíny a černou bundu od Barboura nejspíš nepovažuje za vhodný oblek pro policistu, pomyslela si Paula. Na rozdíl od jejích námořnicky modrých kalhot a modrého saka, které podle Elinor znepokojivě připomíná Maovo oblečení z osmdesátých let. „Nemám tušení, mládenče. Každý se tu staráme o sebe."

Nemá to cenu, pomyslela si Paula, když se rozloučili a zamířili do horního patra. U žádného z bytů se nedočkali reakce. „Co si počneme, kapitáne?" Karim se tvářil znepokojeně.

„Můžeme zavolat Bradfieldskou metropolitní policii a požádat ji, ať sem pošle auto s velkým červeným klíčem." Paula se přehrabovala v kabele. „Nebo můžeme zkusit tohle." Zamávala malým koženým pouzdrem a palcem ho otevřela. „Je to mnohem diskrétnější než beranidlo."

„Je to legální?" Opět Paule připomněl matku. Nebyla si jistá, jestli Karimovo všeobjímající nadšení bude stačit na překonání tohoto konkrétního problému. Upomenula se, že právě ona Karima doporučila Carol na základě skutečnosti, že je dříč, který, když je třeba, dokáže být tvrdší, než vypadá. A že je dost chytrý na to, aby obstál v regionálním týmu pro závažné zločiny. Naučí se, že je možné pravidla tak trochu ohnout. Jinak v týmu Carol Jordanové moc dlouho nevydrží.

„Potřebujeme se dostat dovnitř. Tohle způsobí mnohem menší škodu než beranidlo. A po našem odchodu zůstane byt zabezpečený." Už se skláněla ke dveřím, studovala zapuštěný zámek, vybírala, kterou planžetu použije. „Tuhle sadu mám teprve pár měsíců," vysvětlovala nepřítomně, jak testovala zámek pod svými prsty. „Na YouTube je pár dobrých videí, zkoušela jsem to u nás po domě. Ale tohle je poprvé, co to používám v zaměstnání." Dýchala pomaleji, nastavila napínák a zasunula do zámku jinou hřebenovou planžetu. Ruce se jí začínaly potit, ale dřív, než se planžety nebezpečně vymkly kontrole, se ozvalo uspokojivé cvaknutí a zámek se poddal. Paula se napřímila a usmála se na Karima. „Do policejní práce této jednotky vnášíme každý jinou sadu dovedností, Karime. Dostanete se do toho."

Při jejích slovech se mu rozjasnila tvář. „To doufám."

Dveře se otevíraly do čtvercové předsíně, z níž dál vedly čtvery dveře. Ke stěně byl přišroubovaný věšák na kabáty, pod ním stál dvouřadý botník. Šedý vlněný zimní kabát visel vedle tmavě zeleného nepromokavého pláště a hnědého koženého kabátku sahajícího do půli stehen. Botník obsahoval čtyři páry ničím pozoruhodných bot na nízkém podpatku, sportovní boty značky Nike a dva páry elegantních kožených kozaček. Zatím nic neobyčejného.

Rychlé nahlédnutí do dveří odhalilo koupelnu, kuchyň, ložnici a překvapivě rozlehlý obývací pokoj s výhledem na stromy a zadní zahrady. „Já si vezmu obývací pokoj, vy ložnici," rozhodla Paula. Lehce ji pobavilo, jak Karim zrudl při vyhlídce na tolik intimity u cizí ženy. Ale nutno mu přičíst k dobru, že neprotestoval. Začínala si myslet, že se možná přece jen rychle učí a že si v jejich malém sevřeném týmu pro sebe vybuduje prostor.

Obývací pokoj silně voněl po liliích. Na stolku poblíž okna, jehož povrch znečistily skvrny od oranžového pylu, stál svazek bílých trubkovitých květin. Květy byly plně rozevřené, ale ještě nezačaly vadnout. Paula usoudila, že budou staré nejspíš pět nebo šest dní. Takže si je Kathryn přinesla den nebo dva před tím, než zemřela. Přistoupila ke kytici, aby se podívala, jestli neobjeví vizitku, ovšem vůbec ji nepřekvapilo, že žádnou nenašla.

Místnost byla prostě, ale harmonicky zařízená. Paule nic nepřipadalo staré ani opotřebované a usoudila, že Kathryn všechno zvolila přímo pro tento byt, když se sem nastěhovala. Nejspíš přede dvěma nebo třemi lety. Maně si vybavovala, že takovou pohovku viděla v IKEA, když spolu s Elinor začaly bydlet. Zrcadlo nad krbovou římsou z falešného mramoru nad falešným topeništěm, na protější stěně zarámovaná reprodukce Monetových vodních lilií.

Paula stála uprostřed místnosti a vstřebávala ji do sebe. Nenašlo by se tu moc míst k prohledávání. Kathryn žila hned na první pohled odhadnutelný život. Malá knihovnička odhalila tucet tlustých paperbacků; napínavé thrillery, rodinné ságy a romány Eleny Ferrantové o neapolských přátelstvích. Ostatní poličky obsadily zarámované fotografie. Několik motivů ze Středomoří; pár, který vypadal na věk krátce po šedesátce a představoval patrně Kathryniny rodiče; fotografie z promoce, podobná té z řidičského průkazu, kterou jim poslali z registru vozidel; a několik skupinových fotografií žen, které se večer vyrazily pobavit. Žádný zjevný přítel.

Nejslibnějším potenciálním zdrojem informací byl stůl ve vzdáleném rohu se stoličkou zasunutou pod ním. O půl hodiny později Paula začínala Kathryn trochu litovat. Zásuvky stolu nesvědčily o zrovna bohatém společenském životě. Účty za energie řešila Kathryn patrně internetovým bankovnictvím, protože tu po nich nebylo ani stopy. Paula našla seznam adresátů přání k Vánocům, někdo jej později bude muset projít. Složka s recepty vytrhanými z novin a časopisů. Další složka obsahující výplatní pásky, které přinejmenším potvrdily, že Kathryn stále pracovala ve společnosti uvedené v její kartě u zubaře. A třetí složka s papíry týkajícími se koupě bytu. Dostala to místo za pěknou cenu, pomyslela si Paula.

Jedině nejspodnější zásuvka vydala materiál, který by mohl být důležitý. Velká manilová obálka byla naditá blahopřáními, útržky papírů a fotografiemi. Paula je vysypala na desku stolu a objevila Kathrynin soukromý život.

Jmenoval se Niall. Rozložitý chlap se světle kaštanovými vlasy a občas s rezavým strništěm. Široká otevřená tvář mu dodávala vzhled farmáře, ale pracoval jako designér pro malou bradfieldskou společnost, která plánovala a stavěla domácí kanceláře. Byly tu pozvánky na firemní akce, ty nejnovější se konaly o něco málo víc než před třemi lety. A přímo vespod hromádky vizitka roztržená vejpůl a pak slepená páskou. Niall Sullivan teď zjevně vedl tým designérů nějaké společnosti v Cardiffu. Člověk nemusel být zrovna detektiv, aby si dokázal udělat obrázek. Nechal ji tady. Kdyby to rozhodnutí učinila ona, vyházela by přání k Valentýnu a narozeninám i malé lístečky s nakreslenými srdíčky, na kterých ji žádal, aby cestou domů koupila chleba nebo mléko.

Nedá se vyloučit možnost, že se Niall Sullivan znovu objevil v jejím životě. Je třeba ho prověřit. Ale pokud Kathryn nebyla vyšinutou stalkerkou, která mu dělala ze života peklo – a Paula neviděla nic, co by tomu napovídalo –, pak se jí nezdá, že by tu byl jakýkoli motiv.

Paula vrátila materiál do obálky a uložila ji do pytle na důkazy. Když zavírala zásuvku, vešel do místnosti Karim.

„Povídejte mi něco o bezúhonném životě," prohlásil. „Není tu nic, nad čím by člověk povytáhl obočí, natož cokoli podezřelého. Měla pět kostýmků do práce, na každý den jeden. Šestery šaty, které by se daly vzít na slavnostní večer ve městě. Džíny, elegantní kalhoty, blůzy, pár triček a několik svetrů. Jako by patřila k ženám, které každého půl roku proberou celou garderobu a vyhází všechno, co za tu dobu nevzaly na sebe. Dokonce i spodní prádlo má naprosto nudné. Marks & Spencer, podprsenky sladěné s kalhotkami, žádné výstřelky."

„Cože?" Paulu to pobavilo. „Žádné seprané spodní kalhotky a praním zešedlé podprsenky?"

„Ne, nic takového. Ani nemá úchylku na boty. Maximální vzrušení zastupují dva páry bot na podpatku."

„Nulová indikace tajného života," povzdechla si Paula. „Vypadá to, že ještě před třemi lety bydlela s přítelem, ale od té doby ani náznak nikoho dalšího."

„No, pokud se dá soudit podle oblečení, lovit chlapy nechodila." Karim zvedl z okenního parapetu těžítko se sněhovou koulí a z nečinnosti s ní zatřepal. „Jste tu hotová?"

„Řekla bych, že jo. Vy si vezměte koupelnu, já udělám kuchyni. Třeba budeme mít štěstí a najdeme skrýš s nelegálně drženými drogami."

Karim si odfrkl. „Budete moct mluvit o štěstí, když najdete prošlý jogurt."

Paula pokrčila rameny. „Něco ji zabilo. Jen jsme ještě nepřišli na to, co to bylo."

8

Domníval se, že ta vražda ulehčí břímě. Že z jeho beder sejme to, co vnímá jako fyzickou tíhu. Při plánování to dávalo smysl. Chce zabít Tricii. Chce ji zabít tak moc, až cítí, jak mu krev pulzuje v uších, tupé tepání vzteku, kdykoli na ni pomyslí. Chce ji zabít, ale ví, že to nemůže udělat. V neposlední řadě proto, že neví, kde se schovává.

Tak místo ní zabil jinou. Přece to musí fungovat? Když si při tom bude představovat Triciin obličej, určitě mu to přinese nějakou úlevu. Jenže ono to tak nefungovalo. Zabití Kathryn jeho bolest neodneslo.

Nicméně mu dodalo pocit moci a kontroly, který ho vrátil zpátky do doby, kdy se tak cítil každý den. Tak se cítil, než ho připravila o všechno, co jej určovalo. A je to začátek. Není to dost, ale je to začátek. Možná ho to udrží v chodu, dokud ji nepřinutí zodpovídat se za to, co mu provedla.

Řekla mu to na odpočívadle. Požádala ho, aby zastavil. Prý mu musí něco říct, něco, co ji trápí a už s tím nemůže dál otálet. Netušil, co přijde. Neměl sakra nejmenší tušení.

Víkend předtím odjela sama na Rubyinu svatbu. Mohl jet s ní, ale Ruby ho vždycky zatraceně iritovala a její budoucí manžel byl nejspíš nejnudnější člověk na obou stranách Pennin, takže neměl důvod očekávat, že jejich svatební hosté budou alespoň vzdáleně zajímaví. Tak dal Tricii své požehnání, ať tam jde bez něj. Dokonce jí popřál, ať se dobře baví.

Nepředvídal, jak moc dobře se bude bavit.

Od toho víkendu se chovala rezervovaně a popudlivě. Přičítal to tomu, že ji ta svatba donutila zamýšlet se nad svou vlastní. Jak jen mohl být tak hloupý? Vážně, tolik hloupý? A pak skončili na odpočívadle, kde se mu přiznala, že se vyspala s nějakým mužem, kterého sbalila na svatbě.

„Ne že by to byl pan Pravý," řekla mu. „Ale díky němu jsem si uvědomila, že ty to nejsi." Každé slovo pro něj představovalo políček do tváře. „Jsi příliš prchlivý. Příliš zlostný. V jednom kuse jsem se tě děsila."

Tehdy se mu udělalo zle, ne že by se rozzlobil. Jak to myslela, že se ho děsila? Všichni o něm vědí, že nemá trpělivost s idioty. Že má vysoké nároky. Ale není násilník. Jen chce, aby se věci dělaly pořádně. Její obvinění ho zaskočilo stejnou měrou jako přiznání, že se vyspala s cizím mužem, kterého si náhodně vybrala na Rubyině svatbě.

Už tohle bylo dost zlé. Jenže to nejhorší mělo teprve přijít. Nejenže ho opustila a odstěhovala se z jejich krásného bytu s panoramatickým výhledem na centrum Manchesteru až po derbyshirské kopce, odešla i z firmy, kterou spolu vybudovali. Byli obchodními partnery stejně jako partnery v životě. Firma patřila původně jemu, ale ona jí dopomohla k úspěchu, a tak aby jí ukázal, jak moc si toho cení, kus firmy jí daroval. A ona se teď obrátila zády k tomu, co vytvořili, a dokonce mu ani nevrátila, co bylo plným právem jeho.

Společnost vydávala řadu lokálně zaměřených luxusních časopisů na křídovém papíře. Ona jednala se zákazníky, vymýšlela obsah jednotlivých čísel a sama do nich přispívala, sháněla podporu reklamními inzeráty, vybavovala distribuci. On se zabýval technickou stránkou věci – designem, zlomem stránek, komunikací s tiskárnami. Bez kteréhokoli z nich by firma nefungovala. Od té doby, co Tricia odešla, společnost se spolupracovníky zaměstnanými na částečný úvazek a s lidmi pracujícími na volné noze pokulhávala, ale plně si uvědomoval, že inzerenty nedokáže ošálit nadlouho. Buď bude muset firmu rychle prodat pod cenou, nebo se mu zhroutí pod nohama.

Vzala mu všechno, a on ji chce zabít. Ale není hloupý. I kdyby se mu ji podařilo teď hned najít, byl by samozřejmě hlavním podezřelým, pokud by zemřela. Pan Nepravý, opuštěný v lásce i v obchodu. Ale kdyby místo ní zemřel někdo jiný, kdo by z toho něco vyvozoval?

Nechce nic víc než se zbavit své bolesti. Popustit uzdu své zlosti a frustrace. Když Kathryn díky anestetiku, které jí propašoval do šampaňského, ztratila vědomí a on věděl, že hra začala – vychutnal si okamžik, kdy ji ovládal. Ležela rozvalená na pohovce, slabě chrápala, sotva se pohnula, když se na ni obkročmo posadil. Pak jeho ruce objaly její měkký teplý krk, stiskem ji připravovaly o život a on si představoval, že je to Tricia. Bylo to překvapivě skvělé. Poprvé od chvíle, co ho ta mrcha opustila, se zase cítil dobře. Když Kathrynin obličej zbrunátněl a její jazyk vyklouzl mezi ošklivě namodralé rty, zaplavil ho pocit, že má svůj život opět pod kontrolou. Čím víc ztrácela, tím víc získával.

Do čtyřiadvaceti hodin od vraždy Kathryn věděl, že našel něco, co odvede jeho pozornost, dokud nevymyslí, jak se pořádně pomstít.

Proto stráví příští sobotu na svatbě dalších cizích lidí.

9

Tony napřímil ramena, pořád se snažil urovnat si bundu, k jejímuž vyzkoušení ho Carol umluvila. „Je teplá, nepromokavá a je ve slevě,“ trvala na svém.

„Je do fialova. Vypadám jako černý rybíz na nožičkách.“

„Ta barva ti sluší. Chápu, že je pro tebe radikální experiment obléct si něco, co není v odstínu šedé nebo modré, ale musíš taky trochu žít.“ Popadla bundu a zamířila s ní k pokladně, netrpělivě čekala, až ji Tony dožene a vytáhne kreditní kartu.

Ona s tím problém nemá, pomyslel si. Carol si umí vybrat oblečení, které jí sluší. I když se jí následkem těžké fyzické práce, kterou si přestavba stodoly vyžádala, změnila postava, pořád se jí daří nacházet saka, která lichotí jejím nově získaným širokým ramenům, a kalhoty, které zdůrazňují délku, nikoli vypracovanost nohou. A probíhá to tak nějak bezpracně, aniž by musela celé dny procházet nákupní pasáže. Tony nemá nejmenší tušení, jak tohle funguje.

Zbytek jízdy do Riponu se vrtěl, pohrával si s nejrůznějšími zipy a patentními knoflíky, vymýšlel, která kapsa se bude nejlépe hodit pro klíče, peněženku a telefon. Příjezd na odpočívadlo vnímali oba jako úlevu.

Od týmu ze Severního Yorkshiru nepotřebovali žádné podrobnější instrukce k nalezení místa činu. Policejní páska, třepetající se v pozdním ranním vzduchu, byla víceméně nadbytečná; do černa sežehnutý asfalt a ohněm zkřehlý živý plot vyprávěly svůj vlastní příběh. Když Carol vypnula motor, Flash radostně zakňučela, vycítila možnost procházky. „Zůstaň,“ přikázala Carol řízně a otevřela dveře. Pes se s povzdechem stáhl zpět.

Jakmile vystoupili z auta, zaútočil na ně dosud přetrvávající chemický pach, který po sobě zanechal oheň a jeho hašení. Dokonce ještě po třech dnech dráždil chřípí a svíral hrdlo. „Zdá se, že to tu bylo pěkně intenzivní,“

poznamenala Carol. Stála, ruce na bocích, zhluboka dýchala, jako by jí vzduch mohl o něčem svědčit.

Tony přešel přes celou délku odpočívadla, vždy po několika krocích se zastavil a rozhlédl se. Pokračoval dál po silnici. „Proč tady?" mumlal si pod vousy. „Co je na tomhle místě zvláštního?" Zločin mu připadal naplánovaný a předem připravený. To málo, co o něm věděli, vypovídalo o vrahovi, který si dobře promyslel, jak po sobě smazat stopy. Použil vůz oběti. Síla ohně uvnitř auta zničila forenzní stopy. Oběť seděla na místě řidiče – bylo to vodítko, které mělo lenivé vyšetřovatele popostrčit směrem k sebevraždě nebo nehodě? Rozhodně to tak vypadá. Tony zavolal na Carol, která dosud chodila křížem krážem po odpočívadle. „Jsou na téhle silnici nějaké kamery?"

„Ne. Pokud bys dobře věděl, co děláš, mohl by sis po Dales jezdit po silničkách a vedlejších silnicích, aniž by tě zabraly kamery na automatické rozpoznávání značek nebo rychlostní kamery."

„A tys dobře věděl, co děláš, viď?" řekl Tony tiše. Došel až k bráně nějaké farmy. Vedla na louku plnou ovcí. Otevřel bránu a vklouzl dovnitř, pečlivě za sebou zavřel. Chodil sem a tam po louce, ovce se před ním rozbíhaly. Nebyl si jistý, co hledá, věděl jen, že něco hledá.

Neobjevil ovšem nic pozoruhodného. Zadní konec louky ohraničovala na sucho stavěná zídka. Za ní se rozkládala další louka. V dálce viděl ukazatel turistické cesty, ale na tomhle místě nebylo kvůli čemu se vzrušovat. Celostátně oblíbené povyražení používat sofistikované sportovní vybavení a potulovat se v přírodě způsobilo, že všechny národní parky byly prošpikované pěšinami. Z výšky musí připomínat pracné vzory pro pletení, pomyslel si. Ne že by měl cokoli proti chůzi. Chodí v jednom kuse. Chůze mu pomáhá při přemýšlení. A teď, když má fialovou péřovou bundu, zapadne mezi ostatní pěší turisty.

Tony se otočil dokola. Nikde na dohled neviděl žádné lidské obydlí. V dálce rozeznával polorozpadlou ovčí salaš, šeď zídek a zeleň luk narušovaly jen dva výraznější kopečky. Nic tu na něj nemluvilo. Zamířil zpátky, dal si pozor, aby se vracel po opačné straně živého plotu odpočívadla. Horko proniklo až na druhou stranu, zanechalo po sobě ohořelé a zkřehlé větvičky. Ještě štěstí, že poslední dobou hodně pršelo, jinak celý živý plot mohl taky vzplanout.

Carol se opírala o kapotu auta. „Padlo ti něco do oka?"

Zavrtěl hlavou. „Ne. Ale něco tu musí být. Pokud máš pravdu, je tady v okolí spousta míst, kde tohle mohl udělat s větší šancí, že ho nikdo nechytí při činu. Proč zrovna tohle odpočívadlo?"

Carol zkřivila tvář. „Víc otázek než odpovědí. Jako obvykle v tomhle stadiu."

„Alespoň že máme otázky." Opět zakroužil rameny. „A fialovou bundu."

10

Detektiv seržant Alvin Ambrose usoudil, že neexistuje žádné vodítko, podle něhož by se ze jména dalo usoudit, čím se zabývají RSR Solutions. Musel si společnost, kterou Kathryn McCormicková uvedla jako zaměstnavatele na kartě u zubaře, vygooglovat. Webové stránky odhalily, že se jedná o pracovní agenturu, která sídlí jen několik ulic od kanceláře týmu na policejní stanici na Skenfrith Street.

RSR Solutions byla jednou z desítky společností sídlících v nové budově z kouřového skla a betonu ve Woollen Quarter, v části města, v níž obchodníci kdysi obchodovali s vlnou a jemnou tkaninou z česané příze. V osmdesátých letech se většina starých zchátralých budov proměnila v propadávající se skořápky, ale v poslední době spekulanti místa vykupovali, zbourali staré stavby a vystavěli jejich nové lesklé náhrady, aby mohli předstírat, že jde o podnikatelské srdce Bradfieldu jednadvacátého století. I čerstvě příchozí Alvin dokázal poznat, že je to v nejlepším případě neupřímné a v nejhorším prostě nepoctivé. V každém druhém okně v přízemí jako plevel vyrašily cedule s nápisem *K pronájmu.*

Ve foyeru budovy nebyl žádný strážný, a tak Alvin došel k výtahům, aniž by ho kdokoli zastavil. Společnost RSR sídlila v šestém patře a měla alespoň recepční, která seděla pod sloganem společnosti: „Hranatý kolík nebo kulatý, pro každý seženeme tu správnou díru." V Alvinovi to nebudilo zrovna důvěru. Ale pro mladou ženu za pultem ze sebe vydobyl ten nejpříjemnější úsměv, jaký uměl. A usmívat se uměl moc pěkně; časem pochopil, že musí nějak zmírnit dojem ze svého mohutného těla a barvy kůže. Velký černoch určitě žalostně často vzbuzuje mylné očekávání. „Jsem detektiv seržant Alvin Ambrose," představil se a ukázal průkazku.

Zatvářila se překvapeně, ale kartičku si bedlivě prohlédla. Opatrně se usmála. „Jak vám mohu pomoci?"

„Jsem tu kvůli Kathryn McCormickové. Potřebuju si promluvit s její vedoucí."

„Kathryn? Dneska tu není." Už mačkala klávesy počítače.

„To vím. Ale potřebuju její vedoucí."

Držela sluchátko v ruce, pečlivě ošetřené nehty čekaly nad číselníkem. „Mohu se zeptat v jaké záležitosti?"

Alvin zavrtěl hlavou. „Zeptat se můžete, ale já vám nemůžu odpovědět. Je mi líto."

Povytáhla obočí. „Velice záhadné." Ale číslo vytočila. „Lauren, mám na recepci policistu, který potřebuje mluvit s vedoucí Kathryn McCormickové. Takže to by spadalo pod tebe?" Odmlka. „Dobře, řeknu mu to." Zavěsila sluchátko a překřížila paže před hrudí, objala si tělo. „Lauren z personálního jde dolů. Kathryn je vedoucí kanceláře, takže nemá přímého nadřízeného."

„Dík za vaši iniciativu," pochválil ji Alvin. Na recepci nebyly žádné židle, a tak se procházel po jejím obvodu, předstíral zájem o fotografie korporace, který necítil. Uplynulo pár minut, pak se ze dveří za recepčním pultem vynořila podsaditá žena s nejmohutnějším účesem, jaký v posledních letech viděl. Přistoupila k němu s napřaženou rukou.

„Jsem Lauren Da Costová, odpovídám za personální oddělení tady v Right Shape Recruitment Solutions. A vy jste?"

Alvin se znovu představil. „Můžeme jít někam, kde budeme mít větší soukromí?"

„Jde o Kathryn, že? Víte, proč dneska nepřišla do práce?"

„Jak už jsem řekl, můžeme jít někam, kde budeme mít větší soukromí?"

Výraz ve tváři Lauren Da Costové by mohl posloužit jako příklad šokované nevěřícnosti. Dlouho ze sebe nedokázala vypravit ani hlásku. Když konečně promluvila, slova o sebe klopýtala. „Kathryn? Jste si jistý? Je to ta poslední osoba… Podezřelé úmrtí? To nedává smysl."

„Pochybnosti nejsou na místě." Alvinův hlas připomínal vzdálené burácení. Vždycky zklidnil děti před spaním a podobný uklidňující účinek měl i na svědky. „Je mi to moc líto. A je mi jasné, že poslední, na co teď máte myšlenky, je odpovídat na otázky, ale obávám se, že toho o Kathryn potřebujeme vědět co možná nejvíc."

Lauren roztřeseně přikývla. „Samozřejmě. Ale vážně vám nemůžu pomoct kromě základních faktů – kde bydlela, s jakým životopisem přišla, když sem nastoupila. Vůbec jsme si nebyly blízké. Nikdy jsme se nescházely mimo práci. Byla dobrá vedoucí, ale nepatřila zrovna mezi nejspolečenštější lidi." Pak se vzpamatovala, fyzicky se sebrala, napřímila se v židli a zapojila své profesní dovednosti. „Potřebujete si promluvit se Suzanne Briggsovou – pardon, Harmanovou. Novomanželkou oddělení. Dneska je první den zpátky z líbánek. Vím, že Kathryn byla na její svatbě, vždycky spolu výborně vycházely."

„To zní dobře. Mohu ji vidět?"

Lauren se zvedla. „Seženu ji. Mám jí tu novinku sdělit sama, nebo…?"

„Ne, prosím," pospíšil si Alvin. Neměl radost z toho, že bude Suzanne oznamovat smrt přítelkyně, ale vždycky se vyplatí vidět reakci svědků, když poprvé uslyší špatné zprávy.

Lauren byla pryč skoro pět minut. Přivedla s sebou mladou ženu tak unifikovaného vzezření, že by ji Alvin jen těžko dokázal vybrat z řady k identifikaci. Štíhlá, dlouhé světlé vlasy stažené do ohonu, make-up, který vyhladil jakoukoli odlišnost, dokonale upravené nehty. I oblečení měla typizované – úzké černé kalhoty, fialový top, co přiléhal na těch správných místech i na pár dalších, u kterých by to Suzanne až tak nepotěšilo, kdyby si toho byla vědoma. A samozřejmě podpatky, díky nimž nemotorná chůze hraničila s nehezkou. Alvin ženy miloval, ale tenhle vzhled se mu nelíbil.

Lauren je vzájemně představila a pak vycouvala ven, zamumlala cosi v tom smyslu, že bude u sebe v kanceláři, kdyby… Ze Suzannina obličeje od vstupu do místnosti nevymizel výraz překvapení a teď promluvila. „Nechápu to. Proč jsme tady? Napřed jsem si myslela, že se něco stalo Edovi. Mému manželovi Edovi." Krátký záblesk čehosi, co připomínalo triumf. „Ale Lauren řekla, že ne, že Eda se to netýká. Tak co se děje?"

„Jste přítelkyní Kathryn McCormickové?"

Suzannino zamračení se prohloubilo. „Patrně. Teda, chci říct, byla na mé svatbě, ale nejsme, jak se říká, nejlepší přítelkyně."

„Lauren má pocit, že jste si byly bližší než kdokoli jiný z práce."

Suzanne manipulovala rukama v klíně, pohrávala si se snubním a zásnubním prstenem. „Není vlastně nejlepší přítelkyní nikoho tady. Jako vedoucí kanceláře si musí udržovat odstup. Ale ano, vycházely jsme spolu v pohodě, Kathryn je fajn. Proč? Co se stalo?"

„Je mi to líto, ale musím vám oznámit, že Kathryn je mrtvá."

Suzanne vyvalila oči, ústa se jí pootevřela. Zpráva ji zjevně šokovala, ale v očích se jí objevil i záblesk vzrušení. „Ne! Co se stalo?"

„Před třemi dny bylo její tělo nalezeno ve vyhořelém autě. Domníváme se, že by se její smrt dala označit za podezřelou."

„Ach, můj bože! To jsme ještě byli na líbánkách. Chci říct, zatímco jsme se povalovali na pláži a popíjeli koktejly, Kathryn někdo vraždil? To je hrůza!"

„Je mi to moc líto. Jenže teď si potřebujeme udělat obrázek o Kathrynině životě. Kdo byli její přátelé, co dělala ve svém volném čase, jestli se s někým scházela. Jestli se s někým nerozhádala."

„Bože." Suzanne si přehodila jednu nohu přes druhou a třela si levou paži, jako by jí zčistajasna začala být zima. „Nikdy se s nikým nerozhádala. Byla skvělá šéfová. Uměla věci vyřešit, aniž by kohokoli rozčílila, víte?" Alvin nevěděl. Celý svůj pracovní život byl policistou. Kompromisy a smířlivost nepatřily k věcem, které by fungovaly v pracovních vztazích jeho světa.

Suzanne pokračovala. „Přítele neměla od doby, co se Niall odstěhoval do Cardiffu bez ní. Niall, její bývalý přítel. To už musí být tak tři roky. Vždycky jsme se ji snažily přemluvit, aby si s námi vyrazila v partě, aby se mohla s někým seznámit, ale nebyla zrovna společenská. Nevím, co dělala ve svém volném čase, ale když jsme se bavily o televizních programech, vždycky se zapojila do hovoru. Takže hádám, že dost sledovala televizi." Slabě se usmála, jako by si byla moc dobře vědoma toho, nakolik skrovná je její znalost ženy, kterou pozvala na svou svatbu.

„Na tu svatbu přišla sama?" Alvin cítil na ramenou tíhu deprese. To se toho o krátkém životě Kathryn McCormickové dá zjistit tak málo?

„No, nikoho si nepřivedla, jestli máte na mysli tohle. Ale nevím, jestli třeba na místě někoho nepotkala. Tedy, chci říct, byla to moje svatba. Nevěnovala jsem moc pozornosti nikomu jinému kromě Eda. Svého manžela."

Alvina napadlo, že by si měla radši dát pozor, aby jí ta slova nezevšedněla. „Takže jste spolu vůbec nekomunikovaly, když jste byla na svatební cestě? Nekontrolovala jste sociální média?"

„No, jasně." Obočí se jí pozvedlo do úzkého oblouku. „Chtěla jsem samozřejmě vidět všechny obrázky, co lidi dávali na Facebook, všechna ta krásná blahopřání. Kathryn zveřejnila pár fotek, mám dojem, že jsem jí je i lajkla, ale žádné zprávy jsme si nevyměňovaly."

Nechá Stacey, aby se podívala na Kathrynin facebookový účet, ale nebude zrovna zadržovat dech. Zdá se, že skončil ve slepé uličce. Zvedl se, neměl se už na co zeptat. „Děkuju za vaši pomoc." Z vnitřní kapsy vylovil vizitku. „Pokud byste si vzpomněla na cokoli, co by nám mohlo poskytnout jakýkoli náhled na věc, zavolejte mi na tohle číslo. Možná byste se mohla poptat kolem sebe, zjistit, jestli si někteří z ostatních hostů nevybaví, že by Kathryn mluvila o tom, že se ten den s někým bavila nebo se s někým seznámila? Moc bych to ocenil."

Zatvářila se dychtivě. „Hned se do toho dám. Lidem to bude vážně moc líto. Bůh ví, kdo to tu teď bude řídit, když Kathryn nežije."

Nebyl to zrovna nekrolog, pomyslel si Alvin, když čekal na výtah. Nezdá se, že by Kathrynina smrt měla na lidi kolem ní nějaký velký dopad. Zatím neviděl nic, co by se blížilo slzám. Co se jeho týče, o důvod víc zjistit, kdo to udělal. Je to součást toho, proč se předně stal policistou: aby bránil lidi, kteří nemají nikoho, kdo by to pro ně udělal. Kathryn McCormickovou svět za jejího života zklamal. Je na regionálním týmu pro závažné zločiny, aby zajistil, že se to při její smrti nebude opakovat.

11

Kuchyně Kathryn McCormickové o ní kupodivu odhalila patrně víc než jakákoli jiná místnost v bytě. Soudě podle baterie přístrojů a náčiní vyplňujících skříňky a poličky a visících na háčcích na zdi, brala vaření vážně. V bloku na nože měla půl tuctu japonských nožů ostrých jako břitva, které jí Paula nedokázala nezávidět. Mixér a šlehač na pracovní ploše patřily k vrcholům své třídy a polička na knihy přetékala kuchařskými knihami s poškozenými hřbety a ošoupanými rohy. Tady ležela odpověď na otázku, co Kathryn dělala ve svém volném čase.

Na boku ledničky byl přichycený kalendář ze supermarketu s receptem na každý měsíc a s nablýskanou fotografií výsledku. Ale to, co Paulu donutilo kalendář sundat a položit ho na pracovní plochu, nebyl recept na lasagne s dýní a šalvějí. Pokud někde existuje vodítko k tomu, co vedlo ke Kathrynině smrti, může být docela dobře tady.

Paula metodicky lisovala nazpátek předcházejícími měsíci a nenašla tu nic moc zajímavého. Kadeřnice, několik večerů ve městě svázaných s prací. Víkendová návštěva mámy a táty. Termín u zubaře, prohlídka u praktického lékaře a několik výletů do divadla na muzikály do nedalekého Manchesteru. V kalendáři se nikdy neobjevilo jméno společníka, přestože tu bylo dost místa, aby se sem vešlo.

Nakonec Paula zkontrolovala aktuální stránku. To nejlepší, jak doufala, si schovávala na konec. Před více než dvěma týdny, na první sobotu v měsíci, si Kathryn zapsala: „Svatba Suzanne a Eda." O tři dny později: „David, Pizza Express, 19.30." Paula procedila vzduch mezi zuby a ústa se jí roztáhla v neveselém úsměvu. „David," pronesla tiše a přejela prsty po datech v kalendáři. V sobotu, týden po svatbě, se David objevil znovu: „David, Manchester Palace Theatre, *Funny Girl*." A opět následující úterý: „David, Tapas Brava, Bellwether Square, 20 hod."

Poslední zápis současného měsíce začínal v pátek, s linkou protaženou do soboty: „David, víkend v Dales." A tentokrát tu pod tím bylo načmárané telefonní číslo. Paula si nikdy nelibovala v ukvapených závěrech, ale bylo těžké zbavit se přesvědčení, že muž jménem David se s Kathryn seznámil na svatbě Suzanne a Eda. A o dva týdny později ji zavraždil. Nechtěně se otřásla.

Vzala do ruky mobil, ale než stihla zavolat Stacey a předat jí Davidovo číslo, vešel do místnosti Karim s krabičkou kondomů. „Tohle je jediná věc v místnosti, která tam nesedí. Používala všechno od značky Clinique kromě deodorantu a zubní pasty. Elektrický kartáček s jednou hlavou v držáku. Na madle jedna osuška a jeden ručník na obličej. A potom v koupelnové skříňce tohle."

Předal krabičku Paule. Tucet kondomů značky Intimní chvíle, stálo na krabičce. „Nejspíš bychom to měli uložit do pytle na důkazy, Karime. Třeba se toho dotýkal. Hrabal se v tom v žáru okamžiku, aby vyndal kondom…" Vzala propisovačku, otevřela krabičku a vysypala její obsah na pracovní desku.

„Zdá se, že jsou tu všechny," poznamenal Karim.

„Tak to má kliku." Paula obrátila krabičku vzhůru dnem. „Projdou za tři roky. Pokud mi dobře slouží paměť, kondom má trvanlivost tři až pět let. Takže tahle krabička nejspíš nebude pozůstatek po příteli, který před třemi lety frnkl do Cardiffu." Ukázala na kalendář. „Vypadá to, že se nejspíš dala dohromady s někým na svatbě, co na ní byla před čtrnácti dny. Musíme to ověřit, až se vrátíme do kanceláře. Ale než půjdeme, projdeme tady tyhle zásuvky. Všichni mají ‚šuplík na všechno'."

„Co to je?" zeptal se Karim, otočil se a otevřel zásuvku, kterou měl za sebou.

„Však víte. Šuplík, kam se dává všechno, co nemá určené jiné místo. Provázky. Pojistky. Takové ty svorky, co se s nimi zavírají pytle. Malá napichovátka, kterými se nabodává sladká kukuřice. Baterky."

„Jasně." Zasunul šuplík. „Tady jsou příbory." Otevřel další.

„Ale nejdůležitější jsou klíče. Náhradní sada klíčů od domu a všechny ty podivné jednotlivé, co nejdou k žádnému zámku v domě, ale člověk je nechce vyhodit, protože co kdyby se náhodou ukázalo, že jsou důležité."

„Utěrky a prachovky."

Paula otevřela vrchní šuplík na své straně. „Ha. No, když se víla kmotřička ukázala na mém křtu a zeptala se, jestli chci mít štěstí, nebo být krásná, vybrala jsem si štěstí. A ani po všech těch letech toho nelituju. Podívejte se, Karime. Tady je ‚šuplík na všechno‘.“ Vytáhla ho, jak nejvíc to šlo. „Dokonce i lidé posedlí pořádkem musí někde schovávat krámy.“ Prohrabovala se několika zbylými předměty, na nichž Kathryn z nevysvětlitelných důvodů lpěla. V zadním rohu našla tři svazky klíčů, všechny opatřené plastovým štítkem na kroužku. „Dům, rodiče, byt,“ četla Paula. „No, to nám značně zjednoduší zamknutí, až budeme odcházet.“

Karim se ohlédl přes rameno. Nemohla si nevšimnout, že jí nechává osobní prostor. Neobvyklé u muže, neobyčejné u policisty. „Dobrá trefa, kapitáne.“

Paula naposledy zahrabala v šuplíku a pak ho zavřela. „Nemyslím, že jsem kdy prohledávala byt s tak hubeným výsledkem,“ zamručela. „Tak pojďme, uvidíme, co Stacey dokáže vytáhnout na toho záhadného Davida. Pokud se s ním Kathryn seznámila na té svatbě, určitě ho někdo vyfotil.“

Karim zasténal. „Proč mám před očima nekonečné probírání něčích svatebních fotek na Facebooku, Twitteru a Instagramu?“

„Nezapomínej na WhatsApp.“

Další zasténání. „A ještě tam bude oficiální fotograf.“ Loudal se za Paulou, která vyrazila ke dveřím.

„Pořád jste rád, že jste se přihlásil do elitní jednotky?“ zeptala se, když scházeli ze schodů.

Odfrkl si. „Vzrušení honičky, kapitáne. Tu nic nepřekoná.“

12

Vyšetřovatele požárů našli v malé kanceláři vedle jeho laboratoře v soukromém forenzním zařízení, vzdáleném co by kamenem dohodil od A1 v obchodním komplexu, upraveném jako park se stromy a nízkými živými ploty, znečistěnými dopravním provozem. Zvnějšku stavba připomínala anonymní call centrum nebo administrativní pobočku internetového maloobchodu. Ale jakmile opustili parkoviště, bylo zřejmé, že jde o něco jiného. Budovu obklopoval vysoký drátěný plot, který nebyl proti šedi a zeleni listoví téměř vidět. Museli počkat před elektronicky ovládanou bránou, dokud někdo ve vzdálené kanceláři ostrahy nezkontroluje průkazky ReTZZ, které podrželi zdvižené před kamerou.

Když konečně dorazili k recepčnímu pultu, zamračil se na ně muž s ocelově šedými vlasy a svalnatou postavou člověka mladšího o dvacet let. „Máte si schůzku domluvit předem, ne se tady takhle objevit na prahu," hudroval a přistrčil směrem k nim návštěvní knihu. „Zapište se sem. A musím oskenovat vaše průkazky." Natáhl ruku.

Dalších pět minut trvalo, než je dovedli do kanceláře Finna Johnstona. Vyšetřovatel požárů působil příliš mladistvým dojmem na to, aby zastával tak vysoký post. Jemné vlasy barvy myší šedi mu volně splývaly po úzké hlavě. Jeho obličej ustupoval dozadu od ostrého nosu, jako by ho za něj při porodu snad vytahovali ven. Ale ve tváři měl bystrý výraz a vyzařoval z něj klid, který vzbuzoval důvěru, i když mu podle Carolina odhadu nemohlo být moc přes třicet. Tričko pod bílým laboratorním pláštěm hlásalo *Hasiči nepracují z domova*, z čehož se jí chtělo obrátit oči v sloup a zasténat.

„No, jaká nečekaná čest," uvítal je Johnston se širokým yorkshirským přízvukem. „Ve Východním Yorkshiru se o vás pořád mluví, paní vrchní inspektorko Jordanová."

Krátce ji napadlo, co asi tak povídají. Nešlo o její nejsnazší post, a neměla dojem, že by si na místě udělala moc přátel. Pod jejím velením zemřel dobrý detektiv; šlo o jedno z nejtěžších břemen, která musela nosit. „To od té doby asi nezažili moc akcí," prohlásila chladně. „Ale nejsme tu proto, abychom vzpomínali na dávnou historii. Potřebuju vědět všechno, co mi můžete říct o tom ohni ze sobotní noci."

Naklonil se v židli dopředu, opřel lokty o stůl, sepjal ruce. „Kolik toho víte o požárech?"

„Předpokládejme, že jsme úplní začátečníci," odpověděl Tony.

Johnston povytáhl obočí směrem ke Carol, chtěl vědět, jestli Tony může přebrat vedení.

Přikývla. „Tak jak řekl."

„Když přijedeme k požáru, začínáme vnější obhlídkou. Pokud je na místě tělo, automaticky začínáme na podezřelém místě. A přesně to jsem udělal v neděli. Nemělo cenu snažit se kolem auta vymezit forenzní kordon, protože tam probíhaly zcela legální aktivity hasičů, proto jsem se soustředil na auto samotné. Jako první si vždycky položím otázku, která část je nejvíc poškozená. Ať už jde o dům nebo o auto. Vaše auto se skládá z různých oddělených částí. Motor. Kufr, pokud jde o sedan. A oddělení, v němž sedí řidič a spolucestující. Nenajdete zrovna často vůz, který by měl stejně poškozené všechny tři části."

„A v tomhle případě to bylo místo, kde sedí pasažéři," ozvala se Carol. „Viděli jsme obrázky."

Johnston se usmál. „Správně. A oblast, která je nejvíc poškozená, bývá obvykle indikátorem toho, kde požár začal. A teď, to, co si většina lidí myslí, že ví o autech, která vzplanou, pochází z toho, co viděli v televizi nebo ve filmech. Někdo hodí sirku do nádrže s benzinem a bum! Vznikne exploze jako v obchodě s výbušninami." Zavrtěl hlavou, ve tváři výraz pobavené lítosti. „Vaše nádrž s benzinem je plná benzinových výparů, ale ty nevzplanou, pokud v ní nebude taky kyslík, který by oheň živil. A s naftou je to ještě horší. Vlastně byste do kaluže nafty mohli klidně strčit sirku nebo cigaretu." Prázdné výrazy ve tvářích svých posluchačů si mylně vyložil jako zájem a pokračoval. „Když dovnitř strčíte kus hadru, necháte kolem něj trochu volného místa a hadr pak zapálíte, začne hořet, ale jen jako pochodeň a je velice nepravděpodobné, že by chytlo celé auto."

„Takže abychom si to upřesnili," přerušil ho Tony. Vycítil, že Carol dochází trpělivost, ale podobnou situaci nepřál někomu, kdo mu připadal převážně neškodný. „Aby kabina pro pasažéry shořela tak, jak shořela, musel oheň začít tam?"

Johnston odměnil svého vynikajícího žáka oslnivým úsměvem. „Přesně tak. Občas mládenci, poté co auto ukradnou, chtějí vůz zapálit a obvykle do prostoru pro nohy řidiče strčí krabici s podpalovačem. A ten odvede dobrou práci až na to, že za sebou zanechá chemický podpis kerosenu. Což každému vyšetřovateli, který za něco stojí, všechno vypoví. Tady jsem takový zjevný ukazatel nenašel, což mě, abych byl upřímný, přimělo přiklonit se k myšlence bizarní nehody. Například porucha elektroniky v palubní desce. Jenže jsem nedokázal najít žádný důkaz něčeho podobného. Nebo spadlá cigareta. Takže to v tomto bodě nebylo zcela jasné."

„A pak jste přišel na to, že když auto začalo hořet, byla ta žena už mrtvá," vložila se do hovoru Carol. „Když vezmete v úvahu tohle, co pro nás máte?"

„Chápu, že jste v pokušení myslet na nádrž s benzinem, ale na benzin zapomeňte. Při podobném požáru hledáte uvnitř kabiny všechny možné zdroje paliva. Začal jsem o tom přemýšlet. A v několika posledních dnech jsem provedl nejrůznější chemické analýzy." Odkašlal si a obrátil se tváří k monitoru počítače. „Můžu vám ukázat…"

„To je v pořádku," zarazila ho Carol. „Pošlete mi to. Teď mě seznamte jen s hlavními body."

Johnston se schlíple otočil, rysy jeho obličeje ještě víc zešpičatěly a protáhly se. „Podle mě pod nohama oběti ležela igelitová taška plná pytlíčků s chipsy."

„Chipsy?" Tony se zatvářil překvapeně. „Myslíte jako solené a s paprikou a sýrem a cibulí?"

„Na příchuti nezáleží. Tyhle sáčky snadno vzplanou a samotné brambůrky jsou plné oleje. Je to, jako kdybyste měli desítky miniaturních podpalovačů, nezanechávají ovšem reziduum karosenu. Mají naprosto odlišný chemický podpis."

„Kdo tohle ví?" zajímalo Tonyho.

„Samozřejmě vyšetřovatelé požárů," odpověděla Carol. „Takže celý požár začal tím, že někdo podpálil pytlík chipsů?"

„Tašku s pytlíky chipsů," opravil ji Johnston. „Muselo jich být skutečně hodně, aby to vzplálo. A je tu spousta stop po dalších hořlavých předmětech, které člověk prostě přirozeně má v autě. Noviny. Časopisy na křídovém papíře. Něco, co vypadá jako zbytek několika petlahví s alkoholem."

„A tohle stačilo? Nepřipadá mi to moc," soudil Tony.

„To byste se divil. Nezapomínejte, že samotný vnitřek auta je dalším zdrojem paliva. Čalounění, molitanové vycpávky, věci z umělé hmoty, oblečení oběti – to všechno se sčítá. A pokud pachatel nechal na několik centimetrů pootevřená okýnka, měl veškerý kyslík, který potřeboval k nasycení plamenů. Jenže tímhle si nemůžeme být jistí, protože okýnka se při pěti stech stupních začnou deformovat. Každopádně na tom nesejde. Jde o to, že získáte prudký náběh, máte dost paliva – a kyslík –, aby se oheň udržel, a výsledkem je pak to, co nazýváme celkovým vzplanutím. Je to okamžik, kdy se požár v místnosti nebo v tomto případě v autě promění v místnost v ohni. To se může stát během chvilky, pokud máte ty správné podmínky. A celkové vzplanutí nelze přežít."

Nastala dlouhá pauza, Tony a Carol vstřebávali informaci. Pak Carol pronesla: „Takže dobře věděl, co dělá."

Johnston rázně přikývl. „Jo, jo, vyznal se. Ještě donedávna bych tu seděl a tvrdil vám, že váš pachatel je nejspíš hasič nebo někdo, kdo má profesní znalosti z chemie. Ale v současné době stačí půlhodina na internetu a každý je odborník. Tohle není nic, co by s trochou hledání na netu nedokázal vymyslet laik. Na zápalných zdrojích a urychlovačích není nic zvláštního. Hodí se, když víte něco málo o chemii, ale upřímně? Každý, kdo má jen trochu filipa, dokáže vymyslet strategii, jak proměnit tělo v popel, aniž by po sobě zanechal stopu."

13

Pro svůj druhý výpad si vybral Leeds. Vždycky měl cit pro detail; usoudil, že by byla chyba hledat všechny oběti na stejném místě. Kromě jiného by to zvyšovalo pravděpodobnost, že ho někdo pozná. V jednom okruhu známých se svatby často nahromadí. A existuje jen několik málo hotelů dost velkých na hostiny takového rozsahu, aby se v nich ztratil vetřelec. Také by si ho při opakované návštěvě mohl všimnout číšník nebo barman, zejména pokud by se tam mezitím vyptávala policie. Vracet se zas a znovu do stejného města by představovalo příliš velké riziko.

Není vůbec těžké vloudit se na svatbu. Ve většině hotelů určité velikosti je každou sobotu minimálně jedna. Přišel na to, že se nesmí obléct příliš luxusně, protože by u dveří mohli mít nějakou formu kontroly. Seznam hostů nebo někoho, kdo prověřuje pozvánky se zlatou ořízkou. Věděl také, že nesmí sáhnout po příliš levném oblečení, protože by nezapadl. Působil by dost nápadně, a proto by si ho všimli. Někde uprostřed, tak se na to musí.

Už dávno objevil, jak snadné je zjistit jména šťastného páru. Odchyťte květinářku, která dodává výzdobu na stoly. *Jsou tyhle květiny na svatbu Mary a Paula?* „Ne, tyhle jsou pro Jackii a Darrela.“ Bingo. Nebo cukráře přinášejícího dort. Stejný postup. Vždycky někdo něco vyžbleptne. Lidé jsou tak důvěřiví. Jako kdysi býval i on.

Tajemství úspěšné infiltrace spočívá v tom, neobjevit se příliš brzy. Musí si to dokonale načasovat. Počkat, dokud nedojedí, pak se všichni začnou přemisťovat, odcházejí na toaletu, zabírají si stoly kolem tanečního parketu. Tehdy vyrazí. Pouze v košili, horní knoflíček rozepnutý, kravatu povolenou. Muž užívající si chvíle strávené s přáteli. Zamíří k baru. Objedná si drink, pustí se do neformálního hovoru s nějakým dalším chlápkem. Pak přehlédne celou místnost. To je nejúžasnější část dne. Hukot adrenalinu, vědomí, že se dostal až tak daleko a teď stojí na skákacím prkně, balancuje na pokraji skoku do akce, z něhož naskakuje husí kůže.

Netrvalo dlouho a vytipoval si možné kandidátky. Jakmile se začalo tančit, vykrystalizovaly se páry a drobné hloučky přátel a začali být zjevní outsideři. Stůl, u nějž zahlédl Kathryn McCormickovou, původně obsadila smíšená skupinka obou pohlaví. O půl hodiny později u něj zbývala jen ona, seděla sama u stolu, pohrávala si s poloprázdnou sklenkou vína. Během další zhruba hodiny se někteří krátce vrátili, aby dopili svoje drinky, pověsili sako na opěradlo židle, popadli elektronické cigarety a vyklouzli ven. Vyměnili si několik slov s Kathryn. Jeden z mužů se dokonce vytrvale snažil dostat ji na taneční parket, ale Kathryn odolala.

Nebyla neatraktivní, ale nikdy by nevyčnívala z davu. Sakra, nevyčnívala by ani z páru. Řekl si, že je naprosto dokonalá. A tak vyrazil. A šlo to bezvadně. Chvíli byla ostražitá. Nejspíš si uvědomovala, že nepatří do jeho ligy. Jenže on to s lidmi umí, toho si je dobře vědom. Během let se naučil věnovat pozornost tomu, co říkají, jak interpretovat řeč jejich těla, jak si je získat několika dobře mířenými bonmoty. A tak se jím Kathryn nechala okouzlit. Šikovně ji vytáhl z centra svatebního ruchu a doprovodil ji k baru pod záminkou, aby si mohli lépe popovídat.

Tři rande a byla zralá k utrhnutí.

Šlo to jako po másle. A nedá se mluvit o štěstí začátečníka. To dokázal tím, že už má další náhradnici. Amie McDonaldovou. – „Je to Amie s měkkým i a s e, ne s ypsilonem jako ta zpěvačka."

„Ta zpěvačka?"

„Však ji znáte, ta Skotka. ‚This Is the Life'." Pustila se do zpěvu. „Where you gonna go, where you gonna sleep tonight?'"

Usmál se a zavrtěl hlavou. „Je mi líto, nějak mi unikla."

„Každopádně ona je Amy s ypsilonem a já jsem Amie měkkým i a s e."

Co je to s těmi ženskými a jejich lpěním na tom, aby svoje jméno psaly nějakým nesmyslným způsobem? To si vážně myslí, že to z nich dělá něco extra? I když svým způsobem něco extra jsou. Protože jsou jeho.

A jeho jsou, protože řádně odvedl domácí přípravu. Investoval do toho hodiny času na netu, zkoumal, co musí udělat, aby se vyvaroval zanechání stop, které by policisty přivedly rovnou k jeho prahu. Jakmile začal vyhledávat způsoby, jakými by neutralizoval nástroje, které mají vyšetřovatelé k dispozici, jeho pohrdání zločinci, kteří se nechali chytit, se značně zvětšilo. Když se chystáte spáchat zločin, proč se proboha řádně nepřipravíte? Není to žádná kdovíjaká věda. Jakmile začnete doopravdy hledat, rozhodně si nemůžete stěžovat na nedostatek strategií, jak se vyhnout odhalení.

Například se vybavil sadou telefonů s předplacenou kartou, nakoupil je v podřadných pokoutních obchůdcích při nedávném výletu do West Midlands. Jeden z nich si vybral den před svatbou v Leedsu. Pokud si policajti někdy všechno spojí a začnou prošetřovat oběti, najdou od něj zprávy. No, tedy zprávy od Marka pro Amii. A zkontaktují síť poskytovatelů, aby získali informace o těch telefonech. Na která čísla se volalo, odkud se volalo. Jenže on není hloupý. Baterku do telefonu, který používal při Kathryn, vkládal jedině v Bradfieldu a jeho okolí. Volal do restaurací a do pokladny divadla, aby jim poskytl větší příležitost honit se za chimérami.

Takže příště zjistí, že pátrají po Markovi, jehož telefon se vyskytoval vždycky jen v Leedsu. Dohadoval se, jestli dospějí k přesvědčení, že jde o stejného vraha, nebo jestli vymyslí nějakou šíleně pokroucenou teorii o bandě různých mužů, kteří vraždí stejným způsobem. Něco jako Liga gentlemanských vrahů. Některé noviny bude určitě možné navést na podobnou spekulaci.

Dnes jde s Amií na večeři. Zarezervoval stůl v etiopské restauraci kousek od centra, v oblasti, která není zrovna dobře pokrytá bezpečnostními kamerami. Ověřil si, kde musí zaparkovat, aby se šikovně dostal ke dveřím restaurace. Je tam jen jedna kamera a ta ho pouze na jednu dvě vteřiny zabere z profilu. Když kolem ní procházel, předstíral, že potahuje z elektronické cigarety, tím vyloučil možnost, že by kamera zachytila rozpoznatelný obrázek. Zpočátku se obával, jestli by nebylo možné identifikovat ho podle chůze, ale krátký průzkum na internetu ho přesvědčil, že takzvaná forenzní analýza chůze je pavěda. Sama o sobě by ho nikdy neusvědčila. A on si zatraceně dobře zajistil, že ho žádný jiný důkaz s jeho činy nespojí.

Při večeři se bude chovat jako dokonalý gentleman. Vymyslel nádherný krycí příběh. Jeho manželka, s níž prožil sedm let, před rokem zemřela na rakovinu prsu. Musel jí slíbit, že se neuzavře jako poustevník, ale bylo pro něj těžké vycházet znovu ven do světa. Nakonec začal vylézat ze své propasti žalu. Ta svatba byla první pořádná společenská událost, jíž se od pohřbu zúčastnil.

Představte si tu směsici emocí, kterou pocítil, když ji uviděl sedět u stolu. Protože by mohla být sestrou jeho zesnulé ženy, tak moc jí je podobná. A tehdy se křivě pousmál bolestným úsměvem a řekl jí, že měl pocit, jako by snil.

V tu chvíli mu Kathryn zobala z ruky. Už si nemyslela, že nepatří do jeho ligy; pochopila, čím ho přitahuje. Byl to jeho mistrovský kousek.

Podíval se na hodinky a napil se karamelového latté s křupavou polevou. Vyndal z kapsy telefon určený k vábení. Nastal čas připoutat Amii ještě pevněji. Tohle je koneckonců taneček dvoření. Krátká textovka, aby si ji udržel na háčku, aby ji ujistil, že na ni myslí.

Nikdy neuhodne, jaké jsou jeho myšlenky ve skutečnosti.

14

Alvin byl vtěsnaný v rohu malého prostoru k sezení v thajském bistru na půli cesty mezi RSR Solutions a kanceláří, hltavě se ládoval pořádnou porcí pad khing. Zdůvodňoval si to tím, že je velký chlap, a tak potřebuje v pravidelných intervalech doplňovat energii. A při takovéhle práci po podobných okamžicích skočíte, jakmile můžete. Už skoro dojedl, když pocítil zavibrování telefonu na stehně. Loktem odstrčil muže vedle sebe, odložil misku na stůl a vylovil mobil dřív, než hovor spadne do hlasové schránky.

Než se stačil představit, žena na druhém konci linky spustila: „Jste detektiv seržant Ambrose? Suzanne mi řekla, že si spolu musíme promluvit o Kathryn. To je hrozné, co se jí stalo…"

„Jsem detektiv seržant Ambrose," odpověděl rozhodně a zvedl se. „A vy jste?"

„Já jsem Anya. Anya Lewandowská. Pracuju s Kathryn a Suzanne." Měla slabý, přesto patrný východoevropský přízvuk.

Alvin se protlačil mezi lidmi, kteří mu stáli v cestě ke dveřím, ignoroval jejich protesty a stížnosti a vyletěl na chodník jako střela z katapultu. „O čem jste se mnou chtěla mluvit?"

„Ptal jste se Suzanne, jestli Kathryn měla přítele?"

„Ano."

„Právě začala chodit s mužem, který se jmenoval David. Seznámila se s ním na Suzannině svatbě."

Nával vzrušení rozproudil Alvinovi v žilách adrenalin. „Viděla jste ho?"

„Jenom z profilu. Odešli k baru, asi si chtěli popovídat. Viděla jsem je, když jsem šla na toaletu."

„Jste teď v práci? V RSR?" Už se hnal ulicí k autu.

„Ano, jsem v kanceláři."

„Dobře. Vracím se tam, potřebuju si s vámi promluvit. A požádejte, prosím, Suzanne, ať nechodí na oběd, protože si budu muset znovu promluvit i s ní." Odemkl auto a vmáčkl se za volant. „Budu tam co nevidět. A pokud má někdo v mobilu nebo na Facebooku fotky z té svatby, budu se muset sejít taky s ním. Ani se odtamtud nehněte, Anyo. A dík za zavolání."

„Mám Kathryn ráda. Přijímala mě a chovala se ke mně vždycky férově. Uvidíme se za chvíli."

To byl lepší epitaf, pomyslel si Alvin. Už slyšel o hodně horší.

Tentokrát ho Lauren vyhlížela na recepci. Dovedla ho opět do místnosti, v níž mluvil se Suzanne. Anya už tam čekala, seděla u okna, jednu nohu v černých punčocháčích přehozenou přes druhou. Vypadala na pětatřicet, hnědé vlasy měla pečlivě upravené do krátkého sestřihu, tmavé oči zúžené znepokojením. Ústa vytvářela plně napjatý šarlatově červený luk, rty sevřené do přímé linky.

Alvin se představil a zeptal se Anyi, jestli by jí nevadilo, kdyby si rozhovor nahrával. Anya se zamračila a neochotně přikývla. Prošli formalitami, jménem, adresou, datem narození a délkou zaměstnání v RSR. „Přišla jsem do Anglie v květnu roku dva tisíce jedenáct, tady jsem začala pracovat rok a půl nato. Kathryn byla tehdy zástupkyní vedoucí kanceláře a přede dvěma lety, když odešla Becca, ji povýšili," vyprávěla. Její neochota vyprchala, jakmile začala mluvit, konstatoval Alvin s úlevou.

„Takže jste mi zavolala, abyste mi řekla, že Kathryn McCormicková měla přítele, který se jmenoval David a s nímž se seznámila tři týdny před svou smrtí na svatbě Suzanne Harmanové?" Otázku formuloval nemotorně, ale chtěl mít jistotu, že na záznamu budou všechny podrobnosti.

„Přesně tak. Jak už jsem vám řekla. Šla jsem na toaletu vedle hotelového baru, protože před tou vedle místnosti, kde probíhala svatební hostina, stála dlouhá fronta. Znám ten hotel, pracovala jsem v něm několik týdnů hned po svém příchodu do Bradfieldu. Když jsem procházela kolem baru, zahlédla jsem je tam spolu sedět. Kathryn se hodně usmívala, patrně se výborně bavili."

„V kolik hodin to bylo?"

„Tím si nejsem jistá. Možná kolem sedmé? Po jídle a proslovech, tanec mohl začít tak půl hodiny předtím. Možná dřív, už nevím. Dala jsem si pár drinků." Pokrčila rameny, rty se jí zkřivily do lítostivého úsměvu.

„A Kathryn vás představila?"

„Ne, nemyslím, že by mě vůbec zaregistrovala."

Alvin se zamračil. „Tak jak víte, že se ten muž jmenoval David?"

Anya mu věnovala shovívavý úsměv. „Protože jsem se jí zeptala. V pondělí u automatu na kávu. ,S kým jsem tě to viděla na svatbě?' A ona zrudla v obličeji a na krku. ,Jmenuje se David,' odpověděla. ,Zítra s ním jdu na pizzu.' Jako by byla sama se sebou vážně spokojená. Podle mě už dlouho neměla přítele." Zvedla jedno rameno v polovičním pokrčení. „Víc toho nevím."

„Dokázala byste ho popsat?" Alvin v to nevkládal moc naděje a ukázalo se, že se nemýlil.

Anya bezradně rozhodila rukama. „Vlastně ne. Jak jsem řekla, viděla jsem ho jenom z profilu. Podle mě byl docela štíhlý. Vlasy měl tmavé, dost husté, lehce prošedivělé na skráních."

„Tušíte věk?"

Pochybovačně zavrtěla hlavou. „Nevím. Mladý nebyl, starý taky ne. Možná pětatřicet, čtyřicet? Moc jsem si ho neprohlížela, zas tak mě nezajímal."

„Nepamatujete si, co měl na sobě?"

Zahleděla se do stropu. „Světle modrou košili a myslím, že modrou kravatu. Kalhoty od šedého obleku. Rozhodně nic zvláštního." Opět škubnutí jedním ramenem. „Nevěnovala jsem mu moc pozornosti, chtěla jsem se vrátit zpátky na večírek."

Alvin se zhluboka nadechl. Zatracené svědecké výpovědi jsou hotová noční můra. Působí notoricky nespolehlivě, i když jsou svědci skálopevně přesvědčení, že se nemýlí, a u tak nejistých svědků, jako je Anya, existuje vysoká pravděpodobnost, že muž jménem David na sobě měl modré kalhoty, šedou košili a vůbec žádnou kravatu. „Fotila jste něco na té svatbě? Na mobil?"

Anya se zatvářila překvapeně. „Jenom selfíčka s kamarádkami."

„Nevadilo by vám rychle se podívat, jestli na pozadí některé z nich není náhodou ten David?" Bylo mu jasné, že je to silně nepravděpodobné, ale zkusit to musí.

Anya vyndala mobil z kapsy sukně a vyvolala fotogalerii. Přejela prsty přes několik obrázků, vrtěla hlavou. „Na pozadí nikdo není, jen my děláme obličeje." Otočila telefon směrem k němu, aby viděl, že říká pravdu.

„Tak přizveme Suzanne a projdeme všechny obrázky, co dostala ze svatby," rozhodl Alvin unaveně. „Budeme taky potřebovat laptop s dostatečně velkou obrazovkou." Nepatřil k pesimistům, kteří vidí poloprázdnou sklenici, ale tohle mu připadalo jako děsná ztráta času.

Po hodině a půl podrobného zkoumání oficiálních i neoficiálních fotografií ze svatby Suzanne a Mého Manžela Eda měl Alvin pocit, jako by mu někdo do očí mrskl hrstku písku. Musí Anye férově přiznat, že vydržela a pečlivě studovala všechny snímky svatebního fotografa i ty, které přátelé sdíleli na Facebooku.

Suzanne klikla pro další obrázek. Na pozadí si dva muži přiťukávali pivem u nyní již dobře známého baru v banketním apartmá. Klikla znovu, právě ve chvíli, kdy Anya zavolala: „Počkat!" Překvapená Suzanne se vrátila k předchozímu snímku.

Anya si hryzala ret. „Myslím, že to je on. Tam vzadu u baru." Ukázala na poloprofil muže, který si zjevně povídal se svým sousedem. „Vypadá jako on."

Suzanne zvětšila mužův obličej, ale rozlišení snímku nebylo dostatečné a muž měl rozostřené rysy. „Nevypadá jako nikdo, koho bych znala," řekla. „Musí to být některý z Edových hostů."

„Potřebuju, abyste mi ten obrázek poslala mailem. V nejvyšším možném rozlišení." Alvin počkal, až Suzanne otevře poštovního klienta, pak napsal svou adresu. Jakmile to bude možné, přepošle fotografii Stacey. „Budu potřebovat kopie všech fotografií ze svatby, které dokážete sehnat. A budeme si muset promluvit s vaším manželem o tom muži, uvidíme, jestli ho dokáže identifikovat. Mohli bychom to udělat, co myslíte?"

„Chcete přijít k nám domů?" Znělo to skoro vzrušeně.

„Buď přijdu já, nebo některý z mých kolegů." S trochou štěstí a při příznivém větru Staceyiných digitálních dovedností v zádech se do rána možná dostanou mnohem blíž k hlavnímu podezřelému. Pro jednou bude sladké zabalit případ takhle jednoduše.

Jenže kvůli jednoduchým řešením tu regionální tým pro závažné zločiny není.

15

Není to tak dávno, co si Torin McAndrew užíval chvilky u snídaně a večeře. Ironií osudu to byla jedna z věcí, které se po matčině smrti zlepšily. Když na světlo dne vyšla pravda o jejím únosu a smrti z rukou psychopata, jeden nebo dva hlupáci si mysleli, že je vtipné ji urážet. Tvrdili, že to byla její chyba, že si ji ten cvok vybral za oběť. Torin byl příliš otřesený na to, aby se jim dokázal sám postavit, ale i skrz mlhu žalu vnímal podporu, kterou měl ve svých spolužácích. Nejen ve svých kamarádech. Lidé, o nichž sotva věděl, že existují, se mu postavili po bok. A hrstka starších chlapců z vyšší třídy, takových, jakými by všichni chtěli být, taky vystoupila vpřed.

Ti parchanti se rychle stáhli a Torin zjistil, že má řadu přátel, s nimiž může trávit čas. O přestávce, pokud nepršelo, si kopali s míčem, když pršelo, tísnili se pod přístřeškem knihovny. Vyměňovali si tipy na hry a různé triky, netaktně komentovali děvčata, stěžovali si na učitele a spřádali drobné plány na víkend. V době oběda spolu stáli ve frontě a při jídle se bavili o fotbalu a hudbě a sotva věnovali pozornost tomu, čím se ládují.

Nikdy dřív se mu nedařilo být součástí podobné skupinky. Tak nějak nezapadal. Torin se vždycky držel při okraji, rozervaný mezi touhou někam patřit a blíže nedefinovaným pohrdáním starostmi ostatních. Ale teď byl za jejich společnost vděčný. Po matčině smrti si připadal opuštěný a vykolejený. Paula a Elinor byly úžasné, vzaly ho k sobě a poskytly mu domov. Jenže nikdy neměly děti. Byly lesbičky a neměly ani páru, jaké to je být chlapcem v pubertě. Měl v sobě díry, o jejichž existenci vůbec netušily, natož aby je dokázaly alespoň trochu vyplnit. Fakt, že měl kamarády, ty díry alespoň zmenšovalo. Začínal se cítit méně opuštěně, méně ztraceně.

Tohle všechno je ovšem nyní v ohrožení. Teď bylo bezpečné zůstávat ve třídě. Ve třídě mohl předstírat, že se nic zlého neděje. Ve třídě si museli vypínat mobily; na tomto pravidle učitelé bez výjimky trvali. Pokud jste si omylem zapomněli vypnout mobil a chytili vás při zabzučení textovky nebo cinknutí nové zprávy na sociálních sítích, telefon vám do konce týdne zabavili. Bez diskuse. S touto politikou museli všichni souhlasit, jejich rodiče taky.

Takže první, co každý udělal, jakmile zvonek ohlásil přestávku nebo oběd, bylo, že si zapnul mobil. Torin si pamatuje film, který kdysi viděl, v němž se řada robotů bez života náhle napřímila a ožila na cvaknutí vypínače. Občas mu připadalo, že on a jeho kamarádi jsou docela stejní. Hodinu prožili s částí mozku naprosto vypnutou. A pak pustili mobily, a jako by světlo displeje zapnulo i je.

Ještě před čtrnácti dny byl jako všichni ostatní, nemohl se dočkat, kdy už se zase připojí k digitálnímu světu. Kdo poslal nějaké bláznivé video, čí poznámka se rychle rozšířila, jaká nová aplikace všechny nadchla. Sdíleli věci, které na ně zapůsobily. Občas se pouštěli do zapálených debat, jestli je něco ujeté, nebo ne. Ale většinou rychle dohnali čas a pak se zase přesunuli k tomu, co bylo na pořadu dne.

Ale už ne, pro Torina to neplatilo. Teď mu mobil připadal jako nevybuchlá bomba v ruce. Zradil ho, a pokaždé, když mobil pustil, měl Torin pocit, že je katastrofa o něco blíž. Občas mu přišlo, jako by slyšel matku říkat: „Tak ho nezapínej.“ Jenže to by bylo ještě horší. Protože to by nevěděl, kdy bomba vybuchla.

Jenže to by ho nezachránilo před jejím dopadem.

16

Telford rozhodně nebyl šálek čaje detektiva inspektora Kevina Matthewse. K tomuto názoru dospěl hned během prvních minut, co odbočil z M54. Hádal, že by se městečko zrovna nedočkalo schválení od svého jmenovce, významného architekta, jemuž se dařilo vytvářet funkční stavby atraktivním způsobem, který zcela unikal většině městských plánovačů od šedesátých let dále. A Kevina netrápila jen estetická stránka věci. Některé prvky uspořádání města usnadňovaly darebáctví. Rychlý přístup k síti dálnic umožňoval snadný unik jakémukoli neřádovi se skutečně zlými úmysly. A se svým motoristickým pohledem na svět Kevin věděl, že každá čtyřproudová vozovka, která rozděluje město na dvě části, se stává závodní dráhou pro soupeřivé chlapce, na níž můžou pálit gumy svých nadupaných hatchbacků, a že řev jejich upravených výfuků každý víkend způsobí obyvatelům města třeštění hlavy hluboko do noci, zatímco se dopravní policisté budou vyhýbat problémům s nimi a soustředí se na chytání řidičů o kus dál na dálnici. Pro obyvatele panelových domů na nedalekém sídlišti se stane neustálým zdrojem utrpení.

Ale uprostřed dopoledne pracovního dne byli závodníci buď v posteli, nebo v práci. Ulice zůstaly poloprázdné a Kevin neměl nejmenší problém se sledováním navigace bezútěšným centrem, kolem identických domů ve shluku uliček připomínajících labyrint, až se dostal do čehosi, co zjevně byla původní vesnice, nyní obklopená a pohlcená novým rozvojem města. Tady se kolem křovinami porostlého trojúhelníku zeleně spolu s nabílenou hospodou v rohu seskupily domky z červených cihel. Když se přiblížil, z auta zaparkovaného před hospodou vystoupila uniformovaná policistka, policejní konstábl. Kevin předpokládal, že je to pracovnice z oddělení péče o rodinu, pověřená místním sborem, aby se stala oporou McCormickových. Zastavil za jejím autem a představil se.

Policejní konstábl Seema Bradleyová byla klidná a empaticky působící žena kolem pětatřicítky. „Jako důstojnice oddělení péče o rodinu pracuju už několik let," sdělila mu cestou k domu McCormickových. „Moje máma pochází z Asie a táta je z Birminghamu, takže umím tady kolem dobře zapadnout. Šéfové si rádi odškrtávají položky," dodala a křivě se pousmála.

Kevin se zasmál. Dotkl se svých vlasů, lehce vybledlých věkem, ale dosud neoddiskutovatelně rezavých. „Zatímco já nezapadnu nikde kromě Skotska a Irska."

„Dost možná. Je něco, co potřebuju vědět dřív, než zaklepeme na dveře?"

Kevin jí řekl to málo, co věděl, a společně otevřeli branku a připravili se vypálit díru do života dvou lidí.

Jeremy a Hannah McCormickovi bydleli v malém úpravném řadovém domku s miniaturní přední zahrádkou, která obsahovala pár pestrobarevných keřů brslenu, zastřižených s geometrickou přesností. Neodpovídalo to zrovna Kevinovu stylu zahradničení, ale s tak malým prostorem toho nešlo moc víc udělat. Zhluboka se nadechl a narovnal ramena. Pro policejního důstojníka neexistuje horší úkol než oznamovat něčí smrt. Kevin zazvonil na zvonek a zdvořile poodstoupil, div se na úzké pěšince nesrazili se Seemou.

Muž, který jim přišel otevřít, se ztěžka opíral o hůl. Postavu měl skloněnou a nahrbenou, přestože hlavu dosud zdobily husté světle hnědé vlasy. Ani obličej neodpovídal té chatrnosti. Bylo to, jako kdyby hlavu šedesátiletého člověka nasadili na křehké tělo osmdesátníka. Vzhlížel k nim přes silné brýle. „Vy nejste pedikérka." Znělo to zklamaně.

Kevin vytáhl průkazku. „Pan McCormick?"

Muž přikývl. „Ano. Kdo jste vy?"

Kevin mu přidržel malou náprsní tašku blíž před očima. „Jsem detektiv inspektor Kevin Matthews a tohle je policejní konstábl Seema Bradleyová. Můžeme dál, prosím?"

„O co jde?"

„Raději bychom to neprobírali ve dveřích. Mohli bychom dovnitř?"

Zevnitř se ozval ženský hlas. „To není ta pedikérka, Jeremy?"

S obtížemi se obrátil a řekl: „Je to policie."

„Policie?" Objevila se za ním, pěkně upravená žena s krátce zastřiženými stříbrnými vlasy. Zamračila se nad mužovým ramenem na policisty. „Co se děje? Stalo se něco Kathryn?" Zjevně zaregistrovala cosi v Kevinově tváři, protože vytřeštila oči a zachytila se rukou zdi, aby neztratila rovnováhu. „Ach, můj bože," zalapala po dechu. „Stalo se něco strašného. Jeremy, Kathryn se stalo něco strašného."

Kevin si nebyl tak úplně jistý, jak to Seema dokázala, ale domanévrovala McCormickovy z chodby do obývacího pokoje. Drželi se jeden druhého, jako by se báli, že je vlna strachu smete do moře. Klesli na pohovku a zírali na Kevina se směsicí hrůzy a nevíry. „Co se stalo?" opakoval neustále Jeremy McCormick.

Kevin se posadil proti nim. „Je mi to velice líto, ale musím vám oznámit, že vaše dcera Kathryn je mrtvá."

Hannah McCormicková vrtěla hlavou. „To nemůže být pravda. Kathryn ne. Mluvila jsem s ní v pátek odpoledne, chystala se na víkend. To musí být nějaký omyl."

Její manžel s tváří zkřivenou bolestí ji chytil za ruku. „Nespletou se v tom, kdo umřel, Hannah."

Kevinovi se v botách zkroutily prsty na nohou. Nesnášel tahle setkání s šokem a žalem. Nemohl říct ani udělat nic, co by zmírnilo peklo, které se snese na hlavy těch lidí. „Je mi to moc líto," zopakoval. „Ale k žádnému omylu nedošlo."

Do hovoru se zapojila Seema. „Chápu, jaká je to pro vás strašlivá chvíle, a je velice těžké tu skutečnost vstřebat. Kathryn zemřela v neděli v noci, ale až teď se nám podařilo ji bezpečně identifikovat. Nicméně ta identifikace je naprosto jednoznačná."

Hannah vytryskly slzy z očí. Patrně si to ani neuvědomovala. „Co se stalo?" zeptala se. „Měla nehodu?"

Ježíši Kriste, pomyslel si Kevin. *Kde jenom začít?* „Neříká se to snadno," pustil se do toho, ale Jeremy McCormick ho přerušil.

„Co ještě dodávat?" zarazil ho, v hlase mu zazníval hněv. „Už jste nám řekli, že je naše dítě mrtvé. Co pro všechno na světě může být horší?"

„Na Kathryninu smrt pohlížíme jako na podezřelou," odpověděla Seema klidně. „Domníváme se, že ji někdo zavraždil."

„Ne!" zakvílela Hannah, její tělo se roztřáslo strašlivými potlačovanými vzlyky. Jeremy zvedl křehké paže a podepřel si jimi hlavu, pohupoval se dopředu a dozadu. Nedalo se nic dělat, jen sedět a čekat, až přejde prvotní bolest. Konečně první bouře pominula a manželé se o sebe vyčerpaně opřeli.

„Co se stalo?" zopakovala Hannah.

„To přesně nevíme," přiznal Kevin. „Její auto zapálili a tělo bylo uvnitř."

Hannah zaskučela.

„Když auto začalo hořet, nebyla naživu," dodal spěšně. „Domníváme se, že ji předtím uškrtili. Myslíme si, že požár byl založen proto, aby vrah zakryl stopy."

Jeremy zasténal. „Proč by někdo něco takového dělal naší Kathryn? Byla to milá dívka. Dobrá zaměstnankyně. Nikdy nikomu neublížila."

„Je to šokující, já vím," potvrdila mu Seema. „A teď půjdu do kuchyně a připravím nám všem čaj. Určitě chcete inspektoru Matthewsovi pomoct, jak jen to půjde. Vím, že je to teď to poslední, na co se cítíte, ale čím víc se toho o Kathryn dozvíme, tím dřív dosáhneme nějakého pokroku ve vyšetřování její smrti."

„Skutečně bych měl několik otázek," přidal se Kevin. „Jestli můžu?"

Hannah roztřeseně přikývla. „Můžeme ji vidět? Rozloučit se s ní?"

Jedna z nejobávanějších otázek. „Nedoporučoval bych vám to. Je velice ošklivě popálená."

„Lepší bude zapamatovat si ji takovou, jaká byla," prohlásil Jeremy a sáhl po manželčině ruce.

Hannah se od něj se škubnutím odtáhla a střelila po něm zlým pohledem. „Je to moje dítě. Chci se rozloučit."

„Upřímně řečeno," zkusil to Kevin znovu. „Není to dobrý nápad. Prospěte se na to. Pokud to budete vnímat pořád stejně, můžeme to zařídit. Ale váš manžel má pravdu. Bude pro vás lepší vzpomínat na ni, jak vypadala, když byla živá. I když samozřejmě chápu, že se s ní chcete rozloučit."

„O to nejde. Pokud ji neuvidím na vlastní oči, rozeběhne se ve mně představivost. Budu mít před očima nejrůznější hrůzné věci, které se dějí mé miloučké holčičce."

Něco na tom je, pomyslel si Kevin. Ale vážně, jakého klidu může člověk dojít, když uvidí ohořelé ostatky svého dítěte? „Kathryn byla mrtvá už před tím požárem," zkoušel. „Ať byste viděla cokoli, neodráželo by to její poslední chvilky. Tou dobou byla dávno mrtvá."

„Má pravdu, Hannah," přidal se Jeremy. „Musíme se držet pěkných vzpomínek, nemučit se." Hlas se mu zlomil. „A musíme pomoct policii. Potřebuju vědět, jak se naší dceři stala tahle neskutečně strašlivá věc, a to nezjistíme tím, že budeme zírat na to, co z ní zbylo."

Hannah konečně ukončila dlouhé ticho a odkašlala si. „Uděláme cokoli, co bude v našich silách, abychom vám pomohli. Ale pořád ji budu chtít možná vidět." Pohlédla na Kevina úpěnlivým zrakem. „Měli jsme jen ji." Trhala papírový kapesník, kterým si předtím utřela oči.

Jeremy ji pohladil po paži. „Tak nám raději položte ty své otázky, pane inspektore."

Kevin se zhluboka nadechl. Nechtěl si představovat, jak by se cítil, kdyby se tohle přihodilo některému z jeho dětí. Udržet si emocionální odstup bylo občas jedinou možností, která mu umožňovala pracovat. „Děkuji vám. Paní McCormicková, říkala jste, že jste s dcerou mluvila v pátek odpoledne? V kolik hodin to asi tak bylo?"

„Kolem půl sedmé. Co říkala, zrovna se vrátila z práce. Ale nemohla se se mnou dlouho vybavovat, protože se chystala pryč na víkend."

„Říkala, s kým jede?"

Hannah svraštila obočí. „Jméno neuvedla. Jen že s někým z práce."

„Jste si jistá? S někým z práce? Neříkala, jestli jde o muže nebo o ženu?"

„Předpokládala jsem, že jde o ženu. Přítele neměla od té doby, se rozešli s Niallem. A to je, jak dlouho? Tři roky."

„Řekla by vám to, kdyby šlo o muže?"

„Ne, neřekla," odpověděl Jeremy smutně. „Neřekla by nám nic, abychom si nedělali naděje, že se seznámila s někým, s kým by mohla být šťastná. Moc nás rozčílilo, když ji Niall opustil, víte. Neřekla by nám nic, dokud by si nebyla jistá."

„Aha. Zmínila se, kam pojede?"

Hannah sevřela kořen nosu palcem a ukazováčkem, soustředila se. „Prý na nějakou vypůjčenou chatu v Yorkshire Dales." Povzdechla si frustrovaně. „Ale neupřesnila, kde se nachází. Ani co je poblíž."

Dorazila Seema, balancovala se čtyřmi šálky čaje na krájecím prkýnku. „Omlouvám se, nemohla jsem najít podnos." Rozdala šálky. „Ani jsem nikde neviděla cukr."

„Nesladíme," odpověděla Hannah razantně.

Kevin si nestěžoval, přestože za normálních okolností čaj sladil plnou lžičkou, aby mu přišel stravitelný. „Můžu se vás zeptat, které ze svých přítelkyň se Kathryn svěřovala?"

Prázdně na sebe pohlédli. „To netuším," řekla Hannah. „Hodně mluvila o svých kolegyních, ale nemyslím, že by nějakou konkrétně považovala za blízkou přítelkyni."

A tak to pokračovalo dál. Kevin položil všechny otázky, které dokázal vymyslet, ale žádná nepřinesla ani zrnko užitečné informace. Nic až do samého konce. „Nebyla Kathryn v poslední době někde, kde by mohla potkat nějakého nového muže?" Nic neočekával.

Ale Kathrynin otec k tomu měl co říct. „Asi před čtrnácti dny byla na svatbě kolegyně. Prý se tam bavila se spoustou lidí. Zmínila se o nějakém příteli ženicha. Jen tak mimochodem, chápejte. Jmenoval se David."

„Neřekla o něm něco víc?"

Hannah se zamračila. „Ne. Jen že bylo milé jít na svatbu a nedočkat se nepříjemného překvapení."

Kevin pocítil brnění na šíji. „Jak to myslela?"

Hannah a Jeremy si vyměnili pohled. Jeremy si vzal slovo. „Když posledně přišla na jednu svatbu, byl tam její bývalý přítel. Niall. Měla z toho šok, to je celé. Nemyslela si, že bude mít nervy, aby se ukázal na místě, o kterém věděl, že tam bude ona."

17

Než se Paula s Karimem vrátili na základnu, stačila Stacey najít cesty do historie telefonního čísla, které objevili v kalendáři. Když za ní přišli, sotva zvedla zrak od monitorů. „Samozřejmě telefon s předplacenou kartou. V současné době každý ví, jak nám zkomplikovat práci."

„Co dalšího…" začal Karim dychtivě, než ho Paula dloubla loktem do žeber.

„Koupený v nějakém zapadlém obchůdku v Dudley ve West Midlands." Stacey stiskla několik kláves a jedna z obrazovek se proměnila v Google Street View ošuntělé ulice. Přitáhla zoomem průčelí obchodu s mobily, který sousedil s bufetem prodávajícím kebaby a charitativním obchodem Marie Curie. „Obvyklé věci. Neuzamčené telefony, repasované laptopy. Kupte si tu telefon z druhé ruky, nikdo se vás nebude na nic ptát."

„Přesto by se mohlo vyplatit to místo navštívit, ne? I když tam nevedou řádné záznamy, třeba mají bezpečnostní kamery?" navrhoval Karim.

Paula zavrtěla hlavou. „Škoda času. Budou tam trpět ztrátou paměti, a pokud mají kamery, určitě už vymazali všechno kromě nejnovějších dat. Tenhle obchod si vybral úmyslně. Tak snadno nám do rukou nepadne."

„Umí plánovat, tenhle David," vyhodnotil situaci Karim.

„Ti, co je chytáme, takoví většinou jsou," zkonstatovala Paula. Strávila v týmech pro závažné zločiny několik let. Dost na to, aby věděla, že náhodný útočník, který se rozpálí a přestane se ovládat, si obvykle nic dopředu nepromyslí. Ale vrazi, kteří v hlavě nosí svoji misi, si tu práci dají. Pečlivě si zjistí, jaké mají možnosti, odhalí překážky a vypracují si plán.

„Předpokládám, že telefon bude touhle dobou zničený," pokračovala Stacey. „Není tu nic od pátečního večera v 18.23. Pokoušela jsem se na něj volat, ale neukázal se mi v síti."

„Jak můžete…"

„Neptejte se," umlčela Karima rázně Paula. „Co se děje u Stacey, zůstává u Stacey."

Analytička dat na chvíli zvedla zrak a přes tvář jí krátce přelétl úsměv. Ťukla na trackpad a na monitoru se objevil seznam čísel. „Všechna volání z tohoto telefonu se uskutečnila v oblasti Bradfieldu. Volal do různých restaurací, do nezávislého kina, do divadla. Ale jediný člověk, kterému volal nebo mu posílal esemesky, byla Kathryn McCormicková."

„Což znamená, že by byla ztráta času sledovat další hovory." Dokud Carol nepromluvila, nevšimli si, že dorazila, natolik byli zaujati tím, co jim Stacey ukazovala.

„Nemyslíte, že rezervoval místa v restauracích a lístky?" zeptal se Karim.

„Ne. Myslím, že mu šlo o dvě věci. Podle mě se záměrně snažil marnit náš čas tím, že chtěl, abychom se honili po celém Bradfieldu a kontrolovali rezervace a záznamy bezpečnostních kamer, jestli tam nebude zachycený s Kathryn ve městě. Vsadím svůj měsíční plat, že ať ji vzal na jídlo kamkoli, to místo nebude na tomhle seznamu. A že platil v hotovosti a stůl zarezervoval na falešné jméno."

Paula přikývla. Dávalo to dokonalý smysl. „Říkala jste dvě věci."

„Chce, abychom si mysleli, že je z Bradfieldu. Chce, abychom svou pozornost zaměřili sem. Takže ho podezírám, že ať bydlí kdekoli, není to v Bradfieldu."

Chvíli panovalo ponuré ticho, které narušilo vzteklé zařvání v hlavní místnosti týmu. „Kde se do prdele schováváš, Stacey?"

Všichni kromě Karima poznali hlas rozzuřeného detektiva konstábla Sama Evanse, bývalého člena týmu pro závažné zločiny Bradfieldské metropolitní policie, který Carol vedla před tím, než ji vražda bratra a jeho ženy přiměla odejít z práce. Pokud bylo Carol známo, byl to také přítel Stacey Chenové. Paula a Stacey věděly, že toto označení od včerejšího večera neplatí. A jen Stacey věděla, že několika obratnými stisky kláves zničila Samovu digitální existenci. Zrušila jeho kreditní karty, vyprázdnila mu bankovní účty a zmrazila je, pohrála si s jeho hypotékou, daň odvedenou městskému úřadu proměnila v dluh, smazala mu účty na sociálních médiích a ukončila telefonní službu.

Skutečnost, že Stacey do té doby nikomu nezničila život, neznamená, že to nedokáže precizně a promyšleně provést.

Nepočítala ovšem s tím, že se Sam objeví v kanceláři regionálního týmu pro závažné zločiny. Napůl očekávala, že se ji pokusí konfrontovat doma. Kdyby Samovi rozuměla alespoň z poloviny tak dobře, jako rozuměla svým strojům, věděla by, že Sam vždycky volí jednodušší cestu. Proč by se měl snažit umluvit vrátného, kterému bezpochyby nakázala, že nemá pouštět dovnitř jejího bývalého přítele, když mu policejní průkaz zaručuje vstup na stanici na Skenfrith Street, a tudíž do jejich kanceláře?

„Přestaň se schovávat za těma zatracenejma monitorama!" řval Sam. Na jeho křik odpovědělo tlumené štěkání Flash, bezpečně zavřené v Carolině kanceláři. Než kdokoli stačil zareagovat, vtrhl Sam do Staceyiny kanceláře, protáhl se kolem Carol a divoce se kolem sebe rozhlížel. „Skvělé!" hulákal, obličej rudý zlostí. „Je tu celá banda. Řekla vám, co mi provedla?"

Carol se k němu obrátila. „Co to má znamenat? Jak se opovažujete sem takhle vpadnout, křičet tady a vyvolávat spor? Svůj soukromý život si řešte v soukromí, Same."

Sevřel rty a zavrčel: „Nechoďte na mě sakra se ‚Samem'. To vy jste to všechno odstartovala tím, že jste mě shodila."

„Pokud tím myslíte skutečnost, že jsem si vás nevybrala do tohohle týmu, pak jste jen prokázal, že jsem udělala dobře." Z Carolina hlasu odkapávalo pohrdání, ale Sam byl tak rozjetý, že ho žádná urážka nemohla zastavit.

„A ty…" ukázal na Stacey. „Včera večer jsem nedokázal přijít na to, co se děje, když jsem nemohl vymáčknout prachy z tý díry ve zdi. Ale dneska ráno jsem si uvědomil, že znám jedinou osobu, která by mi něco takovýho dokázala udělat. Proč? To všechno jen proto, že jsem si večer vyrazil s kamarádama? Ty seš na hlavu padlá, Stacey. Musíš to hned napravit."

Stacey otevřela ústa, aby promluvila, ale než stačila cokoli říct, vložila se do věci Paula, rozhodnutá nedopustit, aby se situace ještě víc vyhrotila. „Vážně si myslíš, že by Stacey něco takového udělala kvůli milostné roz-mříšce? Zamysli se, Same. Vrať se v myšlenkách zpátky do minulosti k té sviňárně, cos provedl. Ke svinstvu, které by Stacey vážně rozčílilo mnohem víc než cokoli, co bys mohl provést jí osobně."

Její slova vzala Samovi vítr z plachet. Rychle hodil očkem po Carol, zjevně si ověřoval, jestli ví, o čem Paula mluví. Jenže ostatní plný rozsah jeho zrady před Carol utajili a Carol se tvářila dostatečně užasle, aby tomu uvěřil. Což patrně stačilo k tomu, aby svoji proradnost nevytahoval na světlo dne. „Nesejde na tom, jaká je její takzvaná omluva," vyhrkl. Znovu ukázal prstem směrem ke Stacey. „Radši to dej do pořádku, a to hned."

Stacey vstala, vystrčila bradu. „Nebo co, Same? Nemůžeš dokázat jedinou věc z těch, ze kterých mě obviňuješ. Zatímco já…" Lehce pokrčila rameny, její dokonale ušité sako se pohnulo spolu s ní.

Vyvalil oči, protože mu došlo, jaké následky naznačuje. Ale než mohl odpovědět, promluvila Carol. „Může mi někdo prozradit, co se tu sakra děje?"

Paula tvrdě hleděla na Sama. „Myslím, že konstábl Evans právě odchází."

Dlouhá pauza. Pak se Sam obrátil na podpatku a vyrazil z kanceláře. Chvíli nato práskly dveře hlavní místnosti týmu. Carol zatřepala hlavou jako pes, který se vynoří z vody.

„Existuje možnost, že byste předstírala, že se to nestalo?" zeptala se Paula méně váhavě, než jak se cítila uvnitř.

„Můžeme očekávat nějakou zpětnou reakci, když to udělám?" Carol se pomalu učila být opatrnější, pokud šlo o dohody, dokonce i dohody s lidmi, se kterými by v případě nouze mohla počítat jako se svými přáteli.

Paula a Stacey si vyměnily pohled. „Nemyslím," řekla Stacey.

Carol si rukou prohrábla vlasy. „Budu u sebe v kanceláři. Paulo, přijďte za mnou za pět minut."

A byla pryč. Karim se odlepil od stěny, v níž se snažil ztratit, a následoval Paulu zpátky do hlavní kanceláře. „Musím taky předstírat, že se nic nestalo?" zeptal se opatrně.

Paula se uchechtla. „Ne. Nevykládejte si to špatně, ale stojíte příliš nízko v hierarchii. Kdybychom o tom řekli šéfce, musela by s tou informací nějak naložit. A kdyby Stacey chtěla postupovat tímhle způsobem, postarala by se o to osobně."

„Tak co se stalo?"

Paula se opřela o stůl. „Pamatujete si na ten novinový článek z minulého týdne o tom, že obvinění z řízení pod vlivem alkoholu proti šéfce stáhli, protože ten alkoholtester byl vadný?"

„Jo. Teda, podle autora článku to vyznívalo, jako by celá ta věc byla naprostá levárna."

„Přesně tak. A regionální tým pro závažné zločiny to málem poslalo ke dnu ještě dřív, než jsme začali pracovat. A zjevně šlo o uniklou vnitřní informaci, protože když ty případy zamítli, nebyl u soudu žádný reportér. Tak jsme odvedli trochu detektivní práce a zjistili jsme, že ta historka pochází od Sama."

„Jak se o tom dozvěděl?"

„Řekla mu to Stacey. Myslela si, že mu může důvěřovat nejen proto, že je její přítel, ale i proto, že je jedním z nás. Znáte ten princip – kopněte jednoho, a kulhat budou všichni. Až na to, že Sam na sobě patrně měl chrániče holení. Dostal vztek na Carol, protože si ho nevybrala do nového týmu, přestože pro ni v Bradfieldu pracoval. Tak si řekl, že jí to dá sežrat."

Karim se prudce nadechl. „To je teda hajzl."

„Některé z nás to překvapilo míň než jiné. Ale bylo plně na Stacey, jak se s tím vypořádá." Paulin výraz vyjadřoval lítost i respekt. „Nikdy se nepřete se Stacey. To je vaše celoživotní poučení z dnešního dne."

„Co bude dál?"

Paula se odpojila od stolu a zamířila ke Carolině kanceláři. „Pokud má Sam dost rozumu, tak nic. Nahlásí v bance, že ho napadli hackeři, a vyřeší to." Byla ke Karimovi obrácená zády, a tak nemohla vidět úzkost v jeho obličeji. I kdyby ji viděla, nevěnovala by tomu pozornost.

Dveře kanceláře byly pootevřené, a tak vešla dovnitř. Flash zvedla hlavu a krátce štěkla na uvítanou. „Kde je Tony?" zajímala se Paula, když jí Carol hlavou pokynula k židli.

Carol vzhlédla od poznámek, které si vypisovala. „Vysadila jsem ho u Bradfield Mooru. Dneska odpoledne má několik sezení s pacienty. Co to mělo znamenat?"

„Ten článek v novinách o vašem staženém případu. Sam tu informaci předal tisku." Paula se snažila usmát, ale vyšla jí z toho grimasa. „Stacey mu patrně předvedla svou vlastní představu o spravedlnosti."

Carol zasténala. „No, pokud je to naposled, co o té věci slyším, dobře pro ni. Zjevně jsem se rozhodla správně, když jsem Sama v tomhle týmu nechtěla. Nějaký pokrok v případu Kathryn McCormickové?"

Paula jí poreferovala o tom málu, co věděli. „Alvin prochází fotografie ze svatby. Kevin potvrdil, že používal jméno David, a to je asi tak všechno," zakončila. „A Kathryn patrně před časem na jiné svatbě narazila na svého bývalého."

„Zajímavé, po tom musíme jít." Carol se natáhla pro blok a zapsala si poznámku. „Vyšetřovatel požárů byl velice vstřícný, jenže jsme nezjistili nic, co by nás posunulo dopředu. Tony si něco mumlá pod vousy, ovšem to se v téhle fázi dalo očekávat." Carol si poposedla, naklonila se nad stůl a usmála se. „Ale chtěla jsem s vámi mluvit o něčem jiném."

Paula doufala, že se nevrátí k Samovu výbuchu. Oplatila Carol úsměv, byť neklidně.

„Musíte se pustit do inspektorských zkoušek," vypadlo z Carol. To bylo to poslední, co by Paula očekávala.

„Nepotřebujete v týmu dalšího inspektora," namítla. „Dosadila jste Kevina na jeho starý post. Já jsem šťastná tam, kde jsem."

„Kevin se vrátil jedině pod podmínkou, že to bude dočasné. Dokud nenajdu dalšího člověka, který zaujme inspektorské místo. A já si myslím, že ten člověk jste vy. Znám vaši práci. Jste nejlepší vyšetřovatel, s jakým jsem kdy pracovala, a jste chytrý detektiv. Chci, abyste povýšila, Paulo."

„Nejsem na to připravená. A jsem mizerná v papírování."

„Ne horší než kdokoli v tomhle týmu. Tak se začněte biflovat na zkoušky. Už je čas, Paulo."

18

Na konci odpoledne měl Alvin dojem, že mu mozek rozměkl na kaši. Seznam hostů na Suzannině a Edově svatbě čítal víc než devadesát lidí a on doposud komunikoval s pouhou hrstkou z nich. Telefonické hovory, textovky, vzkazy i rozhovory tváří v tvář vedly k jedinému, velice přesvědčivému závěru. Ať už je David kdokoli, nebyl oficiálním hostem. Ed potvrdil Alvinovi to, co už se dozvěděl od Suzanne. Jediný David na seznamu hostů byl jeho obézní a plešatý dvaašedesátiletý strýček.

Přesto Alvin dál prověřoval všechny ostatní hosty, jestli si někdo náhodou na poslední chvíli jako náhradu za přítele nebo partnera nepřivedl nějakého Davida. Lidé na jeho dotaz reagovali zmateně, pobaveně nebo dezorientovaně. Ale nikdo nepřipustil, že by na svatbě byl s mužem jménem David.

„Vetřel se tam," nahlásil Carol, když se vrátil do kanceláře s SD kartou velikosti 64 gigabytů, kde bylo tolik fotografií ze svatby, kolik jich jen dokázal posbírat. Sundal si sako, znechuceně ho přehodil přes opěradlo židle a povolil si vázanku. „Nikdo ho neznal. A ta jediná fotografie, na níž ho Anya Lewandowská poznala, jak se baví s tím dalším chlápkem? Mluvil jsem s ním. Jmenuje se Andy Swift a na svatbě byl s přítelkyní, která pracuje ve stejné firmě jako ženich. Prý toho chlapa nikdy dřív neviděl a vedli takovou konverzaci nekonverzaci, jaká běžně probíhá u baru. Jeho popis byl ještě neurčitější než Anyin." Alvinův hlas stoupl o oktávu výš a nabral typický severský přízvuk. „Myslíte si, že jsem buzerant, nebo co? Nic mě nemohlo zajímat míň, než jak vypadá kdovíjakej chlápek u baru.'"

Ještě když Alvin mluvil, vstoupil do místnosti lehce rozrušený Tony. „Šel tam výlučně s úmyslem najít oběť," tvrdil a unaveně klesl na židli. „Otázkou zůstává, jestli hledal konkrétně Kathryn, nebo jakoukoli náhodnou oběť."

„Záleží na tom?" zeptal se Alvin.

„Pokud by Kathryn předem sledoval, mohl by se objevit někde v jejím stínu. V nějakém bodě její cesty do práce nebo tam, kde nakupovala, určitě musí být bezpečnostní kamera," vysvětlila Carol.

„Není pravděpodobnější, že sledoval konkrétně ji?" Alvin si třel spánky, snažil se zbavit bolesti hlavy, která ho začínala trápit. „Chci říct, není to kapku moc velká spekulace? Kdo může s jistotou tvrdit, že na té svatbě najde někoho, kdo bude ochotný nechat se sbalit?"

„Hádal bych, že měl dost velkou šanci." Tony mluvil pomalu. „Na svatbě, kde je láska všude ve vzduchu? Lidi to přiměje myslet na to, že chtějí s někým být. Svatby jsou notoricky známým katalyzátorem."

„Cože? Lidi dospějou k závěru, že nastal čas se vzít, jen proto, že přišli na svatbu se svým partnerem?" Promluvila Carol. Znělo to skepticky.

„Ano," přitakal Tony. „Ale taky to funguje opačně. Lidi to přiměje zpochybnit svůj vztah. Chceš si mě vzít? Proč si mě nechceš vzít? Pokud spolu máme zůstat navždycky, můžeme se zrovna tak dobře vzít, protože se tím zjednoduší veškeré právní kroky, jestli jeden z nás zemře. Když se nevezmeme, k čemu to všechno je?" Pokrčil rameny. „Jeden kolega mi kdysi vyprávěl, že se do dvou týdnů po jeho svatbě rozešlo celkem šest párů."

„No to mě podrž!" vyletělo z Alvina. „To jsem netušil. Takže vy si myslíte, že celá ta láskyplná atmosféra mohla na Kathryn zapůsobit tak, že bylo snazší ji sbalit?"

„Myslím si, že mohla být náchylnější k navázání kontaktu s cizím člověkem, než kdyby byla s kamarádkami někde v hospodě. Ano." Tony si sundal bundu a odhodil ji na podlahu vedle sebe. Zachytil Carolin pohled. „Co je? Je moc objemná na to, aby se dala přehodit přes opěradlo."

„Řekla jsem snad něco? Nejsem tvoje matka."

Tony se otřásl. „Takovou představu mi do hlavy vůbec nenasazuj. S Vanessou je to už tak dost zlé."

Alvin se zvedl a zakroužil mohutnými rameny. „Jsem zatraceně ztuhlý. Obvykle se celý den nehrbím nad telefonem. Předám ty obrázky Stacey, a pokud pro mě momentálně nic dalšího nemáte, pro dnešek skončím."

„Klidně. Jděte domů a projednou dětem přečtěte pohádku na dobrou noc. I já to co nevidět zapíchnu," přidala se Carol. Ale nedokázala přestat listovat zprávami z vyšetřování, kterými ji tým krátce předtím zavalil.

Stacey nevykazovala žádné známky, že by se chystala končit. Náruživě sledovala jednu z obrazovek, prsty jí lítaly nad klávesnicí. Když Alvin vstoupil do místnosti, zvedla ruku s dlaní napřaženou dopředu; napůl pozdrav, napůl varování. Soustředěně vraštila obočí, ťukla na trackpad a pak obrátila zrak k Alvinovi. „Seržante Ambrose," oslovila ho.

„Alvine," opravil ji už podeváté nebo podesáté. Paula ho upozornila, že se k němu Stacey bude chovat formálně, dokud se v jeho společnosti nezačne cítit uvolněně. Zjevně se mu ještě nepodařilo prolomit její zábrany. „Přinesl jsem vám všechny fotografie ze svatby, ke kterým jsem se dokázal dostat. Prý máte software, který dokáže porovnávat obličeje?"

Stacey si dopřála drobný úsměv, nadzvedl koutky jejích úst. „Napsala jsem kód, který vylepšil standardní rozpoznávací software, co jsme měli k dispozici. Takže to, co tu máme, je přinejmenším stejně dobré jako cokoli, co se dá sehnat na trhu. Nejspíš lepší než většina z toho." Natáhla k němu ruku a on jí do dlaně vložil SD kartu. Sevřela ji štíhlými prsty; nemohl si nevšimnout francouzské manikúry, dokonale provedené, ale na krátkých nehtech, aby jí nepřekážely při mačkání kláves. Vždycky byla bez poskvrnky. Oblečení nosila zjevně nákladné a sedělo jí, jako by bylo šité přímo pro ni. Účes a make-up měla vždy dokonalé, těžko se mu četlo v jejím obličeji. Měl za to, že pochází z bohaté rodiny, dokud mu Kevin nepověděl o milionech vydělaných v softwarové firmě, pro kterou pracuje o svém volnu. „Líbí se jí mít licenci, aby mohla strkat nos do životů druhých, kterou jí poskytuje tohle zaměstnání," řekl, zjevně ne zcela souhlasně.

To jí přeju, pomyslel si Alvin. „Je mezi nimi jedna jednoznačná identifikace," dodal. „Uložil jsem ji do oddělené složky nazvané David."

„Díky." Stacey už zastrkávala SD kartu do slotu MacAiru.

„Hodně štěstí." Obrátil se k odchodu.

Uchechtla se. „Do téhle části regionálního týmu pro závažné zločiny štěstí nechodí, Alvine."

19

Amie McDonaldová stála s rukama v bok, přehlížela svoji garderobu. Věděla jen tolik, že jdou na večeři. Mark se jí zeptal, jestli má ráda kořeněná jídla, a ona mu odpověděla, že se ničeho ostrého nebojí, takže hádala, že půjdou do indické nebo thajské restaurace. V Leedsu bylo v tomhle ohledu z čeho vybírat, ale do žádného z těch podniků nebylo třeba se strojit. Město se mohlo pochlubit několika luxusními restauracemi, ale ani jedna se neproslavila přítomností chilli v jídle.

Amie nebyla spokojená s tím, co viděla. Začala se probírat obsahem tyče, ramínka rachotila, jak rychle vylučovala možnosti. Chtěla vypadat dobře, aby bylo vidět, že si dala tu práci. Ale ne zoufale. Protože není zoufalá. Amie nikdy neměla problém přitáhnout pozornost mužů. Problém spočíval v tom, udržet si je. Má příliš vysoké nároky, to je alfa a omega jejích potíží. Nedokáže se srovnat s tím, jak kolonizují její byt, nechávají oblečení přehozené přes židle, boty skopnuté před televizí, špinavé hrníčky kdekoli po kuchyni a nikdy je nedají do myčky. Jeden měl dokonce tu drzost argumentovat, že nechtěl narušit její systém ukládání nádobí do myčky. Na to konto letěl.

Možná že Mark bude jiný. Amie si nedělala příliš velké iluze; už kolikrát se takhle spálila. Ale chodí pěkně upravený a dobře se obléká, což je dlouhý krok správným směrem. Vlasy má hezky ostříhané, nosí je sčesané z čela na nesmělou patku, i když mají tak uniformní barvu, až se dohadovala, jestli si je nebarví. Ale proč by nemohl? Ona od puberty vyzkoušela všechno možné od platinové blond po havraní vlasy přes kaštanovou a fialovou. Teprve asi tak v posledním roce se konečně ustálila na lesklé hnědé s melírem. Takže je dobře, že o sebe Mark tak dbá. Oblečení mu pěkně sedí a na stylových černých obroučkách jeho brýlí zahlédla značkové logo.

Amie vytáhla třpytivou červenou tuniku, která jí sahala do půli stehen, a přiložila si ji k tělu. Nefandí jí zrovna v bocích, ale bude sedět u stolu, ten to zakryje. Zakulacený výstřih do véčka lichotí jejím ňadrům, což je v tuto chvíli patrně dobrý taktický krok. Bude to technicky vzato první rande. Sbalení na svatbě kamaráda se za schůzku nedá počítat.

Na tu akci se netěšila. Ne že by Jamieho a Eloise neměla ráda, to měla. S Jamiem pracovala v kanceláři výběru obecních daní už pět let a vždycky byl tím, kdo dokáže člověka rozesmát, dokonce i v deštivém pondělním dopoledni. A Eloise je zlatíčko. Přesně ta pravá pro něj. Ne jako ta mrcha, co s ní chodil, když se s ním Amie seznámila. Když tu potvoru nechal, dokonce zauvažovala, jestli se o něj nepokusí, ale byť ho měla hodně ráda, nepřitahoval ji. Co se Amie týče, měl Jamie charisma holínky do deště. Byla upřímně šťastná, když Eloise řekla ano.

Jenže v době, kdy se rozesílaly pozvánky na svatbu, byla Amie ještě se Stevem. Pozvali je jako pár. Aby zachovala vnější zdání, snažila se Amie potlačovat narůstající podrážděnost vůči němu, vydržet, dokud nebude po svatbě, ale pět dní před ní vybuchla a bez milosti ho vyrazila. A tak se na svatbě roku jejich kanceláře ocitla bez partnera. Dokonce pomýšlela na to, že se vymluví na střevní virózu, než aby šla na oslavu bez doprovodu jako nějaká samotářka. Touha zůstat v centru dění nakonec zvítězila a Amie zatnula zuby a dostavila se na elegantní hostinu.

Ironií osudu bylo, že kdyby se kvůli zachování vnějšího zdání nekompromisně držela Stevea, byla by propásla Marka. Zahlédl ji, když seděla sama u stolu, zatímco se na tanečním parketu rytmicky svíjeli zpocení lidé, a vylákal ji do hotelového baru, kde si budou moci v klidu popovídat. Bylo jasné, že nejde jen o nějaké laciné balení. Vážně si chtěl popovídat.

Pět let naslouchání ubohým a směšným výmluvám lidí, proč nezaplatili obecní daň, Amii naplnilo unaveným cynismem. Přesto ji Markův příběh dojal. Ztrátu milované bytosti kvůli rakovině lze jen těžko překonat a Amie chápala, že se mu nechce být v místnosti plné lidí, kteří se opíjejí a smějí, aniž by mysleli na zítřek.

Dokonce se cítila lehce polichocená tím, že si ji vybral jako někoho, kdo mu připadal přátelský. Ukázalo se, že jeho zesnulá manželka byla Eloisina bývalá spolužačka. Domníval se, že ho pozvali jen z lítosti, jak připustil ke konci večera. Ale – a celý se zastyděl, jako školáček – přestože ho to k Amii pudilo, protože mu připomínala jeho ženu, užasl, že našel spřízněnou duši na posledním místě, kde by to čekal.

A tak když se jí zeptal, jestli by se mohli znovu vidět, po té šanci skočila. Vyměnili si telefonní čísla. Řekl jí, že pracuje pro Marks & Spencer, že ta práce obnáší hodně cestování, protože musí provádět tajné kontroly vystaveného zboží v jednotlivých obchodech, aby se přesvědčil, že mají všechno zboží správně nainstalované a v souladu s politikou prodeje. Slíbil ovšem, že se sejdou hned první večer, co se vrátí do Leedsu.

Což je dnes. Amie odhodila červený top na postel a vytáhla lichotivé černé kalhoty, ke kterým se hodí. Celek doplní lakované černé lodičky s deseticentimetrovými podpatky a s nimi ladící psaníčko.

Mark se po té svatbě choval jako dokonalý gentleman, jenže Amie je odhodlaná udělat cokoli, aby ho klofla. Přesvědčila samu sebe, že tentokrát možná skutečně našla pana Pravého.

20

Když Carol otevřela vchodové dveře, dvě věci nebyly, jak měly být. Předně se na ni v okamžiku, kdy vešla dovnitř, nevrhla změť černobílých chlupů. A za druhé jí nos vyplnilo silné aroma zvěřiny, dusící se v omáčce z červeného vína, cibule a jalovce. Bylo to intenzivní a nynější, žádný pozůstatek nějakého dřívějšího jídla. Napřed ji to krátce zmátlo, pak si uvědomila, že Tony musel nachystat večeři a odešel vyvenčit psa. Šokovalo ji to. Tak dlouho žila sama, plně se spoléhala jen na sebe, že tohle pojímala jako předání kontroly, a nebyla si jistá, jestli je na něco podobného připravená.

Zejména poté, co ji Tony dostal do situace, kdy neměla jinou možnost než se vzdát alkoholu. Přestože ji nový případ, který jí přistál na stole, plně pohlcoval i mátl, touha po alkoholu se nikdy příliš nevzdalovala z jejího vědomí, hučela pod požadavky dne jako tiché hřmění vzdálené bouře. I když to Carol před Tonym tvrdě popírala, nemohla si namlouvat, že má pití pod kontrolou. Dopustila, aby se k ní nepozorovaně vplížilo od sklínky ke sklínce, až začalo okupovat hlavní pódium.

Většina alkoholiků – tady to přiznala, byť jen uvnitř vlastní hlavy – se nakonec zabije. Ano, zničí životy všech, kteří je měli rádi, ale smrtelná újma potká obvykle jen toho, kdo si zvolil tuto formu pomalé sebevraždy. Jenže Carolino pití stálo lidské životy. Ať to vezme, jak chce, pomyslela si, tahle úmrtí leží na jejím prahu. Krev lidí má na svých rukách. A jejich rozmazané obličeje vidí ve zlých snech.

To, že umožnila těmto myšlenkám vybublat na povrch, v ní vyvolalo touhu se napít. Místo toho otevřela troubu a vytáhla těžký kastrol s jídlem. Zvedla víko a vychutnávala si vůni. Nádoba zjevně nebyla v troubě moc dlouho, protože víno dosud tvořilo výraznou složku aroma. Pomyslela si, že z Tonyho strany jde o velký projev důvěry, když při vaření pro ni používá víno. Zamíchala hustou šťávu a vrátila jídlo do trouby. Ozval se zvonek u dveří.

Carol předpokládala, že si Tony z typické roztržitosti zapomněl klíče, a neobtěžovala se to ověřovat kukátkem. Velikost své chyby si uvědomila v okamžiku, kdy dveře otevřela. Zahalená do elegantního kožichu z ovčí kůže a v čepici ze stejného materiálu tam stála žena, která v průběhu let způsobila jí a jejímu týmu spoustu trápení. Když se v novinách objevilo něco, co poškodilo vyšetřování, v devíti případech z deseti byla pod novinovým článkem podepsaná tato žena.

A přesto se Penny Burgessová, reportérka kriminálních zpráv *Bradfield Evening Sentinel Times*, na Carol usmála s veškerou vřelostí ženy, která přichází za svou nejlepší přítelkyní. Jako by ke všem odmítnutím a pokořením ze strany Carol nikdy nedošlo. „Paní vrchní inspektorka Jordanová," pronesla Penny hlasem vyjadřujícím příjemné překvapení.

„Koho jiného jste očekávala na mém prahu?" odpověděla Carol kysele. Jakmile jí ta slova vyšla ze rtů, nejradši by je vzala zpátky.

„Netroufala jsem si hádat. Prý jste s tímhle místem dokázala divy. Pozvete mě dál a ukážete mi to?"

Carolino vyštěknutí nechtěného smíchu se ozvěnou neslo přes dvorek. „Co myslíte, paní Burgessová?"

Penny se teatrálně otřásla. „Já bych řekla, že je tady zatraceně velká zima. Každý, kdo v sobě má kouska citu, by mě pozval do tepla." Vysunula jednu nohu vpřed. Carol se pevněji opřela o dveře.

„Považujte mě za bezcitnou. Co tu pohledáváte? Jste hodně daleko od svého terénu."

„Takže konec zdvořilostí, co? Dobrá, půjdu k jádru věci, Carol. Dominic Barrowclough."

Carol se musela hodně snažit, aby si udržela vyrovnaný pohled a dech pod kontrolou. Zavrtěla hlavou. „Je mi líto, to není nikdo z nás."

„Dominic včera večer řídil nadupanou Vauxhall Astru. Znáte ty vozy. Rozšířené blatníky a vzadu spoiler připomínající snowboard. Hnal se po silnici z Barkislandu do Greetlandu a zatáčku vybíral v protisměru. Ke smůle všech zúčastněných se srazil s mini jedoucím opačným směrem a výsledná síla odhodila mini na Ford Galaxy, který jel za ním. Možná trochu příliš blízko za ním, ale toho řidiče nikdo neobviňuje."

„To je veliké neštěstí, jak říkáte. Ale netuším, co má dopravní nehoda na vedlejší silnici v Západním Yorkshiru společného se mnou." Carol pevně zaťala zuby a dveří se držela tak silně, až cítila, jak se jí okraj zámku zarývá do polštářku palce.

Penny uklonila hlavu ke straně a povytáhla obočí. Tento výraz rozhodně nevyjadřoval, že by Penny Carol věřila. „Dominic a jeho přítelkyně Casey byli na místě mrtví. Řidič a spolucestující z galaxy – Perry a Lisa Davidsonovi z Pontefractu, manželský pár třicátníků, rodičů dvou malých dětí – také zemřeli. Řidička mini – mladá žena z Halifaxu, dosud nezveřejnili její jméno – leží na jednotce intenzivní péče a drží se zuby nehty." Vyčkávavě se odmlčela. Carol se podařilo udržet jazyk za zuby a Penny pokrčila rameny.

„Budeme dál předstírat, že nemáte nejmenší tušení, o čem mluvím, i když obě víme, že vám někdo ze Západního Yorkshiru volal deset minut poté, co identifikovali Dominika Barrowclougha?"

Carol se pro jednou nedokázala rozhodnout, jak se k situaci postavit. Dál si hrát na hloupou, nebo přiznat, co ví, aniž by přijala jakoukoli odpovědnost? „A co mělo být obsahem toho údajného telefonátu?"

Penny zavrtěla hlavou, ve tváři se jí objevil lítostivý výraz. „Dominic Barrowclough byl jedním z lidí, proti nimž stáhli obvinění z jízdy pod vlivem alkoholu kvůli údajně vadnému alkoholtesteru. Stejnému vadnému alkoholtesteru, který vám umožnil vyklouznout, abyste mohla přijmout novou práci na výsluní v regionálním týmu pro závažné zločiny."

Carol pocítila, jak jí projel chlad, jako kdyby polkla mrazivě studený kámen. „Pokud vám jde o tohle, to byste si měla promluvit s policií Západního Yorkshiru o jejich vadném alkoholtesteru. Ne s nevinnou motoristkou."

„Já slyšela něco jiného," odpověděla Penny s vědoucím pohledem.

„V tom vám nemůžu pomoct. A teď, pokud je to všechno…" Carol se pohnula, aby zavřela dveře.

„Sotva jsem začala, Carol." V Pennyině hlase se objevila ocel. „Doslechla jsem se, že jste oné noci s porouchaným alkoholtesterem byla na večeři mimo domov."

Carol na to nic neřekla, ale cítila, jak jí srdce buší v hrudi. Co bude následovat? A kde je Tony? Nevěděla, jestli chce, aby se držel co nejdál od tohohle vyptávání, nebo aby vletěl přímo do jeho středu a převzal boj s nepřítelem.

Penny čekala na odpověď, která nepřicházela, pak zkřivila rty do potutelného úsměvu. „Na večeři u muže, který je mezi sousedy proslulý kvalitou svého sklepa. Nemluvě o jeho štědrosti."

„A vy máte svědka, který tvrdí, že detektiv vrchní inspektorka Jordanová pila, ano?" Pennyinu řeč přerušil známý hlas. Tonyho nebylo ve tmě za ní vidět, ale Carol rozeznávala přízračnou bílou barvu Flashiny srsti. Když Tony vstoupil do světla, všimla si, že drží psa za obojek, aby mu zůstal po boku. „Nemáte? Myslel jsem si, že ne. Protože každý, kdo by se pokoušel věc takhle rozdmychávat, by zneužíval hostitelovu pohostinnost, což se tady v okolí považuje za hrdelní zločin." Obešel Penny Burgessovou a ocitl se na prahu dveří. Carol se podvědomě posunula, takže teď stáli vedle sebe. „A taky by lhali," pokračoval Tony. „Což by pro vás a vaše noviny obnášelo celou řadu právních nástrah, pokud byste byla tak pošetilá, že byste se spolehla na nepravdivé údaje nějakého pomstychtivého parchanta."

„Všichni víme, že vytváříte kouřovou clonu, doktore Hille." Penny na něj nazlobeně hleděla. „Příliš mnoho lidí ví, co se té noci dělo, než aby to šlo udržet pod pokličkou."

Tony se suše zasmál. „Cože? Tři můžou udržet tajemství, pokud dva z nich jsou mrtví? Jenže to předně funguje jedině tehdy, když nějaké tajemství vůbec existuje. Carol nemá co skrývat. Možná byste spíš měla napsat článek o finančním tlaku, který způsobuje, že si policie nemůže dovolit patřičně udržovat svoje vybavení." Udělal obličej. „To by ovšem nebylo dostatečně sexy, že? Čtvrt stránky uprostřed čísla. To není jako první strana obviňující vysoce postavené policisty z korupce. I když nejde o nic víc než o pouhou fantazii."

Pennyiny rty se proměnily v tenkou čáru. Trefil se, pomyslela si Carol. Odhalil Pennyinu slabost. Nemá nic než pár útržků klepů, na které vsadila. „Tak pokud je to všechno," pronesla Carol sladce, „čeká nás večeře." Poodstoupila o krok a chystala se zavřít dveře. Podcenila ovšem, jak dokáže být reportérka rychlá, pokud jde o práci s nohama.

„Takže vy tu teď žijete, Tony," poznamenala. „To je přímo happy end, ne? Po tom, čím vším jste si prošli."

Tony krátce zavřel oči. „Pracovní večeře, Penny. Moje loď pořád kotví v Minster Basin." Pustil Flash, která se okamžitě opřela Carol o nohu.

„To jistě. Ale pokud jste zakotvený tady, venčíte psa… No, moji čtenáři milují happy endy, které zahřejí u srdce. Bůh ví, že si to zasloužíte."

„Jděte pryč, paní Burgessová," povzdechla si Carol. „Vážně mě začínáte štvát."

„Možná. Nemůžete ale říct, že jsem vám nedala šanci vyvrátit verzi událostí, která nabírá na tahu. Máme tu čtyři mrtvé, jejichž příbuzní chtějí znát odpověď na otázku, proč si Dominic Barrowclough jezdil po Západním Yorkshiru, když měl před několika týdny přijít o řidičák. Potřebují někomu připsat vinu, a já si nemyslím, že byste mohla počítat s tím, že vám policie Západního Yorkshiru bude krýt záda." Přitáhla si kožich těsněji k tělu, připravovala se k odchodu.

„Neudělala jsem nic špatného," řekla Carol tiše a vyrovnaně.

Penny se ušklíbla. „Já jsem slyšela něco jiného."

Tony rychle postoupil dopředu, donutil ji k ústupu. „Zrovna vy ze všech lidí na světě byste měla nejlíp vědět, nakolik je detektiv vrchní inspektorka Jordanová oddaná spravedlnosti. Víte, jakou práci odvedla, jaké případy její tým za ty roky vyřešil. Vážně chcete usnadňovat život zločincům? Protože přesně toho docílíte, když se přidáte k té falanze falešných zpráv. Tohle jsou alternativní fakta, Penny. Pravda je, že Carol chytá zločince a dostává je z ulic."

Penny na něj vzdorovitě hleděla. „Je ale škoda, že se toho úspěchu nedožijí všichni, viďte? Není to poprvé, co za sebou necháváte mrtvoly, že, Carol?"

Carol se náhle obrátila jak na obrtlíku a zmizela uvnitř budovy. „Dobrá práce," prohlásil Tony sarkasticky, couvl do dveří a rozhodně je zavřel před Pennyiným rozladěným obličejem. Carol ho pozorovala ze vzdáleného kouta stodoly, jak si mlčky sundává bundu a věší ji. Poslední, na co se cítila, bylo rozpitvávání situace, ale nemohla scénu, do níž nakráčel, ignorovat.

„Je mi to líto," řekla, když přešel místností ke kuchyňskému koutku.

Tony se zastavil u trouby zády ke Carol a řekl: „Zatracený Sam Evans. Paula mi všechno řekla. Kdyby nechtěl, abys zaplatila za to, že sis ho nevybrala do nového týmu, nic z toho by nevyplulo na povrch."

„Ovšem stalo se. A Penny Burgessová je jako teriér, který zachytí pach králíka. Proslídí veškerý terén a bude čenichat krev ve vzduchu, dokud nezjistí, kde se pravda schovala do země. Sotva jsem regionální tým pro závažné zločiny sestavila a uvedla do chodu, už žiju na vypůjčený čas."

Tony vyndal kastrol z trouby a nadšeně míchal jídlem. Vonělo úžasně. „Nikdo, kdo sedá u stolu George Nicholase, se nebude bavit s mizernou čmuchalkou, jako je Penny Burgessová."

„Měl tam ten večer zaměstnance."

„Vsadím se, že nedokážou připravit takovouhle zvěřinu."

„Kde jsi sehnal recept?" zajímala se Carol, dočasně odvedená od svého problému. Vaření nepatřilo k Tonyho silným stránkám.

„Na internetu. Postupoval jsem přesně tak, jak psali, až na to, žes neměla jalovec."

„Škoda, žes mi vylil gin do odpadu," prohlásila trpce.

Tony vrátil nádobu do trouby. „Řekl bych, že to chce ještě tak půl hodinky. Zaměstnanci George Nicholase nezradí přítele domu. A i kdyby to udělali, jejich svědectví by nemělo žádný význam. Nebyli v místnosti celý večer. Dokonce ani Penny Burgessová by neriskovala něco tak vachrlatého. Nebo když ona ano, její vydavatel se nebude chtít dostat do problémů. Nebudou si chtít znepřátelit policii, pokud nebudou mít pod nohama pevnou půdu."

Carol popošla stranou, nechtěla, aby viděl strach a hněv, které v ní vířily. „Jak se opovažuje sem přijet? Tohle je můj domov." Přestože se snažila přemáhat, bylo na jejím hlase znát, že se jí svírá hrdlo.

„Měl jsem na ni poslat psa," prohlásil Tony.

Carol se zasmála. Byl to roztřesený a koktavý smích, nicméně smích. „Ulízal by ji k smrti." Obrátila se k Tonymu tváří, oči se jí leskly neuroněnými slzami. „Chceš se bavit o Kathryn McCormickové?"

Pokrčil rameny a začal korzovat. Flash ho rozpačitě sledovala pohledem. „Nemám co říct. Zatím se nemám čeho přidržet. Jedinou zajímavostí je, že si vrah vybral oběť na svatbě. Jenže nemůžeme žádným způsobem zjistit, jestli tam šel, aby sbalil konkrétně Kathryn, nebo aby získal jakoukoli náhodnou oběť. Dokonce ani nedokážeme určit, jestli na tu svatbu šel, aby si tam našel oběť, nebo jestli se jen chopil vhodné příležitosti. Vážně nemá cenu se o tom bavit, dokud nebudeme vědět víc."

„Co způsob, jakým se zbavil těla?"

Tony se zastavil u okna s vyhlídkou na temné vřesoviště. „To místo si pečlivě zvolil. Žádné kamery. Klidná silnice, takže ani moc neriskoval se svědky. Jenže tenhle popis sedí na hodně míst v Dales. Proč zrovna tohle?"

„Dobře. Proč zrovna tohle?"

Klesl na pohovku. „Nemám sakra nejmenší tušení. Nemůžu sestavit profil z jediného případu, to přece víš. Potřebuju toho víc. Co se mě týče, nastal teď vhodný čas naučit tě hrát FIFA sedmnáct."

„Nesnáším fotbal."

Usmál se. „Tohle není fotbal, tohle je zábava. Věř mi."

21

Jízda z Telfordu do Cardiffu byla hotový zlý sen. Nehoda na M5 zastavila provoz skoro na dvě hodiny, a než Kevin překročil Severn a vjel do Wales, netoužil po ničem jiném než po pivu, pizze a posteli. Přesto se mu podařilo dostavit se na práh domu Nialla Sullivana následujícího dne v půl osmé ráno v přívalu jemného mrholení, které zdvojnásobilo váhu jeho kožené bundy.

Než zazvonil, chvíli hodnotil místo, kde Sullivan žije. Když domy v osmdesátých letech stavěli, bylo to stěží sídliště pro vyšší pracovní posty, ale neuchovaly se zrovna v nejlepším stavu. Cihly působily špinavě a poďobaně. Některé domy prozrazovaly svoji nekvalitnost mokrými mapami a skvrnami na štukatuře horního patra. Sullivanův dům, dvoupodlažní samostatně stojící vila, ale vypovídal o slušné opravě. Působil trochu unaveně a staře, ale vykazoval známky péče. Na příjezdové cestě stál kabriolet BMW řada 4 a mini. Zdá se, že si Niall našel za Kathryn náhradu. Což ho na seznamu podezřelých odsunuje na nižší pozici.

Přesto je třeba proskočit obručí. Kevin stiskl zvonek, nechal domem zarachotit dlouhé zvonění. Přes dveře slyšel zvuk nohou sbíhajících schodiště a otevřené dveře odhalily hotového medvěda, zamračeného mohutného muže s vlhkými rudohnědými vlasy. Měl na sobě kalhoty od obleku, námořnicky modrou košili s rozepnutým vrchním knoflíčkem a kotníkové boty, které vysvětlovaly hlasitý sestup otevřeným schodištěm, jež Kevin viděl za mužovým ramenem. „Jo?" dožadoval se muž vysvětlení. „Co je?"

„Niall Sullivan?" Kevin vytáhl průkaz a přidržel ho muži před očima. „Jsem detektiv inspektor Kevin Matthews z regionálního týmu pro závažné zločiny se základnou v Bradfieldu." Nemohl si pomoct, vždycky mu udělalo dobře, když použil hodnost, o niž byl před lety připraven. Carol před ním zamávala jejím navrácením jako lákadlem, aby ho vytáhla z důchodu, a on po té šanci skočil nejen kvůli přídavku k penzi, ale také aby si ve vlastních očích napravil reputaci. Teď byl na svoji hodnost pyšný stejně, jako když byl povýšen poprvé.

Sullivan semkl ústa ve znechuceném výrazu. „To je kvůli Kathryn, že jo?"

„Slyšel jste…"

„Máme rok dva tisíce sedmnáct, ne devatenáct set sedmnáct," přerušil ho Sullivan. „Dávno jsem přestal počítat, kolik zpráv mi včera přišlo. Jakmile jste se objevili u ní v kanceláři, zvěst se rozšířila rychlejc než downloady Eda Sheerana. Poslyšte, je mi líto, že je mrtvá, to samozřejmě. Žili jsme spolu dlouho. Ale nechápu, co tu děláte. Přestěhoval jsem se sem před víc než třema rokama a od tý doby jsem Kathryn viděl jen dvakrát."

„Nezůstali jste v kontaktu?"

Ušklíbl se. „To těžko. Jakmile zjistila, že to myslím vážně, že se sem přestěhuju bez ní, vztah mezi náma značně ochladl."

Na schodech za ním se objevily nahé ženské nohy. „Co se děje, Nialle?" I v těch několika málo slovech Kevin zachytil velšský přízvuk.

Sullivan se ohlédl přes rameno. „O nic nejde, jen si běž do sprchy."

Objevila se zbylá část té ženy, zahalené do županu, který jí sahal do půli opálených stehen. Měla zcuchanou hřívu blonďatých vlasů a nenalíčený přidrzlý obličej. „Tak kdo je to?"

Začala sestupovat ze schodů a Kevin se znovu představil.

„Já jsem Pippa. Nialle, pozvi přece toho milého pána dál. Když jsou dveře otevřené, je tu děsný průvan. Pojďte dál, pane inspektore. Uvařím vám čaj."

„Pippo?" zaprotestoval Sullivan, ale už věděl, že prohrál. Povzdechl si a poodstoupil od dveří, ukázal na konec chodby, kde Pippa právě zmizela v kuchyni. „Tak to vezměme rychle a k věci," zamumlal do Kevinových zad, když za ním šel chodbou. „Mám před sebou perný den."

Stejně jako samotná Pippa měla kuchyň všechny správné věci na správném místě, ale postrádala sebemenší útulnost. Připomínala naaranžované uspořádání v ukázkovém domě. V takovém, jaký by si Kevin nikdy nepořídil. Jeho Stella by z ní dostala záchvat pohrdavého smíchu.

Pippa uvařila čaj a podařilo se jí do té jednoduché úlohy vpašovat představení „koukej na mě". Kevin se opřel o pult a usmál se na Sullivana. „Takže kdy jste Kathryn viděl naposledy?"

Sullivan studoval strop. „Počkejte… Muselo to bejt v říjnu. Oba nás pozvali na stejnou svatbu. Gayle Thomasová. Pracovala pro mě. Skamarádily se s Kathryn."

To souhlasilo s tím, co Kevinovi řekli McCormickovi. Zatím se zdá, že Sullivan mluví pravdu. „Jak to setkání proběhlo? Na té svatbě?"

Sullivan frustrovaně zavrtěl hlavou. „K žádnýmu setkání nedošlo. Nemluvili jsme spolu. Viděl jsem ji přes celou místnost. To je všechno. Ani nezachytila můj pohled. Předpokládám, že se jí se mnou nechtělo mluvit o nic víc než mně s ní. Poslyšte, skončili jsme spolu. Hotovo. Nic mezi náma nezůstalo." Podle Kevinova názoru protestoval až příliš. Bylo to kvůli Pippě, nebo Sullivan něco skrývá?

„Nehodila se k tobě," prohlásila Pippa rozhodně, když Kevinovi podávala hrníček čaje s příliš velkým množstvím mléka. Čaj pro děti, pomyslel si.

„Musíme prozkoumat všechny možnosti," opáčil Kevin.

„Chcete říct, že poté, co ji opustil Niall, neměla žádného přítele? Teda myslím tím, kdyby v jejím životě byli jiní muži, nebyl byste tady, ne?" Pippin úsměv obsahoval škodolibost.

„Je mi líto, ale nemůžu s vámi probírat vyšetřování. Nicméně se vás musím zeptat, kde jste byli v neděli večer."

„Byl se mnou," pospíšila si Pippa. „Zašli jsme si na kari do Brewery Quarter se čtyřmi lidmi z práce." Když Sullivanovi podávala čaj, stiskla mu paži. „Pak jsme šli do klubu. Takže svoji bejvalku v Yorkshiru nezapálil, víme?"

Znělo to dost věrohodně. „Budu potřebovat jejich jména a kontakty na ně." Už jak to říkal, věděl, že jde o pouhou ztrátu času. Ale velká část z toho, co dělají při vyšetřování vraždy, je vždycky ztráta času.

Sullivan přikývl. „Nechte mi tu svoje číslo, zařídím, aby se vám ozvali." Zatímco Kevin lovil v kapse vizitku, muž pokračoval: „Necítil jsem vůči Kathryn žádnou zášť. Nešlo o nenávist. Jen mě nudila. Neměla vůbec…" Rozhodil rukama, hledal správné slovo. „Vstát a jít. Chtěla, aby všechno pokračovalo tak, jak to bylo. Já, já chtěl víc." Lítostivě se usmál. „Nebyli jsme jeden pro druhýho ten pravej, já a Kathryn, v tom spočívalo jádro pudla. Tohle si v žádným případě nezasloužila. Byla to slušná ženská."

„Žádní nepřátelé? Nikdo ji neobtěžoval v práci? Nebo někdo ze sousedů?"

Sullivan vrtěl hlavou. „Nepatřila k lidem, co si dělaj nepřátele. Kathryn vážně v nikom nevyvolávala silný city. Když jsem uvažoval o tom, že odejdu, nedokázal jsem si ani vzpomenout, proč jsme si spolu vůbec něco začali." Poplácal Pippu po zadečku a obličej se mu rozjasnil. „To není jako s tebou."

Nic dalšího tu pro mě není, pomyslel si Kevin a srdce mu pokleslo při pomyšlení na dlouhou cestu na sever. „Dík za čaj."

Když se vraceli zpátky chodbou, Niall řekl: „Doufám, že chytíte toho parchanta, co to udělal. Vůbec nechápu, jak se to mohlo stát. Popravdě řečeno, Kathryn nepatří k ženám, který by u kohokoliv vyprovokovaly reakci takovýho rozsahu. Jednou jsme byli ve městě a narazili jsme na člověka, kterýmu několik měsíců předtím dala padáka. A ten chlápek, co mu poslala smrtelnou kulku, se k ní už nemohl chovat milejc. Když mi potom řekla, že to ona ho vyrazila, nemohl jsem tomu uvěřit. Netvrdím, že by vyhrála soutěž o nejoblíbenější osobu. Chybělo jí charisma. Ale byla naprosto nekonfliktní." Zavrtěl hlavou. „Ať už tohle spustilo cokoli, vsadím se, že za tím nestálo nic, co udělala Kathryn."

Na prahu si potřásli rukama. „Uděláme, co bude v našich silách," slíbil Kevin. Vracel se k autu a uvažoval o tom, co mu Niall právě řekl. Co když Kathrynina smrt nemá nic společného s její osobou? Co by to znamenalo pro vyšetřování?

Tohle bude něco pro Tonyho Hilla, usoudil.

22

Kevin nebyl jediným členem regionálního týmu pro závažné zločiny, který začínal den brzo. Ale to, co Paulu vyhnalo z domu ještě dřív, než Torin vůbec sešel dolů ke snídani, s vraždou Kathryn McCormickové nemělo nic společného. Prokrastinace mezi Pauliny chyby nikdy nepatřila, ale kdyby náhodou ano, soužití s teenagerem by ji z ní vyvedlo. Když věci odkládáte, autobus vám ujede ještě dřív, než vám to dojde, a už je příliš pozdě na to, abyste dosáhli výsledku, v nějž jste doufali. U adolescenta nikdy nic nezůstane dlouho na svém místě; dokonce i když se zdá, že Torin nedělá nic jiného, než že vegetuje na gauči buď s hudbou, nebo před televizí, v jeho světě se věci neustále mění.

Proto Paula po včerejším rozhovoru, který vedla s Elinor, napsala mail Torinově třídní učitelce a požádala ji o schůzku. Pořád jí nějak nešlo do hlavy, nakolik se změnil způsob komunikace mezi učiteli a rodiči. Když jako malá vyrůstala v Manchesteru, obě skupiny se setkaly jedině na večeru určeném pro rodiče, kdy učitelé v zásadě stanovili pravidla a rodiče poslušně přikyvovali. Protože učitelé samozřejmě všechno vědí nejlépe. Jinak by to přece nebyli učitelé, nebo ne? Rodiče bývali předvoláni do školy pouze v případě, když se jejich dítě dopustilo nějakého ohavného prohřešku, a nápad, že by se nějaký rodič zastal svého dítěte proti monolitické falanze vzdělávacího establishmentu, byl směšný.

V současné době se ovšem od rodičů a opatrovníků očekává, že zaujmou aktivní roli ve vzdělávání svých dětí. Pro Paulu to všechno byla tak trochu novinka. Na druhou stranu to alespoň znamená, že když se vyskytl problém, nebude muset začínat od nuly se zcela cizím člověkem. Přesto si to ráno dala práci se svým vzhledem, dychtivá zapůsobit dobrým dojmem. Dokonce si pořádně usušila vlasy a vetřela do nich tvarovací pastu, aby svým krátkým špinavě blond vlasům dodala nějaký tvar. Oblékla si kostýmek ze lněné tkaniny, právě vyndaný z pytle z čistírny, a pod ním měla námořnicky modrý top s výstřihem do účka. Celek zakončovaly stříbrné náušnice připomínající otisky prstů a tenký stříbrný řetízek. Svým nynějším vzezřením by do zločinců zcela jistě nezasela strach ze smrti.

Lorna Meikleová byla Torinovou třídní učitelkou už v době, kdy mu zavraždili matku. Projevovala mu plnou podporu a účastenství, změnu okolností jeho života brala v úvahu, ale nepovažovala to za samozřejmost. Elinor a Paula vůči ní roztály, když spolu s nimi vypracovala strategii, jak mu pomoci znovu najít půdu pod nohama, kterou ztratil v žalu z Beviny smrti. Od té doby se s Torinem nevyskytly žádné problémy, a nějaký čas se s učitelkou neviděly, kromě posledního večera pro rodiče, kde se soustředily na Torinův možný výběr předmětů k závěrečným zkouškám. Ale když Paula učitelce poslala zprávu, okamžitě zareagovala a souhlasila, že se setkají před začátkem vyučování.

Provoz byl rušný, ale Paula znala všechny fígle a vzala to zkratkou úzkými uličkami mezi hlavními ulicemi jako puberťák, který pro radost ukradl auto a pokouší se uniknout zatčení. Stihla to do školy s desetiminutovou rezervou. Když zavírala auto, zastavila vedle ní Lorna Meikleová a do budovy vstoupily společně, cestou do Torinovy třídy spolu nezávazně konverzovaly.

Lorna byla žena mateřského typu a věkem se blížila k padesátce. Dala si v kariéře pauzu, porodila tři děti a působila dojmem člověka, který zvládne cokoli, co by mu svět mohl poslat do cesty. Měla v sobě ovšem i ocel a Paula hned na počátku poznala, že ji děti respektují. Ten respekt byl občas neochotný; existuje celá řada žáků, kteří by se nikdy nedali označit za studenty, jsou to děti bez realistických cílů a jakékoli ctižádosti, které na školu pohlížejí jako na bitvu, kterou je třeba nějak přežít a pak utéct. Ale přesto, jak říkal Torin: „S paní M. si nikdo nezahrává."

Ve třídě Lorna klesla na židli, s povzdechem pohodlně usadila své dost rozložité tělo. „Každý rok tady mi přidává pět let, přísahám," postěžovala si upřímně.

„Měla byste si vyzkoušet moji práci." Paula se posadila na jeden ze stolků. „I když musím říct, že mám radši tu svoji než vaši nebo Elinořinu."

„To jistě. Takže, Paulo, co se to s Torinem děje? Předpokládám, že jste tu kvůli tomu, ne z nějakého profesního důvodu?"

„Doufala jsem, že mi tuhle otázku dokážete zodpovědět vy," přiznala Paula.

„Jak to jde doma?"

„Je… jiný, poslední dva nebo tři týdny. Velice tichý. Špatně se s ním komunikuje, což mu vůbec není podobné. Není to stejné jako poté, co mu zemřela matka. Tohle je něco docela…" Paula se na chvíli odmlčela. „Je až popudlivý. Vystresovaný. Všimla jste si nějakých změn v jeho chování?"

Lorna přikývla. „Stejně jako vy nedokážu určit, o co jde. Zjevně ho něco trápí. Jako kdyby tušil, že kousek od něj něco je, něco, co by mohl zahlédnout koutkem oka, a nechtěl se tím směrem podívat. Dává vám to smysl?"

Paula to kupodivu považovala za přesné vystižení Torinova stavu. „Říkaly jsme si, jestli ho třeba někdo nešikanuje?"

Lorna si povzdechla. „To je vždycky první, co člověka napadne, to vám garantuju. Ale vážně si nemyslím, že by šlo o šikanu. Není osamocený. Má svoji skupinku přátel, která se vůči němu chová celkem ochranitelsky. A neprojevuje se jako šikanované děti, které se o přestávkách a v době oběda drží poblíž dospělých."

„A co internetová šikana? Nemohlo by jít o něco takového?"

„Tahle možnost tu vždycky je, ale opět, myslím, že to by se choval jinak. O kyberšikaně a trollingu jsme toho studentům říkali hodně. Uplatňujeme vůči nim politiku nulové tolerance a máme důkazy, že to funguje."

„Jaké důkazy?" Paula nehodlala takové prohlášení přijmout jen tak, aniž by věděla, čím je podepřené.

„Měli jsme tu několik případů nahlášeného trollingu a šikany. Buď to nahlásili studenti sami, nebo někdo z jejich přátel." Lorna se na Paulu konejšivě usmála. „Povzbuzujeme je k tomu, aby chránili jeden druhého stejně jako sami sebe."

Paula vrtěla hlavou. „To neznamená, že to zafunguje vždycky. Pokud k tomu dochází mimo školu…"

„Věřím tomu, že by se to objevilo u nich na sociálních médiích a jejich přátelé by na to narazili. Kdyby Torin byl samotář, chlapec bez přátel, řekla bych, že by nám to mohlo uniknout. Ale on takový není, Paulo."

„Tak pokud nejde o šikanu, co je za tím?"

Lorna se zamračila. „Nevím. Pravda je, že jeho práce utrpěla. Jako by se nedokázal soustředit. Jako by ho něco rozptylovalo."

„Obává se něčeho až tak, že se nedokáže soustředit?"

„Ano, tak bych to charakterizovala."

Paula chvíli zaváhala, pak pokračovala. „Nemá přítelkyni? Nemohlo by jít o něco podobného?"

Lornin obličej krátce prozářil veselý úsměv. „Nemyslím, ne. Není, odpusťte, sexuálně ani emocionálně předčasně vyspělý jako někteří z žáků. Pohybuje se ve smíšené skupince chlapců a děvčat. Ale neviděla jsem ani nejmenší náznak, že by se s někým pároval." Povytáhla obočí. „Obvykle to poznáme."

„Ale co když jde o někoho, u koho to z nějakého důvodu nechce dát najevo? Co když to musí skrývat a právě to ho stresuje?"

Lorna si poposedla, zatvářila se ztrápeně. „Předpokládám, že něco takového by mohlo vyvolat projevy, které obě pozorujeme. Ale znám dívky z té skupiny a nedokážu si představit důvod, proč by se kvůli kterékoli z nich musel chovat tajnůstkářsky."

„Co když to není žádná z nich? Co když se to tajemství netýká jeho, ale jí? Co když je to přítelkyně někoho jiného? Co když by si její rodina nepřála, aby se stýkala s někým, jako je on?"

„Mohla by být těhotná," nadhodila Lorna. „To by podle mě dokázalo trumfnout kterýkoli z vašich scénářů."

Paula nedokázala skrýt výraz paniky v obličeji. „Něco takového mě vůbec nenapadlo." Těžce polkla. Dávalo to strašlivý smysl. „Myslíte…?"

„Nesnažím se vás vyděsit, Paulo. Jak jsem řekla, nemyslím si, že by měl přítelkyni, takže tenhle můj nápad je čistě akademický. Ale podle toho, jak se chová, bych očekávala problém tohoto typu."

„Neexistuje důkaz, že by měl přítelkyni." Paula mluvila pomalu, přemýšlela nahlas. „Nezačal se zničehonic zajímat o účesy nebo o módu. A sotva kdy chodí ven, dokonce i o víkendech. Ale co jiného by mohlo mít stejný emocionální dopad jako dostat přítelkyni do jiného stavu?"

Lorna pokrčila rameny. „V tom vám nedokážu pomoct. Ale musíme přijít na to, co ho trápí. Nechci, aby vybouchl u zkoušek a připravil se kvůli tomu o své budoucí šance."

„Nemyslíte, že by v tom mohly být drogy?" Byla to pochopitelná otázka. A bylo také pochopitelné, že toto téma nevytáhne Lorna. Školy nejsou nikdy ochotné přiznat tento problém před rodiči. Natož před rodičem, který pracuje u policie.

„To by mě moc překvapilo."

„Cože? Je snad tohle jediná škola v Bradfieldu, kde mezi studenty nekolují drogy?"

Lorna si povzdechla. „Poslyšte, nebudu popírat, že tu studenti v malé, ale ne zanedbatelné míře užívají drogy. Ale je tu jasná demarkační čára mezi uživateli návykových látek a těmi ostatními a nezdá se, že by Torin měl jakékoli přátelské styky, které by mě vedly k domněnce, že užívá rekreační drogy." Její výraz se proměnil, tvář jí zkřivil zahořklý úsměv. „Viděla jsem ve třídě dost dětí, které byly zjevně pod vlivem drog nebo se vzpamatovávaly z rauše. Znám příznaky a symptomy a bez sebemenšího zaváhání bych vám to řekla, kdybych se domnívala, že Torin užívá drogy. Pro jeho vlastní dobro bych vám to řekla. Ale nemyslím si to. Budete svou odpověď muset hledat jinde, Paulo."

„No, měla bych být detektiv," odpověděla unaveně a pohlédla na hodinky. „A už musím jít. Dík za váš čas, Lorno. A kdyby vás cokoli napadlo…"

„Ozvu se."

Frustrovaná nedostatkem odpovědí zamířila Paula ke svému autu a k rannímu brífinku. Nastal čas odložit Torina stranou a soustředit se na jinou sadu frustrací.

23

Pozoroval svůj obraz v zrcadle, zvláštní péči věnoval vlasům. Dočasná barva slibovala vymytí po dvou či třech použitích šamponu a potěšilo ho, když viděl, že se mu na spáncích opět objevily stříbrné nitky. Věnovat pozornost detailům, o tom je přežití. Pokud si dá tu práci, aby se ochránil, unikne zatčení a bude moci pokračovat ve svých plánech tak dlouho, jak bude třeba, aby se na světě zase cítil tak, jak má.

Jestliže ho na té svatbě, na níž se seznámil s Amií, někdo zachytil fotoaparátem – a domníval se, že se tomu vyhnul –, nezískali by snímek muže jménem David, který zabil Kathryn McCormickovou. Viděli by Marka. Tmavě hnědé vlasy sčesané z čela, kulaté brýle se zlatými obroučkami, chlapácké strniště. Je úžasné, s jakým minimem prostředků se dá dosáhnout velkého rozdílu. Brýle změnily tvar jeho obličeje; účes a strniště vytvořily zcela odlišný obrázek oproti dohladka oholenému Davidovi. Kdyby někdo neuvěřitelnou shodou okolností navštívil obě svatební hostiny, měl by velké potíže najít spojitost.

Protože se barva na vlasy vymývá tak účinně, nemusí si dělat starosti, že by si kdokoli z lidí, s nimiž je v pravidelném kontaktu, mohl všimnout změn v jeho vzhledu. Kolegy může s klidným svědomím oklamat. Pokud by některý z redaktorů nebo někdo z reklamního či obchodního oddělení okomentoval jeho strniště, mohl by ho se smíchem odbýt, že zkouší nové vzezření. A během dvou týdnů nechá strniště dorůst do kozí bradky pro další kolo změny podoby.

Skoro si tu výzvu začínal vychutnávat. Potřebuje rauš, který se ho zmocňuje, když si pohrává s těmi ženami, nacvičuje na finále. Až se mu podaří najít Tricii a přiměje ji za všechno zaplatit, bude naprosto přesně vědět, co dělá. Nedopustí se žádné chyby, nenechá za sebou jedinou stopu.

Najít Tricii je jeho další prioritou. Svým zmizením odvedla dobrou práci. Její telefon mlčí, mailová adresa nefunguje, účty na sociálních médiích jsou zavřené. Právník, který ho jejím jménem kontaktoval, mu ani neřekne, jestli zůstala v tomhle státě. A banka mu neprozradí, kdy naposledy vybírala peníze ze společného účtu firmy. Vyptával se všech jejích kamarádek, ale buď nevěděly, nebo mu nehodlaly nic říct. Je si jistý, že ji časem najde. Ale postavila před něj výzvu.

Amie se ovšem za výzvu považovat nedá. Byla celá dychtivá od okamžiku, kdy ji oslovil v rušném přeplněném tanečním sále. Odlákat ji stranou do nějakého tichého koutku mu dalo trochu práce. Byla o dobrých pár let mladší než Kathryn a na rozdíl od ní patřila k ženám, které si užívají taneční parket a veškeré příležitosti, jak se na něm předvádět. Hrál si ovšem na tichého chlápka, který chce poznat skutečnou Amii. A věta, nakolik mu připomíná ubohou zesnulou manželku, to byla návnada, která ji dostala z halasu do jeho konverzační pavučiny. Byla celá pryč z pomyšlení na rande, přestože by se zjevně raději bavila ve větší společnosti než s jedním člověkem. Přesto byla ochotná nechat vedení prozatím na něm.

Strávil půl hodiny na internetu, prověřoval indické restaurace v Leedsu, než se rozhodl pro jednu na okraji centra, která měla hodně pozitivních recenzí, ale také, pokud se dá věřit fotografiím na webu, moderní prostředí na hony vzdálené papírovým ubrusům a levným červeným ubrouskům, které se rozmáčí při prvním doteku tekutiny.

Průzkum se vyplatil. Amie v té restauraci nikdy nebyla, ale znala lidi, kteří ji považovali za úžasnou. A recenze nelhaly. Jídlo bylo jihoindické, mělo jemnou a lahodnou chuť. Paper dosa byla poněkud mastná; nesnáší kluzký olej, který na jeho prstech zanechává smažené jídlo. Ale krom toho šlo o skutečný úspěch. Po několika skleničkách vína začala Amie víc žvanit, vykládala mu, jak pořád hledá někoho, s kým by sdílela život, ale žádný z mužů, s nimiž chodila, nebyl ani trochu ochotný do partnerství investovat potřebné úsilí.

Nebylo zrovna těžké dát najevo, že on je jiný. Tu a tam náhodné slovíčko, občasná poznámka, díky níž působil jako dobrý úlovek. Uznalé přikývnutí, spiklenecký úsměv, víc nebylo třeba.

Na konci večeře ji měl plně na háčku. Natolik, že ho pozvala k sobě domů. Nebylo pochyb, o jakou nabídku jde, a musel připustit, že se ocitl v pokušení. Nevypadala špatně a on už týdny s nikým nespal. Teprve když zůstal na suchu, si uvědomil, co pro něj sex znamenal. Spousta sexu a různorodého. Šlo jim to s Tricií v posteli ohromně. A nejen v posteli…

Věděl ovšem, že by bylo pošetilé přijmout Amiino pozvání. Nemůže jít k ní domů a vyspat se s ní, aniž by zanechal kilometr širokou forenzní stopu. A pak, až objeví její mrtvolu, by jeho DNA byla v celkové směsici. Dobře, nikdy neudělal nic, co ho dostalo do celostátní databáze DNA, takže by to policii k jeho dveřím nepřivedlo. Přesto je lepší být opatrný než litovat. Nechtěl riskovat, že kdyby byl někdy na štíru se zákonem, Amie McDonaldová by se objevila jako ohromné blikající světlo z jeho minulosti.

Takže se opět vrátil ke scénáři se zesnulou manželkou. „Jsem moc dojatý,“ řekl, když mu navrhla, aby k ní zašel na skleničku. „A vážně se mi hodně líbíš, Amie. Chci se s tebou znovu setkat. A chci tě víc poznat. Víš, nespal jsem s nikým od Triciiny smrti…“ Hlas se mu sevřel jakoby žalem. Skutečně to bylo přímo potěšení zabíjet svou bývalou slovy tak, jak neměl šanci udělat to ve skutečnosti. „Proto si na tom chci dát záležet. Kvůli nám oběma.“

Vypadala, jako by jí to vyrazilo dech. Jako by nebyla zvyklá, že jí muži na pozvání do postele řeknou ne. Pak se tiše zasmála. „Ty jsi vážně neobyčejný muž, Marku,“ řekla.

„To je milé, že to říkáš,“ odpověděl. *Nemáš ani tušení.* „Co děláš v pátek?“

A tak se dohodli na další večeři. Tentokrát jí nabídl vyjížďku do venkovské hospody, kde by se mohli zrekreovat u dobré večeře. Někam, kde by mohl snadno zaplatit v hotovosti, tak jako to udělal v indické restauraci. Další způsob, jak se vyhnout forenzním stopám.

Je neviditelný. Zvolí si svůj cíl, zaútočí a zmizí zase do svého bezúhonného života.

Nic se ho teď nemůže dotknout.

24

Brzy začalo být jasné, že ranní brífink bude spíš hlášení o chybějících důkazech než o nalezených. Členové týmu jeden po druhém oznamovali skrovné výsledky svých šetření. Konečně se oči všech obrátily ke Stacey, která zdrženlivě seděla u vzdáleného konce stolu, bezvadně upravená v tyrkysovém kostýmku a lesklé námořnicky modré hedvábné blůze. Carol jí věnovala unavený úsměv. „Tak, Stacey, všichni na vás spoléháme.“

Stacey si uhladila už tak dokonalé vlasy a přikývla. „Něco mám, ale obávám se, že toho není moc. A to, co mám, dohání technologii k jejím krajním možnostem.“ Vytáhla z kapsy klikr a aktivovala bílou obrazovku namontovanou na stěně za ní. Pootočila se v židli a vyvolala fotku s mužem, jehož Anya identifikovala jako člověka, kterého viděla s Kathryn. „Toto je neupravený obrázek z fotoaparátu v mobilu. Jak vidíte, není zrovna dvakrát ostrý. Když ho vylepšíme pomocí prediktivní opravy pixelů, dostaneme tohle.“

Obrazovka se rozplynula a objevil se snímek pouze samotného muže z částečného profilu. Byl ostřejší a zřetelnější než původní, ale pořád to nebyla fotografie, podle níž by bylo možné někoho spolehlivě identifikovat. „Následně jsem použila software pro rozpoznávání obličejů. Jak už jsem řekla Alvinovi, tento software jsem upravila, aby byl výkonnější. Projela jsem jím všechny obrázky ze svatby.“ Další zaniklá obrazovka a objevily se tři snímky vedle sebe. Ani jeden z nich nebyl přímo zepředu a všechno to byly zvětšeniny postav na pozadí.

„Povedl se mu pěkný kousek, jak se dokázal vyhýbat fotoaparátům,“ zamumlal Alvin. „V současné době je fotografem každý, zejména při tak velkých příležitostech, jako je svatba.“

„Co myslíte, šlo o záměr? Nebo jen nebyl v místnosti dost dlouho?“ nadhodila otázku Carol.

„Mám takové podezření, že obojí,“ prohlásil Tony. „Už víme, nakolik pečlivě plánuje. Nemáme důvod se domnívat, že by hodil opatrnost za hlavu dokonce ještě dřív, než si našel oběť. Podle mě musíme předpokládat, že v tomhle přístupu je u něj vše vypočítané.“

Stacey přikývla. „Jenže ani ten technicky nejzdatnější člověk si nejspíš neuvědomuje, kam až postoupila technologie. I s tak nedostatečnými zdroji, jaké tu máme, dokážou nejnovější algoritmy předvídat snímek našeho muže zepředu.“ Tentokrát se objevil jediný obrázek. Měl lehce nereálný vzhled, jaký často vyprodukuje počítačová animace, ale dal se v něm rozpoznat člověk.

„To je úžasné,“ vydechla Paula. „Takže hádám, že tohle můžeme ukázat svatebním hostům, kteří si pamatují, že s tím mužem Kathryn zahlédli, a uvidíme, jestli jde o slušnou podobu.“

„To dává smysl. Alvine, vy už jste s těmi ženami jednal. Vraťte se k nim a ukažte jim tenhle obrázek. Stacey, připravte Alvinovi sadu fotografií šesti mužů, ať nás časem nemůže nikdo napadnout, že jsme podsouvali identifikaci směrem k podezřelému.“

„Jdu na to,“ oznámila Stacey, vstala od stolu a zamířila zpátky do svého doupěte. Alvin lítostivě vrtěl hlavou a vyrazil chvíli po ní.

„To je dobré vodítko,“ podotkl Kevin.

Tony, který upřeně zíral na obrázek od chvíle, kdy ho Stacey vyvolala na obrazovku, hryzal konec svého pera. „Je to sugestivní,“ připustil.

„Je to víc než sugestivní,“ opáčila Carol. „Má to potenciál klíčového průlomu.“

„Myslíš?“ Tony s klepnutím upustil pero na stůl.

„Ty ne?“ Carol se zatvářila zmateně.

„Co děláš, Carol, kdykoli se setkáš s někým novým? Automaticky si ho zařadíš tak, abys ho popsala nám ostatním. Tak jak bys popsala tohohle muže?“

Carol uvažovala, naklánéla hlavu ke straně. „Něco kolem pětatřiceti. Hnědé vlasy, prošedivělé na spáncích, pěšinka na straně, volně visící patka. Oči nejspíš modré. I když těžko říct. Černé obdélníkové obroučky, velice trendy. Husté obočí, silný nos.“

„A která z těch charakteristik je stálá? Kterou z nich nemůže rychle změnit?“

Ostatní na sebe ztrápeně pohlédli. „To je pravda,“ potvrdila Paula. „Všechny rysy jdou bez problémů změnit.“

„Nos?" Karim nezněl zrovna přesvědčeně.

„Nevzpomínáte si na nos Nicole Kidmanové z *Hodin*?" zeptala se ho Paula.

Karim se ušklíbl. „Když ten film běžel, mohlo mi být tak deset, kapitáne. Maximálně dvanáct."

Paula obrátila oči v sloup. „Měla falešný nos udělaný tak, že to vůbec nešlo postřehnout ani v detailním záběru. Úplně to změnilo její vzhled. Když film promítali v předprojekci, lidem ani nedošlo, že je to Kidmanová."

„To jsou filmy. Tam umějí zařídit, aby každý vypadal tak, jak chtějí," protestoval Karim.

„Falešný nos Kidmanové byl tak realistický, že ho nosila na veřejnosti, aby se vyhnula tomu, že ji lidi poznají," pokračovala Paula. „Oklamalo to lidi na ulicích, oklamalo to paparazzi."

„Kam na tyhle věci chodíš?" zachechtal se Kevin.

Tony zvedl ruku. „Ten nos může být pravý. Pořídit si protézu by pro našeho muže mohlo být už příliš. Ale kromě nosu nemáme nic než kolekci rysů, které může bez větších problémů změnit."

„Chceš tím říct, že ta fotografie je pouhá ztráta času." Znělo to neradostně.

„Říkám, že bychom udělali chybu, kdybychom se na ni spoléhali." Tony se rozhlédl po zachmuřených tvářích a váhavě se usmál. „Víte, že mám pravdu." Pohled, který si vyměnili, mu prozradil, že všichni souhlasí, byť to jen velmi neradi připouštěli. „Přesto," řekla Carol. „Nos je lepší než nic. Uvidíme, co vyčeniháme, ano?"

25

V Bradfieldu se nacházely tři pobočky Pizza Express a nijak se nedalo určit, kterou z nich Kathryn s Davidem v úterý po svatbě navštívili. Karim hleděl na aplikaci ve svém telefonu, která na plánu města růžovými body označila jejich umístění. Vzpomněl si, co říkal Tony na brífinku o opatrnosti a pečlivém plánování, zjevném z toho, co už o chování vraha věděli, a zvážil, kolik toho sám ví o bezpečnostních kamerách, které pokrývají centrum města. Dospěl k závěru, že moc ne.

Pohlédl přes místnost k zavřeným dveřím kanceláře Stacey Chenové a zhluboka se nadechl. Je v tomhle týmu nový a pořád zůstává outsiderem. Nikdo v něm záměrně nevyvolává pocit, že by byl nevítaný, ale je jasné, že se všichni ostatní vzájemně znají a oceňují způsob práce druhých. Nikdo mu ještě tak úplně nedůvěřuje; občas periferním viděním zachytil, jak po něm kolegové vrhají pohledy, když překročí čáru nebo když položí hloupou otázku. I Paula, ze všech nejpřátelštější, občas obrací oči v sloup, když neví něco, co se neměl jak dozvědět. Nemyslí si, že by cokoli z toho bylo míněno nepřátelsky, ale nemá pocit, že by ho kdokoli z nich kdovíjak šetřil.

A Stacey? Z té na něj jde strach. Působí dojmem, že o systémech dat ví víc, než by jakýkoli člověk měl vědět, a že nemarní čas komunikací s životními formami na bázi uhlíku, jako je on. Obléká se způsobem, jaký by čekal od kancelářské umělé inteligence, do dokonale padnoucích kostýmů a blůz ušitých z látky, která jako by vedla vlastní život nezávislý na tom, kdo ji nosí. A jako kdyby tohle nestačilo, proslýchá se, že svých dovedností umí využívat lukrativně. Stacey Chenová by si celý tým mohla koupit a znovu prodat, kdyby se jí zachtělo.

Tohle všechno dohromady se spojilo v hotový recept na hrůzu pro hodného chlapce, jako je Karim, který svým způsobem ještě pořád bydlí doma, v bytě nad garáží, do něhož mu matka neochotně povolila se přestěhovat, když babička, která tam bydlela, zemřela. Matka se k němu dosud chová, jako by mu bylo dvanáct, kontroluje, co má v ledničce a jak moc plný je jeho koš na prádlo. Celý život žil pod pantoflem žen a zdá se, že regionální tým pro závažné zločiny je zkonstruován víceméně stejně.

Takže by se Stacey vážně neměl bát, že ne? Nemá nad ním takovou moc jako matka nebo tety. Kolik sžíravého pohrdání pro něj může mít?

Karim vyskočil, a než by si to mohl rozmyslet, vecpal se do Staceyiny kanceláře, nepočkal ani na její reakci na zaklepání. Stacey seděla zaklíněná ve své ergonomické židli za monitory, Alvin stál vedle ní, nakukoval jí přes rameno. Stacey ani nezvedla hlavu, ale Alvin pohlédl jeho směrem. „Nazdar, Karime. Přišel jste za tímhle humanoidním počítačem?"

Stacey káravě zamlaskala, neodvrátila ovšem zrak od horního pravého monitoru. Prsty jí lítaly sem a tam nad klávesnicí. „Tady to máte," řekla. „Číslo šest. Jděte a otestujte ty své svědky."

Karimovým uším to znělo spíš jako výzva přistrčit svědky pod meč. „Měla byste chvilku, Stacey?" zeptal se, snažil se nepůsobit bázlivě.

Stacey se pohodlně opřela, zacvičila rameny, aby ulevila zádům. „Co potřebujete?" zeptala se neutrálním hlasem.

„Snažím se přiřadit priority pobočkám Pizza Express, do kterých mohl David vzít Kathryn," spustil. „Vzal jsem v úvahu, co Tony řekl o jeho opatrnosti ohledně forenzních stop, a napadlo mě, že vrah ten podnik třeba vybíral podle počtu bezpečnostních kamer, které by mohly zachytit jeho nebo jeho auto."

Stacey přelétl přes tvář tak rychlý úsměv, až se Karim dohadoval, jestli se mu to jenom nezdálo. „Dobrý nápad. Chcete po mně, abych zanesla mapu restaurací do mapy bezpečnostních kamer, je to tak?"

Přikývl, ulevilo se mu, že jeho nápad nezavrhla. „Prosím. Jestli je to možné?"

Její prsty už tančily, oči přebíhaly z monitoru na monitor. „Pojďte sem," vybídla ho.

Poslušně obešel stěnu displejů a postavil se k jejímu rameni, udržoval si odstup. Stacey ukázala na prostřední monitor v horní řadě. „Tady máte ty svoje restaurace, vlevo jsou dopravní kamery. Vpravo kamery městského kamerového systému." Ťukla na trackpad a mapy z obou stran vpluly na prostřední mapu, překryly originál. „Odešlu to na váš terminál," řekla.

Usmál se. „To je skvělé, díky."

„Ještě jsem neskončila," řekla nepřítomně a procházela dalším menu.

„Dobrá. Tohle je pochopitelně neúplné a nejspíš ne zcela přesné, ale ukazuje to systémy soukromých bezpečnostních kamer, o jejichž existenci v centru města víme. Banky, obchody, bufety, podobné záležitosti." Klikla znovu a původní složenou mapu překryla nová. „Posílám vám to jako samostatný soubor, jen jako referenci pro případ, že byste jeden z těch podniků identifikoval a potřeboval byste se pokusit zpětně vysledovat jeho pohyby. Hodně štěstí."

Propouštěla ho. Ještě než od Stacey odešel, pracovala už na dalším úkolu. Karim se vrátil ke svému stolu a obě mapy vytiskl. Na té první vyznačil i umístění tapas baru, v němž se Kathryn s Davidem sešli na svoje druhé společné jídlo.

Zatímco hloubal nad výtiskem, Tony si přitáhl židli a posadil se vedle něj. „O co se to snažíte?" zeptal se.

Karim mu objasnil svoji teorii a Tony ji přikývnutím schválil. „Dávalo by smysl, kdyby do svých možných destinací šel předem na výzvědy. Například tahle." Ukázal na Pizza Express uprostřed Temple Fields, oblasti známé svou živostí a různorodostí nočního života. „Všechny ulice kolem se hemží kamerami kvůli vysokému výskytu pouličního zločinu."

„A kvůli prodeji drog," dodal Karim. „Zvýšili tam počet hlídek kvůli množství lidí, kteří se naperou drogami na dolním konci Temple Fields, poblíž Campion Boulevardu, takže tohle místo bych dal až na samotný konec seznamu možností." Prstem ukázal na mapě linii. „Ale tahle… Přichází se k ní z High Market Street, která má, no dobře, spousty kamer, ale i v pátek večer se po ní pohybují mraky lidí. Po uličce dolů podél prázdné strany Debenhamsu a pak stačí zabočit za roh a jste tam."

„To vypadá dobře. A co jste to zakroužkoval tady?"

„Tapas Brava. Upřímně řečeno, poněkud mě překvapilo, že ji vzal zrovna sem. Sedí si přímo uprostřed Bellwether Square a tohle náměstí má víc kamer na metr čtvereční než kterékoli jiné místo v Bradfieldu."

„Ale většina z nich jsou soukromé kamery. Ty bývají nasměrované na průčelí obchodu nebo na bankomat nebo na něco podobného, nezabírají toho moc z chodníku. Vlastně je Tapas Brava hodně chytrý výběr. Podívejte. Na plánu města je to sotva vidět, ale tady je Raddle Alley. Je příliš úzká na to, aby jí mohli dva lidé projít vedle sebe, ale je to zkratka z Groat Marketu, ze silnice od hlavního nádraží."

Karim sledoval Tonyho prst. „Vidím. Nechápu, jak mi to mohlo uniknout. Ani nedokážu spočítat, kolikrát jsem byl na Bellwether Square, ale nikdy jsem si nevšiml, že tam je."

„Chodím tou zkratkou z města do Minster Basin, kde mi kotví loď. To je jediný důvod, proč o té uličce vím. A končí hned vedle Tapas Brava."

Karim vstal, vzal do ruky vytištěný plánek a uložil si ho do vnitřní kapsy saka. „Radši hned vyrazím," řekl a cítil víc optimismu než po rozdání úkolů toho dne.

Do oběda musel Karim uznat, že jeho optimismus neměl opodstatnění. Nikdo z žádné rušné pobočky Pizza Express si nepamatoval, že by obsluhoval Kathryn a Davida. Jeden z manažerů zdůraznil, že v pobočce denně obslouží stovky zákazníků, a pokud nejde zrovna o hráče Bradfield Victorie, nějakou méně významnou celebritu nebo o někoho, s kým se nepohodnou, nemohou si zaměstnanci ani náhodou pamatovat jejich obličeje.

Karim ho požádal, jestli by se nemohl podívat na účtenky kreditních karet z daného večera, ale manažer se mu vysmál. „Ani náhodou, kámo," odpověděl. „I kdybyste si sehnal soudní příkaz, nebylo by vám to k ničemu. Lidi prostě nepoužívají karty od svých soukromých účtů. Používají firemní karty, karty společných účtů. Bylo by to jako hledat jehlu v kupce sena. A navíc mohli platit hotově. Ještě pořád se najdou takoví lidé. Protože jsou staromódní, nebo…" Mrkl. „…nebo nechtějí, aby se platba objevila na výpisu z účtu."

Tapas Brava si Karim schovával až na konec, protože šlo o mnohem menší podnik. Měli tam jen dvanáct stolů a dalších čtrnáct stoliček podél zinkového pultu. Světlo tu bylo tlumené, tmavé dřevo nábytku a podlahy kompenzovaly pestré moderní reprodukce umělců, jejichž jména se Karim ani neodvažoval hádat. Dorazil v době největšího obědového shonu, a došlo mu, že si nevybral zrovna nejlepší chvíli, aby mu obsluha věnovala plnou pozornost. Proto spolkl pocit provinilosti a obsadil poslední volnou stoličku u baru. Řekl si, že má právo na přestávku na oběd, byť vnímal, že v téhle jednotce nikdo nedbá na takové věci, jako jsou přesčasy a pravidelné pauzy. Usoudil, že jde o legitimní způsob, jak si získat přízeň potenciálních svědků, a objednal si talíř chobotniček a šest rybích kroket.

Než se pomalu propracoval talířky neznámého, ale lahodného jídla, podnik se víceméně vyprázdnil a Karim odchytil servírku, která procházela kolem. Ukázal jí snímky Kathryn a Davida a vysvětlil, proč sem přišel. Pokrčením ramen dala najevo, že je nepoznává, přesto za ním poslala kolegy.

Jeden z číšníků, mladý Španěl, který v Tapas Brava pracoval už pět měsíců, netvrdil tak rozhodně jako ostatní, že by pár nepoznával. Když mu Karim připomněl datum, přikývl. „Asi ano, ale nejsem si jistý.“ Ukázal k rohovému stolu za nimi. „Myslím, že seděli u osmičky.“

„Co si ohledně nich pamatujete?“

„Pokud to byli oni, platil hotově. A ona se mě zeptala, a tohle si právě pamatuju: ‚Dostávají zaměstnanci spropitné?‘ Tak jsem jí řekl, že si necháváme spropitné, které dostáváme v hotovosti, ale ze spropitného, které jde z kreditní karty, máme jen polovinu.“

„Dalo by se nějak zjistit, na čí jméno byl stůl zarezervovaný?“

Pokrčil rameny. „Můžeme se podívat.“

Karim za ním šel k monitoru počítače, v němž se uchovávaly záznamy o rezervacích, srdce mu bušilo o něco rychleji. V případě určitého data, hodiny a čísla stolu bylo hledání snadné. „Tady to je,“ hlásil číšník. „Osm hodin. Rezervace na jméno David a tady je telefonní číslo.“

Karimův obličej povadl. Ani nemusel nahlížet do poznámek, aby věděl, že jde o stejné číslo telefonu s předplacenou kartou, jaké na Davida měla Kathryn. Dalších dvacet minut výslechu číšníka a jeho kolegů ho nedovedlo nikam dál. Nikdo si ohledně páru u stolu číslo osm nic nepamatoval. Ani co měli na sobě, ani jak se k sobě navzájem chovali. Nic.

Vypadá to, že se Tony nemýlil. Muž, který zabil Kathryn McCormickovou, nejednal z náhlého impulzu.

26

O několik hodin později se na opačné straně Pennin strojila Amie McDonaldová do svého nejlepšího oblečení, chystala se na další rande s Markem. Je zatraceně roztomilý, říkala si. Pravý gentleman, žádný „šup sem, šup tam, padám, díky, madam". Naslouchal jí, když mluvila, věnoval jí plnou pozornost a reagoval na to, co povídala. Zjevně ji ještě trochu porovnává se svojí manželkou, a není snadné soutěžit s mrtvou, protože ta vás vždycky dokáže trumfnout už jen tím, že je mrtvá. Ale přestože je Amie o dost mladší než on, zjevně ho zaujala, jinak by ji přece nikam znovu nebral. To dá rozum. A věkový rozdíl není v současné době žádný problém, teď když se muži naučili víc pečovat o svůj zevnějšek a o svou postavu, jako to dělají ženy.

Opatrně nanesla na řasy svou nejdražší řasenku, tu, o níž se tvrdilo, že zdvojnásobí objem řas a nikdy se nerozmaže. Jestli ho dnes večer dostane do postele, nechce se probudit s očima, jako má panda, a s černými šmouhami po celém polštáři. Ještě poslední dotek rtěnky, a je připravená vyrazit.

Amie vzala do ruky telefon. Chystala se ho uložit do kabelky, ale náhle dostala nápad. Jamie bude ohromně nadšený, až se dozví, jaké ji na jeho svatbě potkalo štěstí. Rychle vyťukala esemesku.

Ahoj, fešáku. Doufám, že se s El máte skvěle. Nejste jediní, kdo byl na vaší svatbě šťastný. Vyrážím na druhé rande s Eliným kouzelným kamarádem Markem, je milionkrát lepší než ten šmejd Steve! Tak mi drž palce!!! Pusa pusa pusa

Vážně to vypadá na počátek něčeho velkého. Amie byla už kolikrát přesvědčená, že našla pana Pravého, ale Mark je něčím jiný. Zvláštní. Vyvolává v ní takový legrační pocit, že pro ni bude osudový.

A svým způsobem, který nebyl vůbec legrační, měla pravdu.

116

* * *

Jednou z mnoha věcí, které se Tonymu líbily na Carol, bylo, že nemluvila proto, aby slyšela vlastní hlas. Mluvila jen tehdy, když měla co říct. Někdy mu pokládala otázky, o nichž se domnívala, že by jí je mohl pomoci zodpovědět. Jindy něco vypozorovala a chtěla to otestovat ve srovnání s jeho zkušenostmi a porozuměním. Občas potřebovala přemýšlet nahlas, házet kosti nějaké teorie do bahna a sledovat, jaký tvar by mohly vyvolat. Velice zřídkakdy, téměř proti své vůli, odkryla nějakou žílu informací o sobě.

Ale když neměla co nabídnout, netrpěla pocitem, že musí vyplnit místnosti zvukem. Většinou bylo ticho mezi nimi příjemné. Poslední dobou ovšem nastalo hodně situací, kdy bylo nabité elektřinou, praštělo napětím nevyslovených věcí. Carolin boj s alkoholem vytvořil prostor pro svárlivé výměny názorů, a pokud je to vůbec možné, pro ještě svárlivější mlčení. Tony, empatický do té míry, až to ubližovalo jeho vlastní osobě, pociťoval bolest Carolina odvykání stejně silně, jako by jím procházel sám.

Toho večera si cestou z Bradfieldu vyměnili sotva pár slov. Skončili ten den brzy a Tony podezíral Carol, že se zcela neopodstatněně cítí provinile, protože kancelář opustila ještě za denního světla. Když pracovali na nějaké vraždě, obvykle se od případu zřídkakdy vzdálila na déle než šest hodin uloupeného spánku. A to i tehdy měla na nočním stolku vedle sebe mobil se zvoněním nastaveným na maximum.

Jenže v případu vraždy Kathryn McCormickové se nedalo nic víc udělat. Policisté Severního Yorkshiru prováděli rutinní vyšetřování, snažili se vypátrat, jak auto skončilo tam, kde skončilo, ale Tony se obával, že jen marní čas. Tenhle člověk moc dobře věděl, co dělá.

Forenzní specialisté odvedou svou práci a časem jim dodají výsledky, ale nikdo z Carolina týmu doopravdy nevěří, že je zavedou někam dál. Oheň znemožnil jakoukoli naději na získání DNA. Hasiči zničili veškeré možné otisky na karoserii auta. Možná se objeví nějaké výsledky toxikologického vyšetření značně ohořelých orgánů mrtvé ženy, ale i kdyby se tak stalo, naděje, že zjistí něco mimořádného, co by mělo jakoukoli důkazní hodnotu, je nepatrná. Jediná šance zvenčí byla, že by forenzní chemici mohli mezi ohořelými ostatky najít výrazný chemický podpis, který by byl osobitý.

Co by to mohlo být, si nikdo z nich nedokázal představit.

Za normálních okolností by je oběť zavedla k vrahovi. Většina vražd jsou domácí záležitosti. Manželé, partneři, děti, přátelé. Pavučiny, které propojují dva lidi, jejichž životy na sebe fatálně narazily, jsou obecně známé, i když motivy někdy bývají obskurní nebo zjevně triviální. Dokonce i když zaútočí cizí člověk, obvykle se najdou ukazatele toho, kde se cesty vraha a oběti zkřížily.

Zatím se zdá, že zmapovali místo, kde Kathryn McCormicková potkala svého vraha. Ze všeho, co Tony četl nebo slyšel, šlo o lehce nudnou příjemnou ženu. Dokonce ani její podřízení nebyli ochotní vyjadřovat se o ní kriticky. Patrně neměla nadání na přátelství, ale zároveň ani nevyvolávala nepřátelské pocity. Nebyla neatraktivní, ale co se týče přitažlivosti pro muže, patrně postrádala charisma. Tony ji vnímal jako člověka, který z velmi mála odhodlaně vytěžil maximum. Hodně vypovídajícím detailem pro něj byla Paulina zmínka o Kathrynině zjevné lásce k vaření. I když neměla pro koho vařit, věnovala hodně času a peněz něčemu, co mohl být dobrodružný a náročný koníček. Snažila se dělat něco, díky čemu by nabyla na zajímavosti. To je věc, kterou určitý typ časopisů povyšuje na způsob, jak si udržet spokojeného muže. Že zvolila tuto cestu spíš než padesát způsobů, jak uspokojit muže v posteli, Tonymu vypovědělo něco o jejím vrahovi.

Muž, který se označil za Davida, si oběť vybral chytře a záměrně. Nespokojil se s ženou, kterou by bylo snadné sbalit. Kdyby chtěl jen sex a násilí, mohl si v nějakém klubu vybrat ženu, která by byla natolik opilá nebo zdrogovaná, že by jí bylo jedno, koho si vede domů. Mohl si najít takovou, co v pozdním nočním baru zoufale touží po nějaké náhradě za lásku. Jenže tenhle muž měl na mysli jinou věc. Potřeboval ke svému uspokojení něco odlišného. Potřeboval někoho, kdo hledá lásku a nachází se ve správném rozpoložení k tomu, aby ji našel.

„Potřeboval být schopný uvěřit, že se do něj zamilovala,“ řekl nahlas, když už byli skoro ve stodole.

„Cože?“ Carolin hlas zněl překvapeně, jako by se i ona ztratila v myšlenkách.

„Je to pro něj důležité. To, co dělal s Kathryn, že se jí dvořil. Zvolil si ji proto, že si myslel, že ji může přimět, aby se do něj zamilovala. Vybral si ji pečlivě. Na svatbě je každý ve stavu rozjitřených emocí. Existuje značná naděje, že osamělá žena bude zranitelná. Všude kolem sebe vidí štěstí až navěky. Pak ji zčistajasna vzorně upravený milý chlápek odtáhne z toho ruchu a laciné romantiky k něčemu, co vypadá reálně."

„Myslíš, že šlo o tohle? O romantiku?" Znělo to spíš zvědavě než odmítavě. Carol byla svědkem výsledků Tonyho zkoumání a vysvětlování dost často na to, aby důvěřovala jeho hlubokému proniknutí do podstaty věci. Ne vždycky se trefil do černého, ale zřídkakdy byl úplně vedle. Dala směrovku k odbočce, která je napojila na zadní cestu vedoucí k její stodole, na cestu, kde začaly veškeré její trable z poslední doby.

„O představu romantiky," odpověděl Tony zamyšleně. „Víš, že nerad skáču k předčasným závěrům na základě jedné vraždy, ale tohle je jediná očividná teorie, která odpovídá nám známým faktům. Možná je úplně špatná, ale dává smysl. Má v hlavě nějaký příběh a chtěl, aby mu do něj Kathryn zapadla."

„Proč?"

„Protože až ji zabije, chce, aby to něco znamenalo."

Carol se mračila, chvíli nic neříkala. „Někdy si říkám, kam na tyhle nápady chodíš."

„Celý život se dívám do opačného konce dalekohledu," odpověděl. „Setkala ses s mou matkou." Neradostně se zasmál. „To ona mě vytrénovala. Celou dospělost se zabývám pomatenými hlavami, a teď na svět dokážu pohlížet jedině tímhle prizmatem."

„Proto spolu tak dobře vycházíme," prohlásila Carol lakonicky. „Ale momentálně je tvoje teorie stejně dobrá jako cokoli jiného. Sotva jsme začali a já nevidím, kudy postupovat vpřed. Nemůžu uvěřit tomu, že jsme se zasekli takhle brzy."

„To proto, že je skutečně dobrý. Budu upřímný, Carol. V nejlepším případě můžeme doufat, že mu jedna bude stačit. Protože pokud mu to zachutná, můžeme mít opravdu velké problémy."

DRUHÁ ČÁST

27

Planoucí auto se stalo majákem v sametové tmě. Tady v srdci Yorkshire Dales s nepatrnou světelnou polucí byly plameny hotovým útokem na oči. Na půli cesty mezi Snazesettem a Burterbuskem, na úzké klikatící se silničce pouze pro jedno vozidlo s několika místy, kde se případně mohla vyhnout dvě auta, se ovšem nenacházeli žádní náhodní kolemjdoucí, kteří by hořící vůz mohli vidět. Nejbližší trochu větší město se jmenovalo Hawes a tvořilo spolu s oběma vesnicemi vrcholy trojúhelníku o stranách v délce osm kilometrů. Malé místní inferno se dalo zaznamenat jen jako slabá rudá záře podél hřebene a nevšiml si ho nikdo kromě jedné ženy v Leedsu, kterou napadlo, že by mohlo jít o polární záři.

Když Anselm Carter odcházel z kravína, kde dohlížel na bezproblémový porod malého býčka u jedné ze svých highlandských krav, byl už požár za zenitem. Anselm neměl myšlenky na nic jiného než na plechovku vychlazeného guinessu, která by zahnala pach a pachuť několika posledních hodin, ale znal krajinu příliš dobře na to, aby si nevšiml plamenů dole pod kopcem na silnici, která ohraničovala jeho nejlepší pastviny. V danou chvíli na tom místě neměl žádná zvířata, ale nechtěl, aby jeho cenné pastvisko poničil požár.

Povzdechl si a zašel dovnitř na farmu, kde se k sobě na propadající se kuchyňské pohovce tulily jeho dvě pubertální dcery, sledovaly v televizi nějaký americký nesmysl pro mládež. „Řekněte mámě, že jsem jel dolů k silnici, hoří tam a musím zkontrolovat, jestli oheň neohrožuje náš pozemek,“ řekl a natáhl se pro klíče od Land Roveru.

Jedna z dcer na něj krátce pohlédla. „Hoří?“

„Jo.“

„Co by tam dole mohlo hořet?“

„Nic mě nenapadá. Přesto bude lepší, když se tam mrknu.“

Dceřina pozornost se okamžitě vrátila zpátky k obrazovce a Anselm vykročil z útulného domova do chladné tmy. Oheň byl dosud silný a vedl ho po rozježděné farmářské cestě jako hvězda udávající směr. Než dorazil k hlavní silnici, viděl, že hoří asi kilometr směrem na Snazesett. Tam není nic než místo, kde se mohou vyhnout protijedoucí auta, a nádoba se štěrkem.

Ale jakmile zabočil na silnici, rozeznal siluetu hořícího vozu, interiér proměněný v červené, oranžové a žluté peklo. Reflektory jeho auta osvětlovaly komíny mastného černého kouře, který se ve spirále zvedal k nebi.

Anselm zastavil dvacet metrů od vozu a zapnul výstražná světla. Ne že by bylo pravděpodobné, že by v neděli v tuhle večerní dobu tady dole někdo jel. Vyskočil a zamířil k autu. Když se k němu přiblížil, zaplavilo ho horko. Jednou si zašel do sauny, to když přemluvil bratra, aby mu přes víkend pohlídal farmu, a vzal Nell do luxusního hotelu v Harrogate. Nechápal, co na tom lidé mají, dobrovolně se trápit v horku. Nell se to ovšem líbilo. Později v IKEA zahlédla domácí verzi sauny a toužebně mu ji ukazovala, ale on to považoval za vyhozené peníze, které můžou smysluplněji utratit za novou koupelnu s pořádnou sprchou.

Stěna horka mu připomněla saunu, i když tady to nevonělo po bylinkách. Páchlo to spálenou umělou hmotou a mastnotou tak, že by se člověku udělalo zle, kdyby se příliš nadechl. Do vnitřku vozu Anselm neviděl, a přestože plameny olizovaly otvory v místech, kde měla být okna, brzy se ztratily do noci. Nádoba na štěrk se žárem roztavila do beztvarého žlutého blobu s černými šmouhami, ale jinak vše působilo docela lokalizovaně. Tu a tam na jeho pozemek dopadla ojedinělá jiskra, ale Anselm se nedomníval, že by se některá z nich ujala.

Vracel se zpátky k Land Roveru a přemítal. Mohl by zavolat hasiče a policii, ale neviděl v tom žádný smysl. Není zde v ohrožení života nic jiného, dobytek ani půda; nikdo by mu nepoděkoval, kdyby ho v neděli večer vytáhl do takové dálky kvůli nějakým chuligánům, co podpálili ukradené auto, jak tomu s největší pravděpodobností bylo.

Anselm se vracel zpátky po farmářské cestě ke světlému bodu, ke svému domovu. Postačí, když si s místním strážníkem promluví ráno.

28

Nálada v týmu poklesla k beznaději. Kathryn McCormicková je jejich první významný případ a oni se totálně zasekli, kola se jim protáčejí v bahně. A všichni si tísnivě uvědomují, že jejich bezvýchodná situace je ze všech stran pod drobnohledem. John Brandon volá Carol každý druhý den, aby s ní probral, jaká vodítka tým sleduje. Avšak ani on se všemi lety zkušeností nedokázal přijít s jinými návrhy než takovými, co už je jednou zavedly do slepé uličky. Přestože předstíral klid, dokázala v něm Carol vycítit tlak, který na něj vyvíjejí jeho političtí šéfové z ministerstva vnitra. Není jediná, čí reputace je tady sázce.

Kromě Brandona, který je technicky vzato na penzi, a tedy profesně imunní, jsou na úspěšném výsledku silně zainteresovaná vedení všech šesti sborů, které souhlasily s ustanovením regionálního týmu pro závažné zločiny. Ale i mezi nimi má tým nepřátele. Vyšší důstojníky, jejichž lenní panství se nevyhnutelně zmenšilo. Ctižádostivé muže a ženy, jejichž jasná cesta postupu vzhůru za hodnostmi se zkomplikovala. Průměrní, co jsou proti jakýmkoli změnám. Carol a její tým cítí tlak všech nejrůznějších očekávání shora.

Pak tu jsou detektivové, přesvědčení o schopnostech vlastních oddělení kriminálky, kteří se cítí být odstrčeni nejen tím, že ztratili nejzávažnější případy, na nichž se buduje reputace, ale že i jim bylo znemožněno nakráčet mezi elitu. Carol si dokázala představit škodolibou radost minimálně v desítce hospod po celém regionu, kde se scházejí detektivové z kriminálky a probírají pomalý postup v jednom z nejvýznamnějších případů poslední doby.

A na spodku té hromady jsou pěšáci. Uniformovaní mládenci a dívky, kteří při každém vyšetřování odvádějí nudnou mravenčí práci. Nikomu se nelíbí nekonečné klepání na dveře, prohlídky na ponurých sídlištích obecních domů nebo v blátivých lesích, počítačové vyhledávání registrovaných majitelů každého auta, které projelo konkrétní sadou křižovatek se semafory, monitorování a střežení míst činu nebo komunikace s občany, kteří jsou neochotní a zdržují, chovají se obstrukčně, nevrle, nebo jsou naopak příliš vlezlí. Už tak dost je otravovalo dělat to pro své vlastní detektivy, ale ti zvenčí přicházeli s požadavky na ještě nudnější otročinu, a u některých z nich to vzbuzovalo palčivou touhu po neúspěchu regionálního týmu.

Naštěstí se našli jiní, kteří chtěli zazářit, využít příležitosti, aby udělali dojem na někoho mimo řetězec vlastního velení, které si na ně nejspíš dávno udělalo názor. Ale i ti budou stejně jako ostatní znechucení nedostatkem úspěchu. Nemají naději získat nějakou pozornost, když se nic neděje. Nedostanou se ze své slepé uličky, když regionální tým pro závažné zločiny selže.

I jejich přátelé jsou nervózní. Carol se začínala děsit situací, kdy jí na displeji mobilu vyskočilo jméno Johna Brandona. Každý večer, když přišla domů, ji zaplavila touha po alkoholu. Většinu večerů tam byl Tony, aby ji zabavil nějakou hrou nebo aby jí dělal společnost, což už z principu znamenalo, že nemůže porušit své slovo a napít se. Ale o večerech, kdy tam nebyl, když v Bradfield Mooru začínal brzy nebo pozdě končil a bylo rozumné, aby přes noc zůstal na své lodi ve městě – ty večery pro ni představovaly titánský boj, po němž se cítila vyčerpaná a v depresi. Nedostatečný pokrok v případu ji srážel na kolena.

V pondělí dopoledne, tři týdny po objevu těla Kathryn McCormickové, se Carol cestou do kanceláře týmu ocitla tváří v tvář svému bývalému šéfovi Jamesi Blakeovi, šéfkonstáblovi Bradfieldské metropolitní policie. Jejich vztah byl od samého počátku nepřátelský, a když na sebe narazili na chodbě policejní stanice na Skenfrith Street, sotva dokázal skrýt škodolibou radost. „Moc se vám nedaří, že, Carol?" zeptal se protahovaně. Po boku měl dva uniformované superintendanty, kteří působili dojmem, že mají co dělat, aby potlačili úšklebek.

Sevřel se jí žaludek. „Jsme teprve na počátku, pane."

„Tři týdny a žádný vhodný podezřelý? Tomu bych neříkal, že jste na začátku."

„Některé případy jsou složitější než jiné. Právě proto sestavili náš tým." Cítila, jak jí cuká sval v očním víčku, a doufala, že si toho nevšiml.

„Váš tým sestavili proto, aby řešil složité případy, ne aby běhal kolem jako bezhlavé kuře. Co jsem slyšel, tak jste se dokonale zasekli."

Carol ze své tváře vyloudila úsměv. „Vyřešíme to, pane."

Blake se zachechtal. „Obdivuju váš optimismus. Škoda že mu neodpovídají schopnosti vašeho týmu." A šel dál, nechal ji tam stát a třást se směsicí zlosti a strachu. Vtrhla na nejbližší dámské toalety, vletěla do kabinky, práskla sedátkem dolů a posadila se. Ruce se jí třásly, žaludek se bouřil, nohy se jí klepaly. Chtělo se jí ječet, kňučet, výt. Snaží se, jak nejlépe umí, ale prostě to nestačí. Už ne. Nemůže spát, nechce se jí jíst a nemůže se poddat jediné věci, po které touží. Ani nechce zavírat oči ve tmě, protože všechno, co pak vidí, jsou hrůzy z minulých případů, které se jí honí hlavou jako staré domácí filmy natočené na Super 8.

Carol se opřela o stěnu a snažila se zklidnit dech. Musí se dát do kupy kvůli týmu. Vybrala si ty lidi. Vytrhla je z jejich postů a udělala z nich terče. Nedokázala by žít sama se sebou, kdyby je zklamala. Zaťala pěsti a klouby rukou si drsně masírovala lebku. Bolest odvedla její mysl od zmatku v hlavě.

O pět minut později vešla do místnosti týmu se statečným pokusem o sebevědomou chůzi. Ovšem na první pohled viděla, že v nikom nezbyla ani trocha optimismu. Sledovali všechny obvyklé linie vyšetřování, pak ty méně pravděpodobné, až nakonec došli ke zjištění, že nezbývá nic jiného než vracet se zpátky po svých stopách v naději, že najdou odlišnou odpověď. Zadali dokonce výzvu do jednoho z kuchařských fór na internetu, které Kathryn využívala, hledali někoho, s kým se tam spřátelila a kdo by třeba mohl něco – cokoli – vědět o záhadném Davidovi. Ale pořád neměli nejmenší představu o tom, kde byla zabita, ani o důvodu k vraždě. Nebo proč se vrah rozhodl auto s ní na sedadle řidiče zapálit na temném odpočívadle v Severním Yorkshiru.

Sotva se usadili ke konferenčnímu stolu, zazvonil telefon. Karim, který pochopil, že daný úkol přísluší nejníže postavenému členu na totemu, vyskočil a zvedl sluchátko. „Regionální tým pro závažné zločiny," ohlásil se, překvapivě vesele. Odmlka. „Ano, je tady. Okamžik, prosím." Přerušil hovor a řekl: „Šéfko, to je detektiv superintendant Hendersonová ze Severního Yorkshiru." Pokusil se o úsměv, ale vypadalo to spíš, že je mu do breku.

Carol očekávala pokárání toho či onoho typu a viditelně se snažila obrnit. „Vezmu si to v kanceláři." Tým sledoval, jak vstává a odchází. Když

127

za sebou zavřela dveře, všichni kolektivně vydechli a vyměnili si znepokojené pohledy.

Jakmile se Carol ocitla ve svém vlastním prostoru za pevně zavřenými dveřmi, sevřela křečovitě sluchátko a zavřela oči. „Detektive superintendante Hendersonová," pronesla čilým a věcným tónem. Jak zlé to může být?

„Paní vrchní inspektorko Jordanová, mám pro vás nové zprávy. Včera v noci jeden farmář z Dales zahlédl hořící auto. Podíval se na ně trochu víc zblízka a neshledal žádný důvod pro okamžitou akci, proto se neobtěžoval celou záležitost nahlásit. Udělal to až druhý den ráno. Když místní hlídka vůz prohlížela, uviděli něco, co jim připadalo jako lidské tělo. Zdá se, že váš tým má pachatele, který svůj čin zopakoval. A druhou šanci." Mluvila rázně a k věci.

Na Carol zaútočila vlna závrati. Slova Hendersonové vnímala jako úlevu. Dobrý bože, jaký netvor se z ní stal, když na podezřelou smrt pohlíží jako na příležitost? „To je velice zajímavé," řekla.

„A tentokrát máte tu výhodu, že hasiči nezničili místo činu," dodala Hendersonová. „Na cestě je kompletní forenzní tým a vydala jsem příkaz, že vše musí zůstat na svém místě, dokud to regionální tým pro závažné zločiny neodvolá. Náš vedoucí vyšetřovatel vám předá všechny podrobnosti, které máme."

„Děkuju, madam." Carol se snažila, aby jí na hlase nebyla znát úleva. „Budu okamžitě informovat svůj tým a na místo činu dorazíme, co nejdřív to půjde."

„Doufejme, že tentokrát se vám podaří dodat výsledek." Linka zmlkla. Carol se opřela v křesle a zhluboka dýchala. Od začátku jim v případu vraždy Kathryn McCormickové bylo na překážku zničené místo činu. Tentokrát nebudou mít žádnou výmluvu. Ale tentokrát snad nebude žádných výmluv třeba.

Land Rover není ideální vozidlo pro to, aby se člověk někam dostal rychle. Nemluvě o silném hukotu naftového motoru, který ztěžuje konverzaci. Carol si ovšem na auto v minulém roce zvykla a líbil se jí pocit bezpečí, který jí dodávalo. A taky tu bylo hodně místa pro psa, jenž se roztáhl po podlážce vzadu, hlavu složil na Tonyho chodidla. Paula seděla vepředu vedle Carol, na kolenou otevřený laptop, napojená na telefon, aby mohla hlásit novinky, jak přicházely informace od týmu Severního Yorkshiru.

„Kam přesně jedeme?" zeptal se Tony, když Carol zadávala cíl do navigace.

„Míříme přímo doprostřed pustiny. Tam, co lišky dávají dobrou noc, zabočíme doprava a pojedeme pořád dál, dokud neuvidíme bílý stan místa činu," odpověděla Carol.

„Tamní jména znějí jako z *Pána prstenů*," konstatovala Paula. „Snazesett a Burterbusk. To si snad dělají legraci?"

„Nejspíš pocházejí od Vikingů," usoudil Tony. „Nechali nám toho tu víc než geny na rezavé vlasy, když znásilňovali ženy a plundrovali celý Yorkshire. Tak co je poblíž?"

„Zdá se, že nic," odpověděla mu Paula. „Podle toho, co mi Stacey právě poslala, by se člověk musel táhnout pěkně daleko, než by našel silnici s kamerou pro automatické rozpoznávání značek vozů. Stejně jako předtím si vybral místo, kde není možné ho rychle zaznamenat při cestě tam i zpět."

„Zná ten terén dobře," poznamenal Tony. „Nevolí ho náhodně."

„Myslíš, že je místní?" vložila se do hovoru Carol.

„Vypadá to tak. Buď to, nebo je nadšený turista a strávil tu hodně času. Co dalšího pro nás mají ze Severního Yorkshiru, Paulo?"

„Auto je dva roky starý Peugeot 108, kabriolet. Pro ty z nás, co se nevyznají v autech…"

„To jsem já," hlásil se Tony.

„…je to jedno z těch malých autíček s plátěnou střechou, která se svinuje dozadu, nemá pevnou střechu jako některé kabriolety."

Carol zasténala. „Záleží na tom?"

„Mohlo by to ovlivnit způsob, jakým auto hořelo," tvrdila Paula. „Kdyby střecha chytla, poskytlo by to ohni víc kyslíku, a tak by auto hořelo prudčeji. V posledních týdnech jsem se stala svým způsobem odbornicí na požáry aut," dodala lítostivě. „Vyšetřovatelé požárů se moc rádi dělí o svoje poznatky."

„Nějaká totožnost díky autu? Bylo registrační číslo čitelné?"

„Auto je zaregistrované na Amii McDonaldovou s adresou v Cookridgi v Leedsu. Policisté ze Západního Yorkshiru, kteří se na té adrese byli podívat, hlásili, že nikdo není doma. Sousedka odvedle říká, že Amie pracuje pro daňové oddělení města, takže policisté odešli na magistrát a snaží se ji najít. Jenže pokud jde o toho samého chlapa a ten se chová stejně jako prve, určitě nesedí u sebe v kanceláři a nečeká, až se u ní stavíme."

„Přesto to musíme prověřit," odpověděla Carol. „I když je to její auto, neznamená to, že je její i tělo. Mohla vůz někomu půjčit. Nebo jí ho mohli ukrást. Nejspíš se budeme muset spolehnout na dentální záznamy jako u předešlé oběti." Prodrala se autem do mezery na kruhovém objezdu a zabočila na hlavní tepnu vedoucí na Burnley a pak do Dales. „Co dál?"

„Místní farmář Anselm Carter požár nahlásil v půl sedmé ráno. Zjevně tou dobou začíná s dojením. Plameny viděl včera večer kolem deváté, když vyšel z kravína. Zajel se na místo podívat, tělo neviděl, a tak si myslel, že jde jen o hořící auto, které nepředstavuje žádné riziko pro jeho půdu ani dobytek. Řekl si, že telefonát počká do rána."

„Nemůžu tvrdit, že bych mu to měl za zlé," prohlásil Tony. „Jestli musí vstávat v šest ráno, aby podojil krávy, nemyslím, že by byl nadšený z toho, kdyby policie a hasiči nastoupili do práce a potřebovali by, aby jim někdo až do brzkého rána vařil čaj."

„Takže tam místní hlídka hned ráno zajela a samozřejmě tou dobou se už mohli dostat dostatečně blízko, aby zjistili, že je v autě tělo. Usoudili, že bezpečnostní pás shořel a tělo se zhroutilo na obě přední sedadla. Mám tu několik docela pěkně děsivých fotografií, pokud máte zájem, Tony?"

Udělal grimasu. „Počkám si až na realitu. Jednou mi to bude stačit."

„Je to stejný vrah, že?" Carol zapnula modrý majáček, napojený na přístrojovou desku. „Vím, že nemáme teoretizovat dřív, než dostaneme údaje, ale těžko si představit scénář, který nás nevrací k muži, co zabil Kathryn McCormickovou."

„S tím musím souhlasit," povzdechl si Tony. „Snažím se, aby to nevyznělo příliš zpupně, ale z naší perspektivy je tohle to nejlepší, co se mohlo stát. Kathrynina smrt nám nedodala dost dat. S nekontaminovaným místem činu a s celou novou sadou svědků se třeba trochu pohneme kupředu."

„Chápu, co tím chceš říct, Tony, ale proboha, neříkej to mimo tohle auto." Na Carol byla jasně patrná podrážděnost. „Na člověka, který by měl být zosobněním empatie, nemáš občas cit pro nuance."

„Nemůžu udělat pořádný profil z jednoho případu, to přece víš," odpověděl Tony nasupeně.

„Ne každý vám rozumí tak dobře jako my," přidala se Paula. „Většina lidí by měla problém vidět ve vraždě něco pozitivního."

„Možná," odpověděl Tony. „Nic, co můžeme udělat, nezmění skutečnost, že včera večer někdo zemřel. Ale mrtví jsou mimo dosah. Svoji empatii si schovávám pro živé, Paulo."

29

Puch byl stejný jako posledně, ale silnější, protože k požáru došlo před kratší dobou. Štiplavý smrad spáleného plastu se mísil s něčím výraznějším. Carol, Paula a Karim stáli v sevřeném hloučku před třepetající se páskou, která vyznačovala pole působnosti forenzního týmu a vyšetřovatele požárů. Kevin se vypravil k farmě, aby zjistil, jestli Anselm Carter nemá co dodat k tomu, co už nahlásil policii Severního Yorkshiru.

A Tony prohledával prostor metodou, kterou chápal jen on. Místo, kde se vyhýbala dvě auta na silnici, po níž mohlo projet jen jedno, odděloval od pastviny příkop a za ním jediné lanko ostnatého drátu. Tonymu to nepřipadalo zrovna nejvíc k udržení krav v ohradě. Vyrazil po silnici ve směru, odkud auto přijelo, ale neobjevil nic zajímavého. O sto metrů dál se zastavil a hodnotil příkop. Byl asi metr hluboký a půl metru široký. Usoudil, že se přes něj bez problémů dostane na druhou stranu. Couvl o několik kroků a krátce se proti němu rozběhl. Příkop překonal, ale setrvačnost jím málem hodila na ostnatý drát. Zavrávoral na okraji a jen tak tak se zachránil, aby se nepřekotil zpátky do rozbláceného příkopu. Když byl na druhé straně, viděl, že tenký drát není jedinou překážkou, aby se dobytek nezatoulal. Za ním se táhlo tenké vlákno elektrického ohradníku. Když byl zapojený, mohl dát kravám dostatečně silnou ránu, která by je zahnala od silnice.

Tony bedlivě studoval ostnatý drát. Nebyl zrovna dvakrát obratný; tohle je přesně scénář, který by mohl skončit roztrženými kalhotami a krví, stékající mu dolů po nohách. Mohl by na tohle poslat Karima. Jenže Karim by ten výjev nehodnotil stejně jako on. Nedá se nic dělat. Musí to risknout.

Opatrně stáhl ostnatý drát o něco níž a přešel ho. Naštěstí měl drát dostatečně velkou vůli. Když ho měl Tony za sebou, s úlevou si oddechl. Z elektrického drátu nevycházelo žádné výmluvné hučení, ale pro jistotu se ho dotkl hřbetem ruky. Nic.

Překročil elektrický drát a pomalu se vracel směrem k ohořelému vraku peugeotu, střídavě se díval na zem a na vzdálený horizont. Nevěděl najisto, co hledá, ale věděl, že tu musí být něco, co tohle uspořádání spojuje s místem obětování Kathryn McCormickové.

A tohle je uspořádání, o tom Tony nepochyboval. Není to žádné náhodně vybrané místo na náhodně vybrané silnici. Vrah si ho zvolil z určitého důvodu, který byl přinejmenším praktický, ale mohl by mít hlubší emocionální a psychologický význam. Jaký, Tony zatím netuší. Ale všechno, co v tomto stadiu ví, má potenciál časem otevřít dveře v jeho hlavě.

Byla to úžasná krajina. Nízké kopce oble přecházely v údolí, kde se pásly ovce a dobytek. Skupinky stromů vytvářely tečky ve svazích. Bez malty stavěné zídky šplhaly vzhůru a křížily se ve všech možných úhlech kromě pravého. Bylo to tu zelenější než vřesoviště kolem Caroliny stodoly a výhledy byly mnohem dramatičtější. Ale vnímal mezi těmi dvěma krajinami genetické spojení.

Jak se přibližoval k autu, viděl aktivitu kolem něj. Bíle oblečené postavy v ochranném oděvu a s maskami přes obličej odebíraly vzorky a fotily místo činu. Právě tak, jako se on při čtení místa řídí svou vlastní gramatikou, mají oni svoji. Věci, které jsou pro něj důležité, nepřitahují jejich pozornost a naopak.

Pokračoval dál za místo činu, pořád nebyl spokojený, nenacházel to, co hledal. Ať už to je cokoli. Zastavil se a znovu se kolem sebe rozhlédl. Nic neobvyklého. Ale o dvacet metrů dál narazil na něco, co ho okamžitě zastavilo. Přímo před ním, v poli kousek od plotu něco vyrylo brázdu v trávě. Úzký, asi metr dlouhý obdélník s hlubším zářezem na jedné straně. Působil čerstvě; tráva, kterou to vyrvalo z kořenů, byla spíš povadlá než mrtvá. Něco bylo nedávno hozeno do pole.

Tony se obrátil a z rukou vytvořil trychtýř kolem úst. „Carol!" zakřičel. Zvedla hlavu a otočila se směrem k němu. „Tohle musíš vidět." Přehnaným gestem ukazoval na zem.

Zamířila k němu po silnici s Paulou a Karimem v patách. „Co je to?"

Ukázal svůj nález. „Díval jsem se, jestli třeba při odchodu nepřeskočil příkop."

„Proč by něco takového dělal potmě, když sem vede tak dokonalá cesta?" namítl Karim.

Tony se usmál. „Přesně takové otázky si pokládám i já. A odpověď neznám, ale vím, že někdo něco odhodil na tohle pole přibližně z místa, kde teď stojíte vy. Dá se to usoudit podle brzdné stopy a polehlé trávy," dodal.

„Jsem ráda, žes něco pochytil od forenzních techniků," prohlásila Carol suše. „Paulo, můžete sem přivést některého z odborníků na místa činu? Chci, aby se na to podíval." Pohlédla zase na Tonyho. „Dobrá práce, Tony."

Pokrčil rameny. „Vy byste to taky nakonec objevili, až byste prohledávali širší okolí. Měl jsem jen štěstí, to je celé." Odvrátil se, přehlížel horizont. Aniž by řekl cokoli dalšího, vydal se v ostrém úhlu přes pole, vyhýbal se kravincům a ovčí bobkům. Oči měl neustále sklopené k zemi; pokud by tu byly stopy někoho dalšího, kdo postupoval touhle cestou, nerad by je zničil.

Na zadním konci pole se zastavil u kovové brány složené z pěti horizontálních tyčí s robustní západkou na pružinu. „Nezanechal jsi na té bráně žádné stopy, viď?" řekl nahlas. „Na to jsi příliš chytrý. Jenže já pro jistotu nehodlám pokazit žádné případné forenzní stopy. Chci tím říct, že když jsi sem přišel, byla tma. Mohl ses dopustit chyby."

Spokojil se s tím, že zkontroloval, co je za bránou. Ke Carterově farmě vedla hrbolatá cesta pro traktor přes další pastvinu, kde se na zeleni rýsovaly tečky ovcí. Za tím byl násep z nasucho zděného kamene. Tam, kde se zídky stýkaly s další, viděl směrovku pěšiny pro turisty. „Tak tohle jsi hledal?" přemítal. „Doslova a do písmene jsi odešel od toho, cos udělal?"

Carol sledovala Tonyho, jak odchází polem, a dohadovala se, co mu straší v hlavě. Vzhledem k jejich dosavadnímu neúspěchu stojí za prozkoumání všechno. Vysvětlila úkol technikovi v bílém obleku, který tlumeně nadával na amatéry, co se mu motají po jeho místě činu. Nicméně začal zkoumat násep po obou stranách příkopu, jestli nenajde nějaké známky, že přes něj někdo přešel.

Carol nechala Karima u technika a vrátila se k Paule do centra jejich zájmu. „Jedna věc mě zaráží," přemítala Paula.

„Jaká?"

„Pokud auto, které máme, něco vypovídá o naší osobnosti, vsadím se, že

Amie byla úplně jiný typ ženy než Kathryn. Ford Focus je přesně takové auto, které si člověk spojí se ženou, jako je Kathryn – poněkud usedlá, spolehlivá, neudělala by nic pobuřujícího. Ale Peugeot 108 – ten hlásá úplně jiný vzkaz. Je to malá sportovní mrška. Dalo by se říct i trochu pikantní."

„Zajímavé," podotkla Carol. Uchechtla se. „Dneska zjevně všichni fušují Tonymu do řemesla."

Když došly k autu, vyšetřovatel požárů si právě sundaval rukavice a házel je do papírového pytle. V bílé špičaté kapuci připomínal postavičku z kresleného filmu o muži ve větrném tunelu. Carol Finnu Johnstonovi představila Paulu a zeptala se, co pro ně má.

„No, tam uvnitř je každopádně lidské tělo."

„Co jiného by to mohlo být?" podivila se Paula.

„Musíte si udržovat otevřenou mysl. Je známo, že tady kolem lidé v autech převážejí ovce, a dokonce i prasata." Věnoval jí chlapecký úsměv. „Nejste ve městě, seržantko."

„Dokážete určit, jestli jde o muže, nebo o ženu?" zajímala se Carol.

„Těžko říct. To není můj obor. Ale protože se tělo skulilo, bylo poněkud ochráněné břicho, takže až s tělem pohneme, bude vám možná lékař schopný dodat rychlou odpověď. A já vám můžu říct, že oběť je buď žena, nebo muž s malými chodidly."

„To dokážete poznat z ohořelých ostatků?" podivila se Paula.

„Ne. To dokážu říct, protože jsem viděl boty. A také vám můžu říct, že oběť na sobě měla džíny, které obsahovaly strečový materiál."

„To se hodně liší od předchozí oběti," podotkla Carol. „Proč?"

„To ta posuvná střecha. Hořící tělo v uzavřeném prostoru si můžete nejlépe představit jako nedělní pečeni v troubě. Jako pěknou kýtu se spoustou kůže na křupavou kůrčičku. Pokud ji necháte uvnitř hodně dlouho, povrch kůže zčerná, udělají se v ní praskliny a zuhelnatí. Tuk pod kůží se potom rozpustí, a jak se uvolní, chytne a shoří. A nakonec se dostanete až na kost. A kost má velmi přesně definovaná stadia tepelného rozkladu. Mění se její barva, praská a objevují se v ní zlomy. Pokud oheň hoří dostatečně dlouho, dostanete popel. Jako v krematoriu. Klíčovým prvkem je čas. Nehledě na to, jak vysoká nebo nízká je teplota, výsledek bude stejný, pokud necháte oheň působit dostatečně dlouho."

Obrazy, které jeho slova vyvolala, v obou ženách vzbudily pocit lehké nevolnosti. Carol se nedomnívala, že by někdy v dohledné době pekla vepřové. V přítomnosti lidí s dobrými komunikačními schopnostmi, jako je Finn se svými názornými přirovnáními, skoro zatoužila po nezáživných sucharech, kteří ji ohromují vědeckými pojmy. Jenže právě podobná přirovnání Carol a jejímu týmu případ oživí. Takové obrázky člověk udrží v hlavě ještě dlouho poté, co zapomene podrobnosti vědeckých vysvětlení. Probouzejí v ní ještě větší zájem, protože díky nim události nabudou reálný tvar.

„Tak jaký rozdíl způsobuje ta střecha?" trvala na své otázce Paula.

„Když hoří střecha, žene to kouř vzhůru. Horké plyny to vytáhne ven vzniklým otvorem, a spodní části interiéru nemusí být tak zle poničeny. Tady, přestože od poloviny holení výš vše prohořelo, nejsou spodní části nohou tak moc poškozené. Pochopitelně jsem s tělem nehýbal, ale viděl jsem dost, abych vám mohl říct, že sportovní obuv je sice povrchově poškozená, ale víceméně nedotčená. Což znamená, že totéž bude pravděpodobně platit i pro chodidla."

„Takže budeme mít DNA?" ověřovala si Carol.

Finn pokrčil rameny. „Řekl bych, že rozhodně ano. To vám, hádám, usnadní práci?"

„Pořád budeme potřebovat něco, s čím ji porovnat," odpověděla Carol. „Pokud je to její auto a údaje z registru vozidel jsou správné, možná se nám podaří rychleji provést dentální porovnání. Je tentokrát naděje, že z vnitřku auta získáme nějaký důkaz o přítomnosti někoho dalšího?"

Tvářil se pochybovačně, nafoukl tváře a vyšpulenými rty vydechl. „Pochybuju. I když tentokrát snad budeme mít podrobnější výsledky ohledně příčiny požáru a jeho postupu, protože všude kolem neodváděly svou práci hadice a pěna."

„Což je dobře," doplnila Carol.

„Rozhodně." Jeho špičatý nos začenichal. „V pachu samotném nevnímám žádné zjevné urychlovače, ale to neznamená, že nebyly přítomny. Prostě se rozpustily v čerstvém vzduchu. Jedno vám ovšem můžu říct. Zdá se, že požár vypukl na stejném místě – v prostoru pro nohy řidiče. A tentokrát postupoval dokonce ještě rychleji a bylo tu větší horko kvůli té tkané střeše. Jakmile střecha vzplála, značně se zvýšil přívod kyslíku a hořlavé látky uvnitř auta hořely rychleji a víc." Udělal obličej. „Musíte doufat, že oběť byla mrtvá dřív, než auto začalo hořet."

Carol ho pro ten krátký okamžik projevu lidskosti měla víc ráda. „V to doufáme všichni. Kdy nám budete mít co říct?"

„Za dva nebo tři dny. Pokud budeme mít štěstí, získáme tentokrát něco významnějšího."

Carol zavrtěla hlavou. „S tím bych nepočítala. Tenhle chlap umí zakrývat stopy. Zatím ani jednou nenašlápl vedle."

30

Sam vypil na jeden zátah třetinu piva. Tři týdny strávil v bublině vřící zlosti, kterou nemohlo zchladit snad vůbec nic. Celé dny mu trvalo, než vyřešil svůj bankovní účet a kreditní karty. Hypotéku měl dosud pozdrženou a stále objevoval další věci, které Stacey provedla s jeho digitální stopou. Musel uzavřít svůj facebookový účet, protože se mu každý den plnil gify roztomilých kočiček. Instagram mu zamořila štěňata a Twitter neustále krmily stupidní slepě fanatické komentáře fotbalových fanoušků nejrůznějších názorů. Ta pomsta byla naprosto neadekvátní jeho prohřešku. Proboha, neudělal nic víc, než že jednomu novináři prodal tip na zázračný únik Carol Jordanové před obviněním z jízdy pod vlivem alkoholu. Ze Staceyiny přehnané reakce by si jeden myslel, že si za nejnovějšího koníčka zvolil pedofilii.

Do té doby všechno běželo bezvadně. Dostal se, kam chtěl, Stacey mu kupovala drahé dárky a domnívala se, že slunce svítí z jeho zadnice. A nestálo ho to žádné velké úsilí. Chodíval se ženami, které toho neměly zdaleka tolik co nabídnout. Stacey nevypadala špatně, sex byl lepší než uspokojivý a upřímně řečeno, skutečnost, že byla prachatá, ho ohromně rajcovala. Sam soudil, že si daný stav ohromně užívá, a měl úmyslu v něm setrvat. Proč to musela zkazit kvůli nějakému hloupému novinovému článku, který nebyl nic než pravdivý? Dobrá, noviny svým způsobem naznačovaly, že se kvůli Jordanové ohnula pravidla, ale to není jeho chyba.

Povzdechl si a znovu se napil piva. A nezbývá mu teď než pít sám, protože se s ním nikdo z jeho nového týmu nechce kamarádit na základě všeobecné domněnky, že je nadutý a afektovaný, když předtím pracoval v týmu pro závažné zločiny.

Právě když se propadl do nejhlubšího bodu sebelítosti, objevila se na stole před ním plná sklenice piva, následovaná atraktivní pěstěnou ženou, jejíž věk odhadoval mezi čtyřicítkou a pětačtyřicítkou. Sam si nemyslel, že pár let navíc ženu diskvalifikuje, pokud má jiné patřičné přednosti. A téhle evidentně nechyběly. Lesklé tmavé vlasy, stylový kabát s ležérně zavázanou sametovou šálou, odborně provedené nalíčení. Měl pocit, že ji už někde viděl, ale nedokázal si vybavit kde.

Vklouzla do kóje proti němu a věnovala mu zářivý úsměv. Nemohl si nevšimnout, jaké má pěkné zuby. „Nebude vám vadit, když si přisednu?"

Usmál se. „Ne, když nosíte pivo. Už jsme se někdy setkali?"

„Ani ne. Vídala jsem vás na tiskových konferencích. Jmenuju se Penny Burgessová. Jsem hlavní redak…"

„Vím, kdo jste." Zkřivil rty do opovržlivého úsměvu. „Vy jste ta, co před lety dostala do maléru Kevina Matthewse."

Usmála se lenivým úsměvem, který obsahoval celou řadu příslibů. „Kevin se dostal do maléru sám. Ale to je už dávno a myslím, že mi odpustil, když má teď zpátky svou hodnost."

„Na to bych nesázel," odfrkl si posměšně. „Lidi z regionálního týmu pro závažné zločiny nikomu nic neodpustí."

„Měl jste s nimi menší problém, že?"

Zavrtěl hlavou. „Do toho vám nic není," prohlásil drsně.

„Těžko uvěřit, že si vás Carol Jordanová nevybrala do svého nového fešného týmu." Přejela prstem po obrubě skleničky, v níž měla patrně gin s tonikem.

„Jsem spokojený tam, kde jsem," řekl s větším přesvědčením, než jaké cítil.

„Stejně." Nechala ta slova viset ve vzduchu mezi nimi.

„Stejně co?"

„Slyšel jste o té smrtelné autonehodě před pár týdny poblíž Halifaxu?"

„Možná ano." Byl teď plný ostražitosti. Reputace Penny Burgessové byla pro člověka v jeho pozici znepokojivá.

„Pět mrtvých. Původně to byli čtyři, ale pátá oběť to včera večer zabalila."

„To je zlé."

„Dominic Barrowclough, řidič, který to způsobil? Byl jedním z těch dalších lidí, kteří vyklouzli spolu s Carol Jordanovou. Díky údajně vadnému alkoholtesteru. Ale o tom vy všechno víte, že?"

Sam na ni vyrovnaně pohlédl. „Nevím, o čem to mluvíte," řekl bezbarvě.

Penny se zasmála, v očích se jí zablesklo pobavením. „Nesnažte se podfouknout podfukáře, Same. Vím, že jste byl zdrojem pro článek, který odhalil ‚šťastný obrat' pro Carol." Vykreslila ve vzduchu uvozovky.

Dopil svoje první pivo a prudce odstrčil sklenici stranou. To gesto se dalo vyložit i jako hrozba. Zároveň bylo plným popřením. „Nemám vám co říct."

„Myslím, že máte," opáčila Penny. „Jednou už jste informaci prodal, uděláte to znovu, Same. Podruhé to bude snazší. A bude to čím dál tím snazší. Chci si jen zajistit, že od příště to budu já, komu tu informaci prodáte, to je celé. A nezanechám žádnou papírovou stopu. Hotovost, Same. V tradičních hnědých obálkách. Absolutně se to k vám nemůže vrátit." Vytáhla z kabelky složený výtisk večerních novin. Popostrčila je k němu a on je jedním prstem pootevřel. Nebyla v nich žádná obálka, místo toho čtyři nové červené padesátilibrové bankovky. Škubl sebou a spěšně noviny zavřel.

„Za koho mě máte?" Tentokrát v jeho hlase zaznívala agresivita.

„Za zdroj, který si rád nechá dobře zaplatit. Tohle jsou jen drobné na pivo, Same. Poslyšte, stejně už vás nenávidí. Co můžete ztratit?"

Zavrtěl hlavou. „Svou práci?"

„Nikdy neprozradím žádný svůj soukromý zdroj. A pokud mi nedodáte něco, co můžete vědět jedině vy, jste krytý."

Dlouhé mlčení. Žár hněvu bojoval se Samovým pudem sebezáchovy. Dohoda, kterou mu Penny nabízela, dávala smysl. „Jak budeme komunikovat? Jak se ochráním?"

Penny vytáhla bloček a naškrábala číslo. „Sejdeme se ve tmě. V nezávislém kině v Kenton Vale. Když pro mě budete něco mít, zavoláte na tohle číslo. Je to taková zastrčená čistírna s jedním zaměstnancem. Uložte si to číslo do telefonu jako ‚čistírnu'. Řeknete mu jméno filmu a sejdeme se na večerním představení v poslední řadě. Ani ten film nebudete muset celý sledovat, Same."

Papír ležel na stole mezi nimi. „Podplácení policisty je trestný čin," poznamenal.

„Trestného činu jste se dopustil, už když jste prodal informaci o tom alkoholtesteru. Kdyby někdo papírovou stopu k tomu předal nezávislé komisi pro stížnosti na policii, byl byste v háji." Půvabně pokrčila rameny. „Víte, že to chcete udělat, Same. Užírá vás to. Vidím vám to na očích."

Popadl noviny a na jeden zátah vypil pivo, které mu přinesla. Otřel si ústa a zvedl se, celý rudý. „Carol Jordanová je alkoholička," řekl. „Žena, která vede regionální tým pro závažné zločiny, nedokáže přežít dopoledne, aniž by vzala útokem lahev vodky." A začal odcházet od stolu.

„Jak to mám postavit?" zeptala se Penny, poprvé se v jejím hlase objevila naléhavost.

„To je vaše starost," odpověděl Sam na odchodu. „Měl jsem za to, že jste v tom údajně dobrá."

Na ulici vyletěl značně rychle. Poprvé od chvíle, co mu Stacey naboural život, zlost trochu ustoupila. Ne o moc. Ale byl to začátek.

31

Carol nechala Paulu v kantýně ředitelství Severního Yorkshiru a šla si promluvit s detektivem superintendantem Anne Hendersonovou o tom, jak si rozdělí práci, když to teď vypadá, že v jejich terénu operuje pachatel, který svůj čin opakuje. Paula přestávky využila k internetovému vyhledávání narozeninového dárku pro Elinor. S dárky se jí příliš nedařilo. Záměry mívala velkorysé a láskyplné, ale vždycky měla problém najít ten nejlepší dar pro ženu, kterou milovala. Frustrovalo ji, že i když nepochybovala, že svou partnerku dobře zná, nedokáže pro ni sehnat něco speciálního a neočekávaného.

Jenže tentokrát vyrazila na konkrétní misi. Když zemřela Torinova matka, zdědil syn veškeré její šperky. Před několika měsíci Elinor dospěla k závěru, že když u nich Torin zůstává, měli by udělat soupis Beviných šperků a přizpůsobit jim pojistku domu. Torin přinesl dolů krabici z leštěného dřeva, v níž Bev uchovávala náhrdelníky, prsteny a náramky. Většina z nich nebyla nijak výjimečná, ale našlo se mezi nimi několik cennějších kousků, které Bev zdědila po své matce a babičce, jejíž muž býval úspěšný obchodník s rybami v Hullu. Nad jedním kouskem, starožitným granátovým medailonkem se dvěma růžovými perlami po stranách, Elinor vyjekla nadšením. Paula věděla, že nemůže najít přesně takový kus, ale byla odhodlaná sehnat něco podobného, co by vyvolalo stejnou radost.

Paula se nehodlala nechat vtáhnout do objednávky zboží poštou, kdy by věc nemohla osobně prozkoumat. Proto otevřela laptop a navolila haystack.com, stránku aukce a přímého prodeje s geograficky zaměřenými výsledky hledání. „Granáty a perly" jí dodaly čtyři výsledky, jen jeden z nich byl medailonek. Náhled vykazoval velkou podobnost s tím, který teď vlastnil Torin, a Paula se nedokázala neusmát při vyhlídce na tak rychlý úspěch. Klikla na náhled a ostře vydechla. Ten medailonek nevypadal jen podobně. Podle ní byl identický.

Když sepisovali šperky, Elinor trvala na tom, že musí pořídit i jejich fotografie. Paula předměty nafotila na svůj soukromý mobil, proto teď spěšně procházela albem, dokud nenašla, co hledala. Snímek byl stále na svém místě, což dokazovalo, že je někdy v pořádku ignorovat Staceyino naléhání, aby si ode všeho dělala kopie a nepřeplňovala mobil. Paula porovnala obrázky. Nebylo pochyb. Ty dva medailonky jsou stejné.

Buď nešlo o unikát, jak se domnívaly, nebo se tu děje něco mnohem znepokojivějšího. Ale s tím teď nic nenadělá. Paula si stránku uložila do záložek. Koneckonců může ještě pořád posloužit k vyřešení jejího problému s dárkem.

Po zbytek dne ji to zjištění obtěžovalo kdesi v zadním koutku mysli, jako když v předem neodhadnutelných okamžicích zatrne zkažený zub. Sotva zaregistrovala fakt, že Amie McDonaldová není ani v práci, ani doma. Jenže dokud si nebudou jistí, že v márnici leží Amiino tělo, nikdo si nezajde promluvit s její rodinou nebo s kolegy ve spojitosti se spáleným tělem na silnici ve vřesovištích. V tuto chvíli není Amie oficiálně pohřešovanou osobou. Dokud nikdo nenahlásí policii její zmizení, můžou držet možnou identitu oběti pod pokličkou. Policisté Severního Yorkshiru se prokousávají zubařskými praxemi v Leedsu, dosud bez výsledku. Všichni doufají, že ráno přinese výsledek.

Když Paula kolem deváté dorazila domů, nikdo tam nebyl. Elinor měla službu na ambulanci a nevrátí se dřív než o půlnoci. Torin nechal na kuchyňském stole lísteček: „Jsem u Harryho, učíme se.“ To je regulérní neformální setkání, pomyslela si Paula, i když v poslední době Torin podobné věci odkládal. Byla ráda, že se kluci zase dali dohromady.

Poskytlo jí to příležitost nakouknout do krabice, která leží na horní poličce knihovničky z IKEA v Torinově pokoji. Jen si to ověřím, řekla si. Vyběhla schody a přede dveřmi pokoje zaváhala. Bez pozvání sem vstupovaly jedině tehdy, když Elinor Torinovi převlékala postel. Ale potřeba odpovědí zvítězila nad Pauliným respektováním jeho prostoru.

Otevřela dveře a vešla dovnitř. V pokoji vládl známý pižmový pach teenagera a propocených kecek. Postel nebyla ustlaná, pomuchlaná pokrývka se proměnila v horský hřbet uprostřed prostěradla, polštáře tvořily předhůří. Po pracovním stole se válely různě roztroušené učebnice a vypnutý laptop se opíral o nohu stolu. Na stěnách měl Torin pověšené dva plakáty s konzolovými hrami a jeden s *Živými mrtvými*. Paula si představovala, že takhle vypadají ložnice po celé zemi. Zjevně anonymní, nevypovídají nic o tom, co se děje v hlavách jejich obyvatel. Čtrnáct let je dost na všechny druhy ohrožení vyrovnanosti rodičů a pěstounů.

Přistoupila ke knihovničce a natáhla se pro šperkovnici. Už ji držela v rukou, když zaváhala, než ji položila na postel a nadzvedla víko. Vnitřek byl rozdělený do několika sekcí, každá obsahovala konkrétní druh šperku: náušnice, prsteny, brože, náramky. Náhrdelníky a medailonky byly uloženy v samostatných sametových krabičkách. Paula jednu po druhé otevírala, přesvědčená, že příští už bude obsahovat to, co hledá. Ale v žádné z nich medailonek nebyl.

Paula se natolik pohroužila do hledání, že neslyšela tiché kroky na schodech. Teprve když se změnilo světlo, uvědomila si, že už není v místnosti sama. Otočila se tváří k Torinovi, šperkovnici dosud v rukách. „Co sakra děláš v mém pokoji? S mejma věcma?" Přes vynucené pobouření v hlase na něm bylo patrné zděšení.

„Něco jsem hledala," odpověděla Paula.

„To vidím. Tohle jsou teď moje věci. Máma to nechala mně. Nemáš na to žádný právo." Husté obočí se stáhlo do zamračení. Vykročil směrem k ní a Paula si poprvé uvědomila jeho velikost. Je teď o několik centimetrů vyšší než ona a v několika posledních měsících se mu rozšířila ramena. V Torinově chování nebylo nic výhružného, ale Paule došlo, že kdyby chtěl, mohl by působit skutečně hodně děsivě.

Natáhl ruku, chtěl šperkovnici. Paula mu ji bez zaváhání vydala. Vzala do ruky mobil a přešla k otevřenému obrázku ve fotogalerii. „Hledala jsem tohle. Ale nemohla jsem to najít."

Couvl, ve tváři zděšený výraz. „Proč se mi přehrabuješ ve věcech? Není ti nic po tom, kde mám svoje věci."

„Chtěla jsem sehnat podobný Elinor. K narozeninám." Paula byla odhodlaná přijít věci na kloub. Koneckonců údajně je ve vyslýchání lidí dobrá.

„Tak jí něco kup. Nemusíš se pokoušet krást máminy šperky."

Ten nápad byl tak absurdní, že se Paula div nerozesmála. „Nemůžu ukrást něco, co tu není," řekla naprosto klidně. „Hledala jsem na netu něco podobného, a koukejme, měli ho na haystack.com za osm set liber."

Zarazil se. „Osm set?" Pak se téměř vzpamatoval. „No a co, je to víc, než jsi hodlala utratit? Tak sis řekla, že si vezmeš ten můj?" Byl rudý v obličeji a zuřil.

„Torine, v práci v jednom kuse chytám lháře. Poznám to, když se mě někdo snaží obalamutit. Medailonek tvojí maminky s granáty a perlami není tam, kde byl, když jsme pořizovali soupis jejích šperků. A jeho dvojníka prodávají na netu. Tak co se tu děje? Na co potřebuješ osm set liber?"

„Já ho neprodávám. Zkus si ho koupit a uvidíš sama. Ale i kdybych ho prodával já, není ti nic po tom, co dělám se svejma věcma. Nemáš právo se mi v nich hrabat." Teď to znělo plačtivě. Paula viděla, že je Torin spíš vyděšený a rozčilený než rozzlobený. Nechtěla ho zahnat do kouta a vystupňovat situaci někam, odkud by se jen těžko zklidňovala.

V konejšivém gestu zvedla ruce dlaněmi dopředu. „Máš pravdu. Měla jsem počkat, až přijdeš domů, a pak se tě zeptat, kde je ten medailonek. Neměla jsem sem jen tak vrazit a začít tu šmejdit."

Prudce přikyvoval, vystrčil bradu. „Jo, tos neměla."

„Tak kde je?"

Bouchl plochou dlaní do stěny. „Tos mě neslyšela? Moje věci. Moje věc. Nejsem žádnej z těch tvejch kriminálníků, co je můžeš zastrašovat. A teď vypadni z mýho pokoje. Dej mi pokoj."

Byl to vzrušený křik adolescentů celých generací. Paula si uvědomila, že konfrontací nic nezíská. Nemůže si dovolit spálit mosty k někomu, kdo s ní sdílí a v dohledné budoucnosti bude sdílet domácnost. Dostat pravdu z lidí, s nimiž žijete, je zjevně o hodně těžší než vymáčknout přiznání ze zločince.

To bylo poučení, bez něhož by se radši obešla. A ani neví, jak se o ně podělí s Elinor.

32

Pěšáci ze Severního Yorkshiru triumfovali. Jakýsi bystrý mozek odhalil skutečnost, že Amie McDonaldová vyrůstala mimo Leeds v nedalekém Morley, a dospěl k závěru, že by se vedle praxí ve městě mohlo vyplatit, kdyby prověřili i tamní zubní ordinace. Hned druhým telefonátem se trefili, a před desátou následujícího dopoledne vyrazil regionální tým pro závažné zločiny na cestu, aby vyslechl přátele, kolegy a rodinu ženy, o níž teď věděli, že se jmenovala Amie McDonaldová.

Kancelář výběru obecních daní, kde Amie pracovala, sídlila v impozantní zdobné viktoriánské budově z červených cihel na rohu rušné ulice. Alvin následoval svou průvodkyni, šokovanou vedoucí oddělení, chodbami městského úřadu s vysokými stropy a slabou vůní standardní leštěnky na podlahy. „Nechám vás tady." Otevřela dveře do malé konferenční místnosti se stolem a šesti židlemi uprostřed. „Dojdu pro Jamieho Taylora, pracoval s Amií a byli ohromní kamarádi." Ruka jí vylétla k ústům. „Bude z toho celý špatný," dodala a odešla.

Během několika minut byla zpátky s Jamiem. „Tak běž," pobídla ho, poplácala ho po rameni a skoro ho přistrčila k Alvinovi.

Alvin si ho měřil. Měl křehkou postavu a jeho hlava byla vzhledem k tělu malá. Vlasy barvy myší šedi měl podstřižené a převislá vrchní vrstva sestřihu mu dodávala podobu houby. Ve tváři se mu tu a tam objevoval úsměv muže, který touží druhé potěšit, ale není si jistý, jak na to. „Jsem detektiv Alvin Ambrose. Posaďte se prosím, pane Taylore."

Jamie si vybral židli, která stála nejdál od Alvina, překřížil si ruce na hrudi a hned je zase rozpletl. „To jste tu kvůli Garymu a tomu kyblíku na šampaňské? Ani jsem nevěděl, že ho vzal, dokud jsme se v neděli nevrátili ze svatební cesty." Hlas měl vysoký a tenký, bezmála teploušský.

„Ne." Hluboký nádech. „Obávám se, že pro vás mám velice špatnou zprávu. Vaše kamarádka Amie McDonaldová je mrtvá."

Jamie se přímo fyzicky vyděsil, ve tváři se mu objevila hrůza. „N-ne," zakoktal se. „T-to jste se museli splést." Zavrtěl hlavou. „To nemůže být pravda."

„Obávám se, že omyl je vyloučen." Alvinův hlas změkl.

„Ale jak zemřela? Byla zdravá jako řípa. To měla nějakou nehodu, nebo co? Co se stalo?"

„Neexistuje způsob, jak vám to říct ohleduplně, pane Taylore. Domníváme se, že Amiina smrt byla podezřelá."

„Cože? Chcete říct – někdo ji *zabil*?" Nevěřícně vrtěl hlavou. Pak vytřešil oči. „Byl to Steve? Šel po ní?"

„Kdo je Steve?"

„Její poslední přítel. Nechala ho pár dní před tím, než jsme se s Eloise vzali. Vážně byla moc naštvaná, že na naši svatbu bude muset sama, ale prostě to s ním nedokázala vydržet už ani den. Nemůžu tomu uvěřit." Znovu zavrtěl hlavou. „Tedy chci říct, vím, že je to debil, ale zabít ji?"

Zmínka, že Amie šla na svatbu bez partnera, upoutala Alvinovu pozornost. Přesně jako Kathryn McCormicková. Je naděje, že by to bylo součástí modu operandi pachatele? „V tuto chvíli nevíme, kdo Amii zabil. Jsme na samotném začátku vyšetřování. Ale Steve zjevně patří k lidem, se kterými si budeme muset promluvit. Mohl byste mi na něj dát kontakt?"

Jamie zuřivě přikyvoval, vytahoval telefon. „Steve Standish." Obrátil displej k Alvinovi, ukazoval mu číslo. Detektiv si ho zapsal do bloku. „Nemůžu se z toho vzpamatovat."

„Jaká byla Amie? Znal jste ji dobře?"

Jamie se usmál. „Byla to moje nejlepší kámoška. Amie a Jamie, skoro dvojčata, tak nám říkala. Naše stoly stály proti sobě a pořád jsme jeden druhého rozesmávali. Při naší práci si moc legrace neužijeme – celé dny mluvíme s lidmi, kteří nemohou platit svoje účty, jejich životy se polovinu doby rozpadají na kousky. Takže potřebujeme trochu úlevy, nebo bychom se, upřímně řečeno, zbláznili."

„Takže byla taková živá?"

„To ano. S Amií se člověk ani chvilku nenudil. Kdykoli jsme všichni společně někam vyrazili, byla duší celého podniku."

„A co vaše svatba? Tehdy byla také duší podniku?" Nastal čas prozkoumat linii vyšetřování, která se nabídla před chvílí.

147

Jamie se na okamžik zatvářil sklíčeně. „Popravdě, myslím, že byla trochu skleslá. Víte, jak to chodí na svatbách. Láska je všude ve vzduchu a tak. A Steve byl prostě posledním z dlouhé řady mužů, kteří nesplnili očekávání." Zamračil se. „Ale proč se vyptáváte na tu svatbu? Steve tam vůbec nebyl."

„Je možné, že se Amie na vaší svatbě s někým seznámila."

Tvář se mu rozjasnila. „No, to je vlastně pravda. Byli jsme s Eloise opravdu nadšení. Protože Amie si zasloužila někoho stejně mimořádného, jako byla sama. Hrozně moc se chtěla usadit a mít rodinu, ale nehodlala se spokojit až s druhou nejlepší variantou. Docela rychle muže střídala. Ne že by byla šlapka nebo tak něco. Jen měla skutečně vysoké nároky a velice často se zklamala. Proto jsme vážně doufali, že by naše svatba mohla jako zázračný prášek okořenit její milostný život."

„Takže víte, s kým se seznámila?"

Opět zkřížil paže na hrudi. „No, to je právě zvláštní. Den po svatbě mi poslala esemesku, aby mě informovala, že potkala jednoho milého muže, který se jmenuje Mark, a že si ohromně rozuměli a že je dokonalý gentleman a že se spolu znovu sejdou. A jak to, že jí žádný z nás Marka už dávno nepředstavil. A tak jsem se zeptal Eloise: ‚Kdo je ten Mark?' Protože jediný Mark z mojí strany byl můj bratranec z Bingley a nikdo, ani slepec s příznivým větrem v zádech, by ho neoznačil za milého muže."

„A co k tomu řekla Eloise?"

„Že z její strany taky žádný Mark není. Bylo tam pár lidí, jejichž partnery jsme neznali, ale pokud by ten Mark s někým přišel, nebalil by přece Amii, ne?"

„Patrně ne. Poslala vám Amie ještě nějakou další esemesku, která by se týkala Marka?"

Jamie přikývl. „Několik dní po svatbě ji vzal na kari." Zápolil s mobilem a vyvolal aplikaci zpráv. „Podívejte se sám."

Podal telefon Alvinovi.

AMIE: Tak jak se bavíte, cukroušci? Doufám, že Barbados je bomba! Milý Mark z vaší svatby mě včera večer vzal do úžasné indické restaurace. Skvělé jídlo a ještě lepší společnost! Je vážně zlatíčko, nemůžu uvěřit tomu, že jste ho přede mnou schovávali! Pusa pusa pusa

JAMIE: Ne záměrně! Nemůžeme přijít na to, kdo to je. Ale je bezva, že ses seznámila s někým příjemným. Pusa

AMIE: Říkal, že zná El z práce. Možná se na tu svatbu vetřel, protože jste ho nepozvali! Pusa pusa pusa

JAMIE: To už je jedno. Bav se dobře, kotě, jdeme na koktejly při západu slunce a pak kdo ví co?!? Pusa

Alvin vzhlédl. „Ani jednomu z vás nevadilo, že jste na svatbě měli úplně cizího člověka."

Jamie pokrčil rameny. „To se děje v jednom kuse. Od chvíle, co do kin přišli *Nesvatbovi*, je to oblíbená zábava. Spousta vtipálků je napodobuje. Slyšel jsem, že to nějací chlapi dělají třeba každý víkend. Nikomu to vlastně neublíží, jen tam proniknou a dají si pár drinků."

Alvin měl s bezstarostností Jamieho přístupu k věci docela problém. Dohadoval se, jestli jeho vlastní nesouhlas s takovým chováním má své kořeny v délce služby u policie, v tom, že ví, co se děje ve skutečném světě. Nebo jde o přehnané ochranářství vůči vlastní osobě? Nikdy by mu nebylo příjemné pomyšlení na naprosto cizí lidi na jeho rodinné sešlosti. „Existují ještě další zprávy?" zeptal se čistě ze zdvořilosti, už když palcem posouval displej, aby se sám podíval.

„Jen si poslužte," vybídl ho Jamie.

AMIE: Ho hó, Dani z kontaktního místa v Hunslettu se stěhuje k nám. Je jednička!

JAMIE: Bezva. Tu holku miluju. Viděla ses zase s Markem?

AMIE: Zajeli jsme si do té venkovské hospody s živou hudbou, která byla trochu bzzz, ale on byl milý. Umí mě rozesmát. Uvidíme se zase v úterý. Jak je na Barbadosu?

JAMIE: Děsně to tu žerem. El je úžasně opálená, já jen růžový.

AMIE: Senzační noc venku s Markem, šli jsme do skvělé italské restaurace. Pozval mě na víkend do Dales. Půjčil si chatu od kamaráda. Není to boží?

JAMIE: Ohó. Pochopil jsem. Víkend v Dales. Máš holiny?

AMIE: Drzoune. Mám pohorky, abys věděl.

JAMIE: V pondělí mi všechno vylíčíš! Alespoň se mám kvůli čemu těšit do práce. :(

AMIE: Slibuju, že ti nic nezamlčím. Pusa pusa pusa

„A to je všechno?"

Jamie přikývl. „Nešlo mi do hlavy, proč v pondělí nepřišla do práce, aniž by cokoli řekla. Tvrdil jsem Eloise, že ten víkend v Dales musel být ještě větší psina, než doufala." Těžce polkl. „Teď je mi zle z toho, že jsem to řekl."

„Nemohl jste to tušit," utěšoval ho Alvin. „Budeme si potřebovat prohlédnout co možná nejvíc fotek z vaší svatby. Můžete to pro nás nějak zařídit?"

Jamie si povzdechl. „Patrně ano. Určitě dáme dohromady telefonní čísla a maily na každého, kdo tam byl. Zajistím, aby se to dozvěděli. Amii všichni milovali." V očích se mu zaleskly slzy. „Musíte chytit toho parchanta, co to udělal. Byla tak milá. Byla jako sluníčko."

Alvin sklonil hlavu. „Věřte mi, že na tom pracujeme."

33

Než Kevin dorazil k Amii McDonaldové v Leedsu, zmocnila se bytu už policie Západního Yorkshiru. Na první pohled v jejich přístupu nebylo nic, na co by si mohl stěžovat, ale vzhledem ke skutečnosti, že zde neobjevili ani stopu po muži, se kterým Amie začala chodit po svatbě Jamieho a Eloise, nebylo ani ohledně čeho spolupracovat. Nenašli tu ani příhodný papírový kalendář s vyznačenými daty; Amie si nejspíš vedla diář v mobilu a neměla záložní kopii v tabletu na nočním stolku. A mobil zřejmě vzal za své v ohni spolu se svou majitelkou.

Kevin se přesto kolem sebe rychle rozhlédl. Byt tvořil pravý opak toho, který popisovala Paula. Zatímco Kathryn byla až spartánsky pořádná, Amie by se dala označit za královnu nepořádku, všechny místnosti byly plné oblečení, časopisů, líčidel, suvenýrů z dovolených, exoticky zbarvených alkoholů v podivně tvarovaných lahvích a toho, co by Kevin označil za klasické „krámy". Sám pro sebe byl docela rád, že na něm neleží odpovědnost za prohledání tohoto místa.

„Nechám to na vás, chlapi," řekl, jakmile se ubezpečil, že tu není nic, co by zjevně pomohlo vyšetřování.

„Pokud něco najdeme, dáme vám vědět," odpověděl velící seržant. „Ledaže by šlo o kompletní archiv časopisu *Heat*."

Když už byl Kevin jednou na místě, rozhodl se, že zkusí štěstí u sousedů. Jednalo se o účelově stavěný dům se šesti byty, který původně v polovině padesátých let vlastnilo město, ale dávno jej rozprodalo po jednotlivých bytech na základě politiky Margaret Thatcherové, že každý nájemník má právo na odkup. Teď se cena bytů vymkla možnostem prvotních obyvatel, ale staly se ideálními pro lidi se slušnou prací, jako byla Amie, pokud dokázali dát dohromady zálohu, nad níž by člověk splakal.

Na poschodí se Kevin žádné reakce nedočkal, což nebylo uprostřed pracovního dne nic překvapujícího. Kevin měl ovšem pocit, že při příchodu zahlédl pohyb síťované záclony v přízemí. Poté co zazvonil na zvonek bytu číslo 1, se dlouho nic nedělo, ale nakonec se dveře otevřely a za nimi stál postarší muž, úpravně oblečený do šedých keprových kalhot a přes modrou, u krku rozepnutou košili, která odhalovala varhánky vertikálních vrásek na kůži, si oblékl čistou kaštanově hnědou pletenou vestu. Obličej měl vyhublý a posetý hnědými stařeckými skvrnami jako jablko golden delicious ponechané příliš dlouho v míse na ovoce. Pevně svíral hliníkovou vycházkovou hůl, klouby napadlé artritidou mu vystupovaly jako uzlíky na koženém batohu. „Vy jste taky policista?" zeptal se, každým coulem otevřený jako klišé, jaké se vyžaduje od člověka z Yorkshiru.

„Ano," přitakal Kevin. „Jsem detektiv inspektor Kevin Matthews."

„Nemluvíte, jako byste byl odsud," poznamenal starý pán. „Nikdo už teď nebydlí tam, odkud pochází," postěžoval si.

„Jsem z Bradfieldu. Mohl byste mi, prosím, říct své jméno, pane?"

„Proč ne. Za to nic nedám. Jsem Harrison Braithwaite."

„Rád vás poznávám, pane Braithwaite. Mohl bych si s vámi promluvit o jedné z vašich sousedek? O Amii McDonaldové?"

Obličej se mu prozářil úsměvem. „Amie? Moc milé děvče. Dostala se do nějakého maléru, viďte?" Zahihňal se vysoko posazeným tónem, který k němu vůbec neseděl. „Velice temperamentní, to je celá Amie."

„Obávám se, že jde o závažnější věc." Kevin postupoval jemně. „Je mi to líto, ale musím vám oznámit, že Amie je mrtvá."

Vodnaté modré oči se rozšířily, čelist mu poklesla. „Ne, mládenče. To musí být nějaký omyl. Viděl jsem ji v pátek po práci. Zastavila se tu, aby mi oznámila, že jede na víkend do Dales, jestli nechci něco z krámu, než odjede. Byla zdravá jako řípa. Jak by mohla být mrtvá?"

„Můžu dál?"

Braithwaite nepřítomně přikývl a otevřel dveře o něco víc, aby Kevin mohl vejít. Byt byl přetopený, ale překvapivě voněl po kadidle. Z obývacího pokoje na konci chodby se ozývaly podivné cvrlikavé zvuky. Kevin za starým pánem vstoupil do světlé místnosti, jejíž jednu stěnu tvořila voliéra. Muselo v ní být nejméně pětadvacet malých ptáčků – andulek, kanárků, papoušků, dokonce tu byl i párek hrdliček. Vůně kadidla teď začala dávat smysl – pod ní byl patrný slabý nádech čpavku z ptačího trusu. „Páni," vydechl Kevin a zamířil rovnou k slabounkým mřížím. „Tohle jsem teda nečekal."

„Je to moje pýcha a radost." Braithwaite klesl do ošuntělého křesla. „To nejsou domácí mazlíčci, to jsou společníci." V místnosti nebyl ani klid, ani ticho. Z takového zmatku a švitoření by Kevin šílel, ale Braithwaite si v něm zřejmě liboval. „Amie ty ptáky milovala," pokračoval. „Ale co se jí stalo? To mi hlava nebere, v nikom nebylo víc života než v Amii."

Kevin se posadil proti němu na méně opotřebované dvojče jeho křesla. „Našli jsme její tělo ve vyhořelém autě na vedlejší silnici v Dales."

„Ach, můj bože!" vykřikl ohromený Braithwaite. „Snad neuhořela? Že ne?" Vypadalo to, že nemá daleko k pláči. „Býval jsem horníkem, vím, co dokáže oheň." Přitiskl si ruku k ústům.

„Ne, ne," pospíšil si Kevin. „Ne, myslíme si, že když auto začalo hořet, byla už mrtvá."

Braithwaite se zamračil. „Nechápu."

„Nedá se to říct žádným ohleduplným způsobem, pane Braithwaite. Domníváme se, že Amii zavraždili a její tělo zapálili spolu s autem, aby vrah zakryl stopy. Teď se snažíme udělat si obrázek o Amiině životě v posledních dnech před její smrtí. Jestli nezjistíme, kde se její cesta překřížila s cestou jejího vraha." Odmlčel se, dával starému pánovi chvíli na to, aby se vzpamatoval.

„Nemůžu uvěřit, co říkáte, chlapče." Zavrtěl hlavou, otřásl se. „Proč… Nechápu, proč by někdo měl chtít Amii ublížit. To děvče mělo srdce ze zlata. Vloni v zimě jsem si zlomil nohu. Uklouzl jsem na schodě jako naprostý pitomec. Amie mi tři týdny zařizovala všechny nákupy, dokud jsem se zase nedal do kupy. A ještě pořád mi nosí všechny těžké věci. Rajčata v konzervě, ptačí zob, lahve piva." Svraštil obličej. „Co si teď počnu? Některé týdny byla jedinou osobou, se kterou jsem kromě ptáků mluvil."

Kevin mu dopřál chvilku úlevy. „Zdá se, že byla moc milá."

„Byla. I když v lásce štěstí zrovna neměla. Byla to věčná optimistka. Pokaždé když se dala dohromady s někým novým, si byla jistá, že je to ten pravý. Ale nikdy to nevydrželo. Měla svoje požadavky. Měla ráda, když se věci dělaly pořádně. A když jí nevyhověli? No, jak se to říká v Americe? Třikrát a dost." Zavrtěl hlavou, povzdechl si.

153

„Domníváme se, že se v poslední době mohla seznámit s někým novým," nakousl Kevin.

„Jo. Náhodou se nemýlíte. Asi před třemi týdny se zbavila toho budižkničemu Stevea Standishe, ale pak na jedné svatbě potkala nějakého mládence, no, to muselo být předminulou sobotu. Jmenoval se Mark."

„Řekla vám toho o Markovi hodně?"

„Tvrdila, že je skvělý. Od té svatby si dvakrát nebo třikrát někam vyšli a prý je dokonalý gentleman. Většině mužů jde jen o jedno, říkala. A očekávají, že to dostanou na první nebo druhé schůzce. Ale Mark byl podle ní jiný. Chtěl na věc jít pomalu."

„A Amii to vyhovovalo?"

„Prý s nikým takovým ještě nikdy nechodila. S takovým, co ji chce poznat pro ni samotnou, ne pro to, co pro něj může udělat. Říkala, že je vdovec. Rakovina." To slovo vyslovil, jako by mělo svou vlastní sílu. „Proto nechtěl nic uspěchat. Amie povídala, že prý mu připomíná jeho zesnulou ženu a to v něm vzbuzuje respekt. Abych řekl pravdu, bylo to poprvé, kdy se mi líbilo, co vypráví o kterémkoli ze svých mužů." Zvedl se a přešel ke svým ptáčkům. Prostrčil mřížkou prst a okamžitě na něm přistála modrá andulka. Přiložil k mřížce obličej a ptáček si otřel hlavičku o jeho vrásčitou tvář. Bylo to podivně něžné setkání. Pak chvíle pominula a Braithwaite se jemně stáhl a vrátil se do křesla, opět klidný.

„Tak to byl ten Mark, kdo ji zabil?"

„V tomhle stadiu nevíme nic najisto. Řekla vám Amie o Markovi něco víc? Znáte jeho příjmení? Víte, čím se živil?"

„Pracuje jako manažer marketingu v Tesku. Hodně cestuje. Musí zajistit, aby v obchodě měli správně vystavené zboží. Má to něco společného se slevami. Znáte to? Kupte si jeden kus a druhý dostanete za poloviční cenu. Sto věrnostních bodů za role toaletního papíru. Podobné věci. Není to pořádná práce pro chlapa, ale člověk bere, co se dá. A zdálo se, že mu to nese. Bral ji na pěkná místa. A taky se velice pěkně oblékal. Rád se dívám na muže, který je pyšný na to, jak vypadá."

Kevin se snažil nedat najevo, jaký účinek na něj Braithwaitova slova měla. „Vy jste ho viděl?" Záměrně ležérně, jako kdyby mu na odpovědi ani za mák nezáleželo.

Braithwaite přikývl. „Když si spolu v úterý vyrazili, vrátili se taxíkem. Vystoupil s ní a doprovodil ji ke vchodu do domu. Nechápejte to špatně, nešmíroval jsem ji nebo tak něco. Nejsem úchyl. Ale zrovna jsem v tu chvíli vypnul televizi, tak jsem seděl v pokoji potmě. Rád poslouchám, jak se ptáčci ukládají ke spánku. Každopádně se políbili na rozloučenou. Nic neslušného, ale nechyběla v tom trocha vášně, víte? A pak se vrátil do taxíku a Amie si otevřela dveře. Taxík počkal, než zašla dovnitř, potom odjel."

„V kolik to tak bylo?"

„Jak jsem říkal, zrovna jsem vypnul večerní zprávy, tak nemohlo být moc přes čtvrt na jedenáct."

„Dokázal byste mi ho popsat?"

Braithwaite se zamyšleně zatahal za ušní lalůček. „Průměrná výška, možná něco málo pod sto osmdesát centimetrů. Štíhlý, ale ne vyzáblý, víte? Dobře stavěný, dalo by se říct. Tmavé vlasy sčesané jakoby do patky. Měl takové ty kulaté brýle, jaké nosíval John Lennon. My jsme jim říkávali babiččiny brýle. Velice pěkný oblek, zdálo se mi. Takový v Tesku nekoupíte."

„Jste velice dobrý pozorovatel," pochválil ho Kevin, přestože popis ve skutečnosti nebyl k užitku. Doufal ovšem, že se na háček chytí další ryba.

„Kromě svých vlastních ptáčků sleduji i ptáky na zahradě," vysvětlil. „Když hledáte rozdíly mezi jednotlivými druhy, vycvičíte si oko pro detaily."

„Zjevně. Předpokládám, že jste si nevšiml, které firmě patřil ten taxík?"

Přikývl, krátce se zapýřil hrdostí. „Všiml, mládenče. Yorkie Cabbie. Poznám je hlavně proto, že je sám rád používám. Poskytují důchodcům slevu."

Kevin si uvědomoval, jak křehké je to vodítko. Ale je to vodítko. A těch bylo za několik posledních týdnů zatraceně málo. Nemohl se dočkat, až informaci předá dál, ale bylo mu jasné, že nemůže okamžitě vyskočit a utíkat k autu. Carol Jordanová svému týmu vždycky vtloukala do hlavy, jak je důležité nechat si u svědků otevřené dveře.

Pět minut. Tolik času ještě věnuje Harrisonu Braithwaitovi a jeho ptáčkům. A pak vypadne.

34

Stevea Standishe objevili u bolestivě hlasitého stroje, sundaval pneumatiku z kola z lehké slitiny. Pneuservis, kde pracoval jako zástupce vedoucího, běžel na maximum kapacity. Všechny kóje a montážní jámy byly obsazené a mechanici pracovali naplno. Paula a Karim vešli dovnitř pomalu, zjevně nikterak nedotčeni okolním chvatem. Prvního muže v montérkách požádali, aby jim ukázal Standishe. Škubl palcem směrem k jeho stroji. „To je on. Co sundává tu pneumatiku."

Beze spěchu se k němu blížili, nechtěli se přimotat do cesty zaměstnancům. Paula využila příležitosti dobře si Standishe prohlédnout. Nemohl měřit o moc víc než sto sedmdesát pět centimetrů, ale měl rozložitá svalnatá ramena a montérky v pase zajištěné širokým koženým páskem. Jeho postava vypovídala o tom, že tráví víc času ve fitku než na gauči. Ale fyzická povaha jeho práce znamenala, že nejde jen o svaly z tělocvičny. Ty jeho byly poctivé. Měl husté špinavě blond vlasy, po stranách vyholené a vzadu vyčesané trochu příliš vysoko, takže to vypadalo, jako by měl na hlavě paruku, která mu sklouzla dopředu. Počkali, až uvolní pneumatiku z kovového rámu a vypne stroj, pak na něj Paula promluvila. „Steve Standish? Jsme z regionálního týmu pro závažné zločiny."

Při zvuku svého jména se prudce otočil, vyvalil oči překvapením, když mu došlo, že jsou policisté. „Neudělal sem nic špatnýho," pospíšil si. Hlas měl hluboký a asertivní.

„Nic takového nikdo netvrdí. Jsem detektiv seržant McIntyreová a tohle je detektiv konstábl Hussain. Máte tu nějaké místo, kde bychom si mohli v klidu promluvit?"

Opatrně odložil tyč na pneumatiky na zem vedle svých nohou. „O co jde?" zeptal se, ruce na bocích, brada vystrčená dopředu, podvědomě se snažil vypadat větší.

„Věřte mi, že nechcete, aby tenhle rozhovor probíhal před vašimi kolegy," ujistil ho Karim.

„Nemám žádný tajemství. Ať mi chcete říct cokoli, vysypte to."

Oba policisté si vyměnili pohledy. „Kdy jste naposledy viděl Amii McDonaldovou?" zeptala se Paula.

Standish zakroužil hlavou v přehnaném pohybu naznačujícím, že ho z té otázky rozbolela hlava. „Co tvrdí? Poslyšte, v životě sem na ni nešáh. Dobře, mrsknul sem tou zatracenou konvicí na čaj o zeď. Možná sem i trochu zařval. Ale v životě sem na ni nevztáhnul ruku. Proč čekala tři tejdny, než vás zavolala? To ji znudil ten její novej život, nebo co?" Naklonil se dopředu, ruce sevřené v pěsti.

„Mohl byste nám odpovědět na otázku, pane?" Paula si zachovala kamenný výraz. Už teď se dohadovala, co Amii McDonaldovou na tomhle muži přitahovalo. Ano, nevypadá špatně, ale pokud se takhle chová běžně, nechtěla by se pohybovat poblíž něj.

„Naposled sem ji viděl před třema tejdnama. Vyhodila mě, protože sem porušil další z těch jejích pitomejch pravidel."

„O jaká pravidla šlo?" zeptal se Karim.

„Nenechávat záchodový prkýnko nahoře, nedávat si nohy na konferenční stolek, odnášet svoje špinavý nádobí do myčky, nenechávat ručník na podlaze koupelny. Samý takový blbiny. Mizerný blbiny. Věci, co by jí zabraly deset vteřin. Chci říct, já za ni dělal věci v jednom kuse. Sestavil sem jí pitomou skříň z IKEA. Staral sem se jí o auto. Vyzvedával ji z práce. Tak jak se to dělá. Dáváš a bereš. Ale ne, ta zatracená Amie hledala pana Dokonalýho, a abych byl upřímnej, mě měla jen na mezidobí. Už sem měl plný zuby toho jejího nespravedlivýho nadávání. Takže ať tvrdí, co chce, jsou to kecy."

„Takže vy jste se na ni nezlobil? Nechtěl jste se k ní vrátit?" vyzvídala Paula.

Pokrčil masitými rameny. „Trochu mě to namíchlo. Nikomu se nelíbí dostat kopačky, ne? Zejména když má pocit, že zrovna von to má těžký. Ale mně to zas tak moc nevadilo. Pořád mám svůj vlastní byt, nebyl sem tak pitomej, abych se všeho vzdával kvůli ženský, která měla víc chlapů, než kolik já vyměnil pneumatik."

„To znamená, že jste ji minulý víkend vůbec neviděl?"

Mračil se, vraštil čelo úsilím. „Tenhle poslední víkend? Proč bych se s ní měl vidět? Co mě vyhodila, sem se k ní nepřiblížil. Já nemusím u žádný ženský žebronit."

Paula si uvědomovala, že se stali středem pozornosti celé garáže. Ostatní mechanici si nacházeli důvody, aby se mohli přiblížit k jejich konverzaci, a několik mládenců, kteří vyměňovali výfuky, dokonce přestalo předstírat, že pracují, a otevřeně špicovali uši.

„Co jste dělal tenhle víkend?" zajímala se Paula. „Jenom pro porovnání."

„Tvrdí, že sem jí něco udělal? Protože sem na ni ani nekoukl, natož abych na ni vztáhnul ruku."

„Tenhle víkend." Paulin hlas ztvrdl. „Můžeme to odbýt tady, nebo můžeme jít na stanici."

Odfrkl si. „Znám svoje práva. Nemůžete mě odvést do vězení, pokud mě nezatknete."

Paula postoupila o krok do jeho osobního prostoru. „Určitě mě k tomu chcete dotlačit? Věřte mi, že toho budete litovat. Vážně chce váš šéf, aby jeho zákazníci viděli, jak jednoho ze zaměstnanců odvádějí v poutech? Myslíte si, že ještě zítra budete mít práci?"

„Vyhrožujete mi?" Jeho hlas ztratil něco ze sebejistoty.

„Ne. Informuju vás." Paula vydržela jeho pohled. Odvrátil se jako první.

„V pátek po práci sem si s kamarádama zašel do hospody. Potvrděj mi to. Pak sme šli na kebab." Jakmile začal, nebylo možné ho zastavit. „Doma sem byl v jedenáct, protože sem měl pracovní víkend. Tady sem byl od osmi do šesti, pak sme zas celá banda šli do města. Stejně jako den předtím, akorát že sem tentokrát v GlitteratLeeds sbalil jednu holku. Znáte to? To je ten klub dole za nádražím. Šli sme k ní, pořádně jsem ji zhuntoval, řekla mi jméno a telefonní číslo a kolem devátý ráno sem vypadnul. Sotva sem měl čas se vysprchovat a převlíknout do práce. Tady sem byl do čtyř a pak sem šel k mámě na nedělní jídlo. Byl sem tam s mámou, tátou, sestrou a jejím přítelem. Zůstal sem tam dlouho – sledovali sme *Match of the Day 2*. Pak mě Joni s Chrisem vysadili cestou domů. Takhle vypadal můj zatracenej vzrušující víkend. Takže ať ta mrcha Amie tvrdí, že sem udělal cokoli, neudělal sem to."

„Děkuju, pane. Budu v tom ohledu potřebovat vaši plnou výpověď spolu se jmény a kontakty na všechny, kteří můžou potvrdit to, co jste nám tady řekl. Vezmu si na vás spojení a dohodneme čas, kdy přijdete sepsat svoje prohlášení." Paula se slabě usmála.

„Je to doopravdy nutný? Všechno to obtěžování kvůli nějaký otravný zatracený stížnosti?" Vrátil se ke své útočnosti.

„Ano, je to nutné, pane." Paula předstírala, že odchází, udělala několik taktických kroků stranou od něj, až se dostala z dosahu jeho silných paží. „Víte, nejde o žádnou otravnou zatracenou stížnost. Vyšetřujeme vraždu."

Tvář mu ztuhla uprostřed úšklebku. „V-vraždu?"

„Ano, pane." Paula si nelibovala v taktice šokem, ale u Stevea Standishe byla ochotná udělat výjimku. „Někdo zavraždil Amii McDonaldovou. A vy nám musíte zodpovědět několik závažných otázek."

35

Yorkie Cabbie měli úřadovnu v místnosti, která bývala salonem ve viktoriánské vile v zemi nikoho mezi Headingleym a Meanwoodem. O kdysi úžasný rodinný dům se podělila desítka malých živností. Uvízlý mezi hranatým třípatrovým blokem kanceláří z šedesátých let a odsvěceným kostelem, který se změnil ve zdravotnické centrum, působil spíš jako vetřelec než jako nejstarší obyvatel. Ulice Kevinovi připomněla častý projev znechucení jeho irské babičky: „Ani maso, ani drůbež, ani poctivý dobrý slaneček."

Otevřel těžké hlavní dveře vedoucí do zašlé chodby s popraskanou vinylovou podlahou a ošuntělou béžovou výmalbou. Laminátová cedule na stěně směrovala zákazníky k různým nájemcům budovy, Kevin prošel kolem rychloopravny mobilů a tabletů k Yorkie Cabbie. Vstoupil do malé kabinky se dveřmi na jedné straně a pultem postaveným v pravém úhlu k nim. Kovová mříž ho oddělovala od kanceláře taxislužby, kde se nad laptopy nakláněl jeden muž a dvě ženy, na uších sluchátka. Přerušované mumlání jejich konverzace byl přímý audiopřenos cest. Hned u pultu seděla žena něco po čtyřicítce s kyselým výrazem v obličeji. Přehlédla ho od hlavy až k patě pohledem, který vypovídal, že život je posloupnost zklamání a Kevin na tom nic nezmění.

„Chcete taxík, lásko?" zeptala se unaveně mdlým nosovým hlasem.

Kevin jí ukázal policejní průkazku a žena náhle ožila. „Ach. Regionální. Ne místní. To zní ohromně. Co pro vás můžu udělat, lásko?" Řekla to skoro koketně, což nesedělo k mrzutým vráskám v jejím obličeji.

„Snažím se vysledovat nějaké informace o jízdě jednoho z vašich taxíků v úterý večer. Vím, že lidé si taxíky musí rezervovat přes vás. Nemůžou si je zastavit na ulici, je to tak? Takže hádám…" Naklonil se nad pult a věnoval ženě svůj nejlepší úsměv. „…že bych si měl promluvit s vámi."

„To máte každopádně pravdu. Systému, který používáme, nikdo nerozumí líp než já. Co potřebujete vědět?"

„Úterý večer. Kolem jedenácté. Nejsem si jistý, kde nastupovali, ale zákazník někoho vysazoval na Fulwell Crescent 43, pak jel ještě někam dál."

„Aha, tak to nám situaci poněkud komplikuje," odpověděla, její prsty už mačkaly klávesy. „Podívejme se…"

Kevin nemohl tak úplně uvěřit svému štěstí. Byl zvyklý na oficióznost nižší úrovně téměř u všech, co ťukali do klávesnice. Reakce, z níž šel do kolen: „No, to spadá pod ochranu dat." I když požadovaná informace byla naprosto neškodná a rozhodně neošetřená legislativou. Byla to jedna z mála věcí, které v něm vyvolávaly iracionální hněv. Skutečnost, že narazil na někoho, kdo patrně ani za mák netouží předvádět svoji malichernou mocičku, téměř obnovila jeho víru ve veřejnost. „Oceňuji vaši pomoc," řekl.

„Věřím, že policii se má pomáhat," odpověděla žena s očima dosud na monitoru. „Vloni naši Penny přepadli na Chevinu, když venčila psa, a vaši lidé už nemohli odvést lepší práci. Ten malej šmejd nakonec dostal dva roky, ale to není chyba policie, že soudce byl úplnej měkkejš." Zamračila se. „Tady to máme. Nástup… Ták, to je moc pěkná restaurace, náš Jack tam vzal svoji přítelkyni, když ji chtěl požádat o ruku. Zastávka na Fulwell Crescent, pak… No, to je trošku divný."

„Copak?"

„No, vyzvedl je v centru, jel celou cestu až na Fulwell Crescent a pak se zas vracel celou cestu zpátky do města a vysadil zákazníka u nádraží. Větší smysl by dávalo, kdyby si napřed odbyl zastávku u nádraží. Navíc by to vyšlo mnohem levněji."

Možná to nedávalo smysl dispečerce, ale Kevin okamžitě pochopil, o co šlo. Muž, co si říká Mark, tak zajišťoval, aby Amie neměla důvod pochybovat o čemkoli, co jí o sobě napovídal. A vytvořil falešnou stopu pro ni a každého dalšího, kdo by po věci šel. „Ten řidič teď patrně není ve službě?"

„Podívám se." Několik dalších kliknutí myší, pak přikývla. „Máte štěstí, lásko. Barry Cohen. Nastoupil v poledne. Počkejte." Obrátila se a zajela se židlí k nejbližší osobě se sluchátky. Poklepala ženě na rameno a potichu se spolu bavily.

„Volá ho," oznámila dispečerka, když se vrátila k pultu. „Vysazuje zrovna někoho v Cookridgi, bude zpátky za deset minut."

161

Kevinův úsměv byl stoprocentně upřímný. „Vážně moc oceňuju vaši pomoc."

„Rádo se stalo. Což kdybyste na Barryho počkal venku? Jezdí ve stříbrné Škodě Octavii. Dám mu vědět, že je v pořádku, když si s váma promluví."

Barry dorazil o několik minut později, zaklíněný za volantem svého taxíku. Tuk mu kaskádovitě splýval po těle už od ramen. Spolu se strništěm na bradě připomínal tuleně vyvrženého na břeh při přílivu. Kevin si nedokázal představit, jak vystupuje z auta a pomáhá pasažérovi se zavazadly. Posadil se na sedadlo vedle něj a představil se. „Sledujeme vodítko jednoho důležitého vyšetřování," vysvětlil. „Potřebuju si s vámi promluvit o večerní jízdě z minulého úterý."

„Jo," zavrčel. „Babs říkala. Kolik času to zabere?"

„To záleží na tom, kolik mi toho můžete říct," opáčil Kevin.

„Akorát, že pracuju. Musím živit ženu a čtyři děti."

Kevin se v duchu otřásl při pomyšlení na to, jak byly tyhle děti počaty. Stella by ho za takový kritický postoj zpražila, ale občas tomu člověk těžko odolá. „Čím rychleji začneme, tím dřív se vrátíte k práci."

Barry si odkašlal. „To se vám lehko řekne při vašem platu inspektora. Já pořád bojuju o přežití. Pracující člověk je vždycky ten, kdo prohrává. Počítám, že byste mi mohl zaplatit za jízdy, o který přijdu."

„Takhle to nechodí." Barry se zatvářil, jako by se měl co nevidět rozbrečet, a Kevin vyměkl. „Něco vám povím. Spusťte taxametr a jezděte kolem bloku."

Nemusel mu to říkat dvakrát. Vpluli do proudu dopravy a Kevin začal: „Ta úterní večerní jízda. Vyzvedl jste je před nějakou restaurací?"

„Přesně tak. Pěkný místečko. Ne že bych si mohl dovolit tam jít. Jmenuje se Guadalupe. Je to dole v jedný uličce kousek od Briggate, tam dolů se nedá zajet. Proto čekali na samotným Briggate."

„Kolik pasažérů?"

„Jen ti dva." Barry se přesunul do levého pruhu a zastavil na semaforech. „Muž a žena."

„Dokázal byste je popsat?"

„Ani ne. Abych byl upřímnej, nevěnoval jsem jim moc pozornosti. Zajímá mě jenom, jestli jsou dostatečně střízliví a jestli vypadají na to, že budou mít peníze na jízdný. Při identifikaci v řadě nebo tak něco bych je poznat nedokázal. Tak co udělal ten chlap?"

Kevin nemohl předstírat zklamání. Tenhle pokus neměl moc šance na úspěch. „Nezaslechl jste něco z jejich rozhovoru?"

„Neposlouchal jsem. Máte tušení, jak nudná je většina zákazníků? Slýcháte, jak si lidi utahujou z taxikářů, co vykládají svoje moudra, jako bysme byli nějaký blbý fanatici. Ale sakra, měl byste slyšet ty nesmysly, co si musím vyslechnout já. Vždycky si naladím rádio na Smooth a snažím se od nich odříznout. Pamatuju si akorát to, že byli hodně povídaví, takže bych řekl, že to nebyli manželé nebo tak něco." Světla na semaforech se změnila a oni zahnuli za roh. Kevin se tiskl ke dveřím, aby se vyhnul prostornému tělu řidiče.

„Kde jste je vysadil?"

„Ona vystoupila na Fulwell Crescent. Číslem si nejsem jistý, ale byl to činžák. Doprovodil ji ke dveřím. Hlídal jsem si je pro případ, že by snad chtěli zdrhnout. Lidi jsou šmejdi, zejména pozdě v noci, když se napijou a myslí si, že by byla sranda okrást taxikáře. Ale on ji jen políbil a vrátil se do taxíku. Teď, když o tom přemejšlím, měl brejle. Velký kulatý, jako nosí hipsteři."

„Dobře. A Babs říkala, že jste ho vezl zpátky do města."

„Jo. To mě překvapilo. Proč jel celou tu cestu z města, když se zase hned vracel? Mohl jsem ho klidně vyklopit u nádraží předtím, než jsem ji odvezl domů. Neřekl jsem ani slovo, ale pomyslel jsem si, že má víc peněz než rozumu."

„Takže jste ho vezl na vlakové nádraží?"

„Přesně tak."

Začínalo to vypadat na slepou uličku. Ale Kevin přesto pokračoval dál. „Neříkal, kam jede?"

„Ne. Ale stala se zvláštní věc. Tvrdil, že mu vlak jede deset minut před půlnocí. Akorát že my taxikáři známe jízdní řády, protože sem v jednom kuse vozíme lidi. A jsem si naprosto jistej, že deset minut před půlnocí žádnej vlak z Leedsu neodjíždí. Možná se mýlím, ale nemyslím."

„Ověřím si to."

„To byste jen marnil čas. Protože je tu ještě jedna věc. Vysadil jsem ho

163

před nádražím a on vešel do budovy. Neodjel jsem hned. Zastavil jsem se na slovíčko s jedním řidičem. A čert mě vem, jestli nevyšel rovnou dalšíma dveřma a nevyrazil zpátky do centra. A co nám to vypovídá, eh?"

Pokud má Tony pravdu a jejich vrah je tak dobrý plánovač, jak se obávají, vypadá tohle na další pokus nasypat jim písek do očí. Ale možná se tentokrát vrah přepočítal. Jen málo míst v moderní Británii je tak pečlivě sledováno jako hlavní nádraží velkých měst. Kevin si dopřál chvilku uspokojení. Tohle je solidní kousek, do kterého Stacey může zatnout zuby.

36

Teprve když se Flash přiloudala z hlavní části stodoly a se slabým štěknutím složila hlavu do Tonyho klína, uvědomil si, jak dlouho zíral do displeje laptopu, aniž by ji vnímal. Pohlédl na hodiny v notebooku a odsunul židli od stolu, zaskočený tím, kolik času uběhlo. „Promiň, Flash," zamumlal. „Musela jsi držet zkřížené nohy."

O pět minut později byli na kopci, Tony po něm stoupal v sérii širokých oblouků a pes lítal sem a tam po stopě každého pachu, který upoutal jeho pozornost. Po vřesovišti se proháněla ostrá bríza, střídavě útočila na jednu či druhou stranu Tonyho hlavy. Obloha byla celá šedá a těžká deštěm. Nic z toho Tonymu nepronikalo do vědomí. Byl hluboce zabraný do svého nitra ve snaze přijít na to, co se skrývá pod povrchem dvojnásobné vraždy, jejímž řešením je pověřen Carolin tým.

V jádru všeho, co dělal, ať už jako klinický lékař, nebo jako tvůrce psychologických portrétů, ležela empatie. Jeho schopnost vklouznout do kůže někoho jiného, do mysli někoho jiného, do srdce někoho jiného byla záludná. Během let mu přinesla značnou dávku žalu; bývaly doby, kdy hrozilo, že bolest jiných lidí zahltí jeho vlastní obranyschopnost. Ale on to vítal. Celé roky, kdy věřil, že se za člověka pouze vydává, byla ta bolest jeho kotvou. A teď, když začínal důvěřovat integritě vlastních emocí, si stále cenil této identifikace s něčí sklíčeností ze světa.

Moc dlouho se děsil sám sebe, protože dobře věděl, kolika položkám ze seznamu rysů sériového pachatele vyhovuje. Matka, která mu neprokazovala lásku a aktivně demonstrovala svoje pohrdání jeho existencí. Dominantní babička, která převzala největší podíl na jeho výchově a která zavedla režim trestů, jejichž krutost by si nezadala s romány Charlese Dickense. Otec, natolik nepřítomný, že o něm Tony nevěděl zhola nic až do jeho smrti. Cíl verbální a fyzické šikany ve škole. A brzká sexuální zkušenost, která skončila posměchem. Svou impotenci dosud považoval za potupnou; v poslední době se ovšem dohadoval, jestli na ní nelpí, protože mu zabraňuje, aby ke Carol udělal poslední krok, který by mohl skončit jedině dalším nezdarem.

Zachránila ho – a teď na to často vzpomíná, protože se na okraji jeho života pohybuje pes – jediná osoba, která mu v době hlubokého pubertálního zoufalství ukázala lásku. Ze všech nejnepravděpodobnějších lidí to byla kuchařka ve školní jídelně. Kuchařka, která si všimla jeho utrpení a vybídla ho, aby jí pomohl starat se o tlupu zachráněných psů. Viděl její lásku ke zvířatům a vnímal její starost o něj a zastihlo ho to přesně ve správném životním období, kdy ho jeho zoufalství mohlo stáhnout dolů na zcela odlišnou cestu.

Za to, že svých schopností umí využít pro dobro, vděčí její památce.

Proto se teď snaží procítit si cestu k pochopení významu, který leží za těmi zdánlivě nesmyslnými vraždami. „Nezabíjíš konkrétně tyto konkrétní ženy," řekl nahlas. Mluvení a chůze mu vždycky pomáhaly dodat smysl jeho případům. Ve své staré studovně byl zvyklý korzovat. Přecházet sem a tam, sem a tam, v konečném výsledku celé hodiny. Potom začal žít na *Steeleru*, lodi, jež patřívala jeho otci, a vyrážel po kanálu vedoucím z Minster Basin tajným kaňonem, který se táhl za vysokými kancelářskými budovami a hotely v centru města, až se vynořil v houštím zarostlém okolí předměstí. A teď je tady, táboří v hostinském pokoji Carolina mrtvého bratra, toulá se po vřesovištích za stodolou s kolií se šílenýma očima, která se bojí ovcí. Tony neměl nejmenší tušení, jak skončil v téhle pustině. Ale musí tu zůstat, dokud se Carol nevyrovná se svou čerstvou střízlivostí. I když ho to nutí k ostražitosti a je z toho stísněný.

„Jsou pro tebe nuly," pokračoval. „Mohl by to být kdokoli. Pronikáš na cizí svatby. Proč? Má pro tebe svatba nějaký symbolický význam? Znamená pro tebe něco ta svatba, ne ty ženy?" Přeskočil bažinatý potůček, který si statečně razil cestu hrubou trávou vřesoviště.

„Nebo to tak děláš proto, že svatby dostanou osamělé ženy do správné nálady, aby se nechaly sbalit? Zaměřuješ se na svatby, protože je to prostředí, v němž lépe vyniknou ženy, které sedí samy? Je snazší *identifikovat* tam osamělé ženy. Není to jako v klubu nebo v baru, kam ženy nemívají tendenci chodit samy. Jdou tam se svými kamarádkami, ve skupince. Ale na svatbu přijdou bez partnera. Jsou tam proto, že patří do rodiny nebo mezi přátele a někoho by urazilo, kdyby se neukázaly."

Obrátil se, aby přehlédl krajinu a chytil dech. Pes se k němu přihnal a šťouchl ho do stehna, jako by ho chtěl obvinit z lenosti. Tony pokračoval v chůzi a Flash se spokojeně vrhla vpřed. „Takže se objevíš v okamžiku, kdy už skončily formality a lidé tančí a popíjejí. Oblékneš se tak, abys zapadl. Chováš se nenápadně. Postáváš u baru a posbíráš tolik informací, aby ses před ženou, kterou si vybereš, mohl vydávat za přítele nevěsty nebo ženicha.

A pak po ní vystartuješ. Jenže tobě nestačí zmocnit se jí a zabít ji. O tomhle to není. Máš mnohem sofistikovanější cíl než jen získat a zabít. Chceš, aby tě ty ženy milovaly. Nebo alespoň chceš být schopen uvěřit, že tě milují. Potřebuješ je brát na schůzky, abys mohl vytvořit falešnou realitu. Je to *Trumanova show*. Myslí si, že jsou ve skutečném světě, myslí si, že tě doopravdy přitahují, myslí si, že bys mohl být pan Pravý. Protože tě potkaly na svatbě, kde každá žena myslí na toho pravého. A ty toho využiješ, abys v jejich hlavách sestavil určitý obrázek. Nasloucháš jim. Nejdeš na to příliš rychle."

Mračil se, dohadoval se, kam ho tohle vyprávění zavede. „A pak je zabiješ. Jenže ty je jenom nezabiješ. Ty je víc než zabiješ. Uškrtíš je, odvezeš na opuštěnou silnici a pak zapálíš. Ty je vymažeš ze světa." Opět se zastavil, ruce zaražené hluboko v kapsách. „Koho to doopravdy zabíjíš?"

„To je dobrá otázka, doktore Hille." Hlas, který se ozval za ním, Tonyho polekal natolik, že nadskočil, klopýtl a málem upadl. Kdyby ho George Nicholas nezachytil, skončil by na kolenou na bažinaté zemi. „Omlouvám se, nechtěl jsem vás vyděsit. Před chvílí jsem na vás volal, ale přišlo mi, že mě neslyšíte." Carolin soused pustil Tonyho paži a poodstoupil. Byl oblečený do přírody. Do manšestrových kalhot, značkových holínek Hunter a saka od Barboura, na hlavě měl tvídovou čepici. Růžovou pleť ještě zvýraznil vítr a námaha výstupu, působil tak přímo jako dokonalá karikatura venkovského gentlemana.

Tony se křivě pousmál. „Omlouvám se, přemýšlel jsem."

„Nahlas, jak se zdá." George se usmál. „Sám to také dělávám. Poté co jsem ztratil ženu, jsem se nedokázal obtěžovat konverzací s někým dalším."

„Pomáhá mi to poskládat si myšlenky." Tony se snažil, aby to neznělo příliš úsečně. Podle Carol jí George Nicholas víc než kterýkoli jiný ze sousedů pomohl, aby se v údolí cítila jako doma. Měl by se víc snažit mít toho muže rád a nedělat ukvapené úsudky na základě jeho oblečení. Jenže celý svůj pracovní život strávil tím, že lidi posuzoval podle toho, jak se rozhodli prezentovat sebe sama. Není pravděpodobné, že by toho najednou zničehonic nechal. Ne kvůli nějakému šviháckému majiteli pozemků, který nechal Carol usednout za volant jejího auta, když musel vědět, že vypila přes míru.

„Jak se Carol líbí zpátky v práci?" zeptal se George a opřel se o ovčáckou vycházkovou hůl, kterou měl s sebou.

„To byste se musel zeptat jí." Tony si uvědomoval, že to zní příkře, ale co jiného mohl říct?

„Je to tak trochu trapné…" George se tvářil rozpačitě, oči upíral ke vzdálenému horizontu.

„Ale?"

„Ale myslím, že bych vám měl něco říct. Nechci, aby Carol nepříjemně zaskočilo další odhalování skandálů."

Tony byl okamžitě ve střehu. „To mi budete muset vysvětlit, Georgi."

„Moji zaměstnanci jsou velice loajální. To musím předestřít na úvod." Povzdechl si. „Jde o tu noc, kdy Carol cestou domů podrobili testu na alkohol. Nějaká žena se na tu večeři vyptávala. Snažila se zjistit, kdo ten večer obsluhoval v jídelně. Vysledovala Jackii, která mi vede dům. Zpříma se jí zeptala, kolik Carol vypila."

Ticho mezi nimi vyplnil vítr. Pak se Tony zeptal: „Co jí Jackie odpověděla?"

„Řekla jí, že se nebavíme s bulvárním tiskem, a i kdyby ano, známe závazky pohostinnosti." Přes tvář mu přelétl krátký úsměv. „A pak ji poslala do prdele."

„Pokud je to žena, co myslím, nemůžu říct, že bych jí to měl za zlé. Popsala vám ji?"

George přikývl. „Dobře oblečená, dobrá mluva, dlouhé tmavé vlasy. Podle Jackie nevhodné boty."

„To vypadá na Penny Burgessovou z *Evening Sentinel Times*. Už dlouho se snaží Carol pošpinit. Dík, že jste mi o tom řekl."

„Obávám se, že je toho víc. Včera se u nás objevil jeden z těch policistů, co Carol zatýkali. Mluvil s Jackií. Vyptával se jí na to samé jako ta novinářka. Kolik toho Carol vypila. Jackie odpověděla, že to nemůže vědět najisto, protože v místnosti nebyla celou dobu, ale že si nemyslí, že by Carol za ten večer vypila víc než sklenku bílého a sklenku červeného vína."

Tony věděl, že je to lež. Stejně tak George, ale ani jeden z nich to nehodlal přiznat. „Odešel?"

„Ano. Ale mám pocit, že se bude vyptávat dál. A stačí, aby jediný člověk ztratil nervy, když mluví s policistou."

Tonymu pokleslo srdce. Na to, aby se začalo šťourat do tohohle příběhu, nebude nikdy vhodná chvíle. Ale horší už být nemůže. Jsou uprostřed klíčového případu. Carol už tak nese ohromné břímě viny. Konečně se začíná vzpamatovávat ze závislosti na alkoholu. Vzpomněl si na poslední příležitost, kdy se zapletla s lidmi, kteří udělali špatnou věc z dobrého důvodu, a nevěděl, jak jí sdělí tuhle poslední novinku.

37

Stacey rychle procházela otevřenými okny na svých šesti monitorech, kontrolovala, co ještě pořád běží a které z programů, jež uvedla do chodu, už vydaly nějaké výsledky. Některé rutinní operace byly přímočaré – například algoritmus, který získala od přítele a který analyzoval data automatického rozpoznávání registračních čísel aut, vytvářel cesty vozů na základě záběrů z kamer. Pomalu na pozadí zpětně zpracovával veškeré existující údaje o autech Kathryn McCormickové a Amie McDonaldové, shromažďoval data i z dalších zdrojů, nejen z oficiálních kamerových systémů. A pak tu pracovaly další programy, které nebyly – jak to zformulovat? – obecně dostupné.

Jedna z těchto tajných aplikací procházela účty sociálních médií a klasifikovala kontakty podle širokého rozpětí kritérií a vlastností. Byla založená na kódu, který před několika lety sama napsala, takže člověk, který aplikaci dotáhl na vyšší level, ji Stacey z vděčnosti umožnil užívat. Spustila ji na účtech Kathryn McCormickové na Facebooku, RigMarolu a Twitteru, ale těžko se z nich dala vysledovat jakákoli vodítka. Kathryn nepatřila k ženám, které byly závislé na selfíčkách a updatech statusu. Sociální média využívala sporadicky a většinou v souvislosti se společenskými akcemi z práce. Většinu jejích kontaktů tvořili spolupracovníci nebo členové rodiny a obsah byl neměnně nudný pro každého mimo tyto skupiny. Po Suzannině svatbě jí na RigMarole přišly dvě nové žádosti o přátelství, v obou se psalo o tom, jak bylo milé se s ní setkat, a obě připojily fotografie, na nichž se objevila. Kathryn žádosti obou žen přijala a poděkovala jim. Ale tím veškerý rozsah komunikace skončil, byť obě ženy ještě přidaly komentáře ve smyslu, jak skvělá to byla svatba.

Stacey je prověřila. Tiffany Smithová byla sestřenice nevěsty, Claire Garrityová manažerka pekárny. Tiffany byla na RigMarolu již celá léta a logicky měla stálou skupinku přátel, asi tak každé dva měsíce přidala někoho nového. Psala o obvyklých věcech – dětech, psech, dortech, prázdninách, karaoke, přidávala více či méně zábavné poznámky. Claire svůj účet neužívala tak často, ale měla ho dva roky. Poslala pár fotografií ze svatby, ale nikoho na nich neoznačila. Vzhledem k nedostatku její aktivity na stránce Stacey usoudila, že patrně neví, jak se to dělá. Žádný z účtů jí nepřipadal podezřelý ani v sebemenším zpochybnitelný.

Když se na monitor podívala teď, všimla si, že na něj natékají výsledky pátrání na Amiiných sociálních médiích. Přes monitor klopýtavě přejížděly nové kontakty, na konci každého řádku bylo uvedeno datum. Přede dvěma měsíci, před pěti týdny, přede dvěma týdny. Přede dvěma týdny! Hned po té svatbě. Stacey zalapala po dechu. Nejnovější přítelkyní Amie na RigMarolu se stala Claire Garrityová. Přátelství bylo přijato den po svatbě. Claire okomentovala fotografii, která zachytila Amii, jak se toužebně dívá přes celou místnost, bradu opřenou o ruku. „Miluju tenhle obrázek," stálo v komentáři.

Amie odpověděla. „Vypadám jako propršený víkend ve Widnesu."

„Ne, vypadáš sakra romanticky!!! Jako – jednoho dne se objeví můj princ."

„LOL. No, možná se už objevil…"

„To doufám, zasloužila by sis to."

A to bylo všechno. Ale o co tu jde? Co z toho vyplývá? Jak by se mohla stejná žena skamarádit se dvěma oběťmi vraždy hned poté, co se daly dohromady s mužem, který je s nejvyšší pravděpodobností jejich vrahem? Jediná logická odpověď zní, že tohle není Claire Garrityová. Je to samotný vrah, který se náramně baví tím, jak pronikl do všech koutů jejich života.

Už skoro vstala, aby se o tuto novinku podělila s Carol, ale něco ji napadlo. Prošla zadními vrátky, která si před lety otevřela do digitální platformy *Bradfield Evening Sentinel Times*. Napsala „Claire Garrityová" a odpověď našla ve sloupku osobních oznámení. Claire Garrityová zemřela před deseti týdny při dopravní nehodě. Na její smrti nebylo nic podezřelého – řidič náklaďáku usnul za volantem na M60 a najel do jejího Fiatu Punto. Ale patrně proto, že svůj účet na RigMarolu používala tak zřídka, nikoho nenapadlo ho uzavřít. A vrah k němu nějak získal přístup a využil ho pro svůj zvrácený účel.

Stacey se zvedla tak prudce, až se za ní zatočila židle. Napochodovala do kanceláře Carol Jordanové. Jedině zdvořilost, vštípená rodičovskou výchovou, jí zabránila vtrhnout rovnou dovnitř. Zaklepala, počkala, pevně svírala kliku a vletěla tam, jakmile Carol zareagovala. „Myslím, že se s nimi spřátelil na RigMarolu," vyhrkla. „A ukradl kvůli tomu identitu jedné mrtvé ženy."

„To nechápu." Carol se tvářila zmateně, jak to lidé často dělali poté, co jim Stacey předala svoje suché prohlášení. Stacey trpělivě vysvětlila, co zjistila. Carol povytáhla obočí. „Proč by dělal něco takového?"

Stacey občas napadalo, jestli Carol příliš dlouho nenaslouchá Tonymu Hillovi. Přes úspěchy, kterých jim za poslední léta pomohl dosáhnout, se Stacey k jeho přístupu stavěla skepticky. Motiv není při vyšetřování vraždy důležitý. Počítá se postup. Nezáleží na tom, proč vrah své oběti obloval. Skutečně záleží jen na příležitosti, jakou to nabízí. Co z té digitální stopy můžou zjistit? Kam by je ta informace mohla zavést? „Nemám nejmenší tušení," odpověděla Stacey rázně. „Ale v RigMarolu by mohli znát IP adresu, odkud ty zprávy chodily."

„Řeknou nám to?"

Stacey pokrčila rameny. „Můžeme se pokusit o soudní povolení, ale vzepřou se, i kdyby se nám ho podařilo získat. Jenže já…"

Carol vztáhla ruku. „Kolikrát vám to mám opakovat, Stacey? Nechci znát podrobnosti toho, co děláte."

Což si Stacey v duchu přeložila jako: „Pokud se chystáte porušit zákon – to, co nevím, mi nemůže ublížit."

„A krom toho," pokračovala Carol. „Existují praktické cesty, které můžeme sledovat. Je dost dobře možné, že vrah o smrti té ženy věděl, protože ji znal, když byla živá. Chci říct, musel přece nějak rozlousknout její heslo, aby mohl používat její účet na RigMarolu, ne?"

„Ano. Ačkoli mohlo jít o něco tak směšného, jako je jméno manžela, a to mohl zjistit z toho oznámení v novinách. I když teď už je většina lidí ohledně hesel na sociálních médiích důvtipnější. Všichni znají někoho, koho hackli."

„Jsem na dovolené v Marbelle a ukradli mi batoh. Prosím, pošli mi dvě stě liber, abych se mohl vrátit domů.'"

„Přesně tak. Ano, mohl ji vážně znát dost na to, aby dokázal uhodnout trochu složitější heslo."

„Takže ty obrázky pachatele, co máme, ukážeme nejbližším lidem Claire Garrityové. A jejím kolegům. A možná se na nás bohové usmějí a někdo ho pozná."

„A jen pro jistotu…" Stacey Carol posměšně zasalutovala. „Podívám se na to, co mi RigMarole dokáže říct. S jejich svolením, nebo bez něj."

38

Jakmile se vrátil do mizerného bytu, k němuž ho odsoudila její zrada, otevřel laptop a vychutnával si zpravodajství. Jeho první čin označili za kuriozitu, tisk ho povětšinou ignoroval, ale chopil se ho internet, zejména když prosákla informace, že Kathryn už byla v okamžiku, kdy vypukl požár, mrtvá. Ale při druhé podobné nehodě ve stejné lokalitě všichni našpicovali uši a případ povýšil na záhadu. Policie toho moc neřekla a nikdo nepotvrdil skutečnost, že ani Amie nezahynula v plamenech. Všechny ovšem zaujaly podivné okolnosti obou úmrtí.

Nikdo neodhalil spojení mezi vraždami a svatbami, které jim předcházely. Nikdo nemluvil o nových ctitelích či záhadných víkendových výletech do Dales. To ovšem přijde. Tím si je jistý. Teď, když se pisálkové honí za skutečnou záhadou, se pustí do soukromých životů obětí. Přátelé nakonec promluví.

Nebojí se toho okamžiku. Nebojí se, že ho chytí, protože nevěří, že k tomu dojde. Nevěří tomu, že by ho dokázali chytit. Perfektně za sebou zametl stopy. Prostudoval si, co je skutečně pravda ohledně forenzních věd oproti polopravdám šířeným televizí a spisovateli detektivních románů, a sestavil si seznam všech možných důkazních stop, které nesmí zanechat. Takže žádné návštěvy u těch žen doma kvůli kávě nebo sexu. Žádné jízdy s nimi vlastním autem. Žádné zprávy, které by šly vystopovat zpátky ke kterémukoli z jeho elektronických zařízení. Nikdy nevkládat baterie do jednorázových mobilů, jedině když budou tam, kde mají být. Všechno platit v hotovosti. Vyhýbat se restauracím, které mají na přístupových cestách bezpečnostní kamery. Provádět drobné, ale účinné změny svého vzhledu, které lze snadno navrátit do původní podoby, aby jimi nepolekal lidi, s nimiž je v pravidelném kontaktu.

Když se na začátku vydával na svou misi pomsty, byl rozhodnutý vyhnout se zatčení výlučně proto, že by to zkřížilo cestu k jeho hlavnímu cíli zabít Tricii. A on ji potřebuje zabít, vymazat ji z povrchu zemského, zničit ji za to, co mu udělala. To ponížení. Připravila ho o věci, na kterých mu záleželo – o to mít ji po boku, ve svém náručí; o luxusní domov, který společně vytvořili; o podnikání, které vybudovali od píky a které se mu teď zoufale den za dnem pomalu rozpadá; o hluboký pocit bezpečí a úspěchu, který mu dodávalo vědomí, že tohle všechno má. Jak se k němu mohla takhle zachovat? A ne proto, že by udělal něco špatného, ale protože dospěla k závěru, že nevyplnil každičkou hloupou romantickou představu, kterou jí nacpaly do hlavy všechny ty časopisy a filmy.

Skutečnost, že zmizela, jeho zuřivost vybudila ještě víc. Nikdo mu o ní neprozradil jedinou zatracenou věc. Sebemenší vodítko. Pak dostal vnuknutí. Možná uzavřela svoje účty na sociálních médiích, ale určitě nebude schopná vzdát se té nekonečné výměny trivialit se svými přítelkyněmi. Vsadil by všechny peníze na to, že má nové účty a používá je pod jiným jménem. A že se Tricia pod tím druhým jménem spřátelila s ženami, kterým věří, že její tajemství neodhalí před ním. Pokud by se mohl pohybovat v jejich účtech, určitě by dokázal nějak vydedukovat, pod jakou identitou se Tricia schovává.

Jenže kdyby si prostě vytvořil nový účet, bylo by to hned jasné. Potřebuje se vloudit do nějakého existujícího účtu a navázat spojení s ženami, které Tricia zná. Musí ovšem najít způsob, jak to udělat, aby nevzbudil podezření.

A pak dostal druhé vnuknutí. Tak mazané, až se nahlas rozesmál.

Nebylo kdovíjak těžké s tím začít a zatím to fungovalo. Podařilo se mu spřátelit se na RigMarolu s dvěma ženami, k nimž měla Tricia nejblíž. Ale bude to trvat celou věčnost. Čím víc dnů uplynulo, tím víc v něm plál hněv. Čas tyhle rány nezhojil. Spíš bolí stále víc. Nikdy nebude sám se sebou spokojený, dokud bude Tricia dýchat. Tohle chápal naprosto jasně. Její existence je urážkou pro něj a pro všechno, čeho si cení. Ale její zabití bude dokonalé jedině tehdy, když z něho vyjde s čistýma rukama. Necítil by uspokojení z konce jejího života, kdyby jeho skončil taky. A proto když se rozhodl využít jiné ženy jako náhradnice, aby trochu ulevily jeho hněvu, z něhož ho bolí hlava i srdce, věděl, že musí svůj čin zdokonalit natolik, aby byl nedotknutelný, i když po Triciině smrti bude podezřelý.

175

Klíčem je, jako vždycky, ze všech úhlů zvážit každý krok postupu. Co by se mohlo pokazit? Jak by se před takovou možností mohl ubránit? Jaké kroky musí podniknout, aby se ochránil?

Se smrtí Amie si uvědomil, že příprava je součástí uspokojení. Vyvolává v něm dobrý pocit. Samozřejmě ne tak silný jako vražda samotná. Ale dodává mu komfort pocitu kontroly nad věcí po celou dobu od prvního kontaktu až k okamžiku škrtnutí sirkou.

A s tím novým účtem na RigMarolu dokáže navázat kontakt se svými oběťmi. Může je špehovat, těšit se ze své tajné informovanosti. Může dávat lajky fotkám ze svateb, které posílají jejich přátelé. Může s nimi dokonce i „mluvit". A krása toho spočívá ve skutečnosti, že se tím nijak neuvádí v ohrožení.

Konečná fáze prvního stadia, nalákat ty ženy do své chaty v Dales, byla vždycky nejriskantnější částí jeho úsilí. Dohadoval se, jestli je nevyplaší, že neznají přesnou adresu. Připravil si pro to vysvětlení, že označení na navigaci neodpovídá skutečnému umístění. Ale zatím to žádná z nich nezpochybnila. Když jim řekl, že satelitní navigace neumí chatu najít, obě to přijaly jako danou věc a souhlasily s jeho návrhem, že se s ním sejdou na parkovišti nedaleké hospody – o němž věděl, že nemá pokrytí bezpečnostními kamerami – a pak za ním pojedou k chatě ve vlastním autě.

„Vlastní auto", to byl podle jeho názoru mazaný tah. Vzbudí v nich jistotu, že mají svůj prostředek úniku, kdyby se věci nevyvíjely tak, jak doufaly. A dodá mu další pojistku, že nezanechají svou DNA po celém vnitřku jeho vypůjčeného auta. Byl to skvělý nápad a v praxi se perfektně osvědčil.

A pak to čiré potěšení, když je vedl zahradní cestičkou. Dva dny vyhovoval každému jejich rozmaru, odhadoval, co by se jim tak mohlo líbit. Vymýšlel důvody, proč zůstat vevnitř. Protože nechtěl, aby je zahlédli nějací náhodní turisté, kteří si kolem chodí, jako by jim to tu patřilo. Přesto si s tím dopředu nedělal velké starosti. Páteční večeře se spoustou alkoholu. Pak postel a sex, při němž bude co možná nejpozornější milenec. Ani jedna z nich mu nepřipadala kdovíjak atraktivní, ale to se vždycky dá obejít. Představy, vzpomínky a nekonečně dlouhá něžná předehra, jakou ženy vždy ocení.

Předpokládal, že pokud sex bude dostatečně dobrý, blaženě stráví sobotu v posteli. Pak spolu připraví večeři. S Kathryn to šlo přesně podle plánu.

Byla celá dychtivá zavděčit se a nadšená z jeho pozornosti. Měl dojem, že ji natolik vzrušila vyhlídka na nový vztah, že nebyla ochotná vznášet vůči němu jakékoli požadavky. Vážně to s ní byla hračka. Mohl ji snadno vodit jako na provázku, dokud ji v neděli odpoledne, když ji uspal šampaňským říznutým anestetikem, neobjal prsty kolem krku a netiskl, až se jí oči vyvalily z důlků a obličej změnil barvu ze zarudlé do modrofialové. Bylo to náročnější, než čekal, ale stačilo představit si před sebou Triciin obličej a vydržel, dokud se nepřestala bránit a vydávat ze sebe ty strašlivé dusivé zvuky.

Když zabil poprvé, bylo to úplně jiné. Tehdy mu to přišlo nereálné jako videohra. Netušil, že je tak snadné zabít někoho ve skutečnosti. Kdyby si něco takového vůbec představoval, myslel by si, že ukončit něčí život bude o hodně těžší. Hrál si s Johnnym Capem ve strmé zalesněné strži mezi řadovými domky na Approach Street a sadem za vikářstvím. Zápasili spolu na zemi, celí rozpálení a zpocení, dýchali jeden druhému do obličeje dechem provoněným žvýkačkou. A Johnny se zajíkl: „Takhle to vypadá, když je tvoje máma s těma chlapama, co se s nima tahá." Pak ze sebe vydal zvířecí zavrčení, tak známé, tak pokořující, tak agresivní.

Zvedla se v něm temná zuřivost a popadl první věc, která mu přišla pod ruku. Větev upadlou z jasanu, tlustou asi jako paže batolete. Vší silou udeřil Johnnyho do hlavy, a když ho Johnny pustil a s vyjeknutím padl na záda, přiložil mu větev na hrdlo a opřel se do ní veškerou svou váhou, supěl úsilím. Přesně jako ti muži při sexu.

Johnnyho paty bušily do lesní půdy, oči se vyvalily ven jako žábě a kůže mu potemněla do tmavě červené. Pak se přestal hýbat. A celý les ztichl. Dokonce i ptáci na chvíli přestali zpívat. Nebo možná všechno ostatní vymazalo hučení v jeho hlavě.

Nemotorně se vydrápal do stoje a utekl domů. Máma byla v kuchyni, připravovala k večeři nákyp z mletého masa. Na ten nákyp se pamatuje. Nic neřekl a choval se, jako by se nic nepřihodilo.

Když v podvečer přišla policie, předstíral šok a rozrušení. Ano, předstíral to. Protože upřímně řečeno? Ve skutečnosti nic moc necítil. Přátelsky se chovající policistce řekl, že nechal Johnnyho v lese, sbíral klacky na vylepšení lesní chatrče jejich bandy. Zeptala se ho, jestli cestou domů někoho nepotkal, a on odpověděl, že ano, po cestě do lesa šel nějaký muž. Když se vyptávala, jak ten muž vypadal, představil si v duchu vedoucího z dětského prázdninového tábora, na kterém byl rok předtím, a koktavě ho popsal. Bylo až směšně lehké všechny ošálit.

Vysílali to v kriminalistickém pořadu v televizi. Nikdo nikdy o jeho výpovědi nezapochyboval. A nikdy nikoho nezatkli, za což byl rád. Nebylo by mu nejlíp, kdyby někoho, proti komu nic neměl, falešně obvinili.

A pokračoval ve svém životě, jako by se nic nestalo. Netrápily ho noční můry, v noci se nepočurával, nepřepadala ho panika. Ze začátku mu chybělo, že si nemůže hrát s Johnnym, ale pak si řekl, že i kdyby byl Johnny naživu, stejně už by nemohli být kamarádi, ne po tom, co řekl o jeho matce.

Rozdíl spočíval v tom, že tentokrát od toho, co udělal, nemohl utéct. Sotva se dokázal přimět k tomu, aby se na ni podíval, když byla mrtvá, protože pohled na její obličej mu připomínal, že to není Tricia. Byla to ubohá náhrada za ženu, která si ve skutečnosti zasloužila zemřít. Po vraždě se cítil lépe, ale povznesená nálada mu dlouho nevydržela. Musel počkat, až padne tma, a pak odnesl tělo do jejího auta. Přehodil přes ni prostěradlo, aby se na ni nemusel dívat. Teprve když ji v autě zapálil a zastřel tak její odlišnost od ženy, kterou chtěl zabít, vrátil se mu pocit kontroly a moci. A tentokrát vydržel.

Nedělal si starosti s tím, že její DNA je všude v chatě. Nikdy nevysledují jeho spojitost s touhle chatou. Papírově ji dosud vlastní již pět let nefungující společnost, s jejímž jménem nebyl nikdy oficiálně spojen. To Tricia byla krátce v její radě a uzavřela pochybnou dohodu, když objekt získala výměnou za to, že neprozradí správci DPH, co se skutečně děje s účty firmy. Po léta ji načerno pronajímali akademické pracovnici z univerzity v Leedsu, která ji používala o víkendech, ale moc neprotestovala, když jí nakonec před dvěma měsíci řekl, že její dohoda končí. Dobře věděla, že není v situaci, kdy by se mohla bránit. Takže papírová stopa nevede ani zdaleka blízko něho.

Přesto mu to nedávalo volnou ruku, aby si mohl dovolit být bezstarostný. A bylo k zlosti, že s Amií to podle plánu nešlo. Potěšit ji bylo o hodně těžší než s Kathryn. V sobotu ráno trvala na tom, že chce na procházku, i když mrholilo a viditelnost byla takřka nulová. Zkusil všechno možné, aby ji od toho úmyslu odradil, ale zabejčila se. Ještěže si kvůli dešti museli alespoň oba nasadit kapuce. Nemyslí, že by je kdokoli z té hrstky výletníků, co potkali, mohl kdy poznat.

Jenže jakmile se vrátili, začala mlít o řemeslnických obchůdcích a čajovnách, které by další den mohli navštívit. Veškeré jeho pečlivé plánování se mu bortilo před očima. Nicméně se nehodlal nechat porazit od nějaké idiotské ženské, která je posedlá myšlenkou, že si musí pořídit suvenýr, vzpomínku na společně strávený čas. Dokázal přemýšlet i v okamžicích stresu.

Tak ji místo toho uškrtil v sobotu po večeři. Podruhé to bylo snazší, protože věděl, co může očekávat. Drogou vyvolaná pasivita, chrčivé lapání po dechu, jak tělo zápasilo o kyslík i poté, co upadla do bezvědomí, ošklivá barva pleti, oči podlité krví. A v hloubi všeho čiré potěšení z představy, že pod ním leží Tricia.

Necítil potom žádnou vinu. V neposlední řadě proto, že ho Amie začala iritovat neustálým žvaněním o lidech, s nimiž se nikdy nesetkal, a o místech, kde nikdy nebyl. Není divu, že její vztahy nikdy nefungovaly. Všechno bylo zaměřené jen na ni. Její smrt mu přinesla určitou úlevu, přestože se mu nelíbilo, že bude muset mít celou neděli v chatě její mrtvolu. Je paradoxní, že pak sám odešel na dlouhou procházku, aby se od ní dostal pryč.

Ale nakonec všechno vyšlo. A cítil se senzačně. Natolik senzačně, že začal plánovat příští. Tentokrát to bude Manchester. Nabízí obrovský výběr. A snad to bude další Kathryn, ne další Amie.

39

Protože utkání probíhalo uprostřed týdne, daly se na poslední chvíli sehnat dva lístky na zápas Bradfield Victorie proti Stoke City. To byl ten nejlepší nápad, na jaký se Tony zmohl, když ho Paula vypátrala v dopravním kontejneru, který využíval jako knihovnu, a pověděla mu o svých starostech s Torinem.

Doháněl četbu, když zabušila na dveře, tlumený zvuk dopadu něčeho tvrdého na kovový povrch ho přiměl nadskočit. Nikdo ho tady dosud nenavštívil, ale Paula ho tu jednou vysazovala, takže nebyl tak úplně překvapený, když ji našel za dveřmi. „Četl jsem si," řekl smutně.

„To je dobře. Můžu dál?"

„Mám tu jen jednu židli."

„No, tak si vemte kabát, zvu vás na kafe," řekla tónem, jaký si běžně rezervovala pro děti, které se staly svědky nějakého traumatizujícího zážitku.

Poslušně popadl fialovou bundu, zamkl kontejner na visací zámek a spěchal, aby dohonil Paulu, která už za sebou měla půlku ulice, před očima vidinu kávy. Když ji dostihl, věnovala mu skeptický pohled. „Tohle nosíte kvůli nějaké sázce?"

„Měli ji ve slevě," bránil se. „Carol tvrdila, že mi sluší."

Paula si odfrkla. „Carol jen chtěla, abyste nosil něco jiného než tu ošuntělou hnědou věc." Zabočila do kavárny a zamířila k pultu.

„Hádám, že tohle je poslední kavárna ve městě, kde barista není hipster," zamumlal Tony, když si našli klidný stůl, k němuž si mohli sednout s kávou. „Tak co pro vás můžu udělat, Paulo?"

„Jde o Torina," řekla. A nastínila Tonymu svoje a Elinořiny nejnovější obavy a objev, že Torin zjevně prodal jeden z matčiných šperků. „A pak na mě úplně vylítl. Křičel, že nerespektuju jeho soukromí, řekl, že nemám co strkat nos do jeho života a že do toho, co dělá s vlastními věcmi, mi vůbec nic není."

Tony si povzdechl. „Řekněte mi, že jste nepoužila rčení ‚můj dům, moje pravidla‘.“

„Nejsem úplně pitomá,“ zavrčela. „Couvla jsem. Ale poslední dny to u nás vypadá jako při výslechu se samým ‚bez komentáře‘. Nemluví, je mrzutý, nikdy mi nepohlédne do očí a já nevím, co s tím.“

„Co si o tom myslí Elinor?“

Paula se zavrtěla na sedadle. „Neřekla jsem jí o tom. Od chvíle, kdy to mezi mnou a Torinem bouchlo, jsme se sotva viděly, a abych byla upřímná, právě teď bych jí radši předložila řešení než problém. Na ambulantním oddělení jim chybí neuvěřitelné množství personálu a Elinor strašně zápolí se snahou zajistit, aby všechno stíhali.“

„A nechcete, aby si Elinor myslela, že si s Torinem nedokážete poradit, protože pak by všechno převzala na svá bedra.“

„To taky,“ přiznala neochotně.

„Chcete, abych si s ním promluvil?“

„Udělal byste to? Důvěřuje vám. Vždycky se uvolní, když přijdete na večeři.“

„To je chlapská záležitost,“ odpověděl Tony, zjevně si ze sebe tropil posměšky. „Ale teď vážně. Je to především proto, že neplním rodičovskou úlohu. Vždycky je snazší promluvit si s někým, kdo do vás tolik neinvestoval. Nemá to pak stejný potenciál možnosti zklamání. Bude mu to podezřelé, když se najednou zčistajasna objevím tak brzo po vaší hádce.“ Tony popíjel kávu a zamyšleně se mračil. „Musí jít o něco, co děláme tak jako tak.“

A pak si vzpomněl na fotbal. Už jednou vzal Torina na zápas Bradfield Victorie. Zašli si na zápas a pak na kebab. Podle Tonyho názoru to šlo dobře. Nezopakovali to jedině proto, že bylo téměř nemožné sehnat lístky na sobotní zápasy, když teď tým obsadil cenné čtvrté místo, které mu pro příští sezonu zajistilo účast v Lize mistrů. Tony se musel spokojit se sledováním svého týmu na jim speciálně věnovaném televizním kanálu.

Středeční večer zastihl Tonyho s Torinem na cestě autobusem přes město do Ratcliffu, tavicího kotlíku na předměstí. Do úzkých ulic s řadovými domky z červených cihel během let zavítaly všechny možné barvy pleti a všechna možná vyznání. Když tu člověk šel po chodníku, mohl v rámci jednoho kilometru zaslechnout naprosto nezvyklé hlásky dvaceti různých jazyků. Ale ve dnech zápasů si oblast opět zabrala angličtina, protože fanoušci Bradfield Victorie tudy proudili od tramvajových a autobusových zastávek a parkovišť do několika ucpaných průchodů, které vedly k obrovským tribunovým nosníkům Victoria Parku. Když se fanoušci společně hrnuli směrem ke chrámu své víry, jasná žluť domácích pruhů jako by do vlhkých ulic vnášela slunce a nepravidelně se ozývalo skandované volání.

„Dneska večer budeme na Vesteyho tribuně," informoval Torina Tony. „Táhne se podél strany hřiště. To není jako tribuna Graysonovy ulice, kde jsme byli minule. Pamatuješ?"

„Jo," přitakal Torin. „Byli jsme těsně za brankou. Krásně jsme viděli, když Pavlovitz zaskóroval."

„To ano. Víš, po kom je ta tribuna pojmenovaná?"

„Ne. Je to zajímavý?" usmál se Torin.

„Podle mě ano, já jsem ovšem cvok ve fialové bundě."

Torin vyfrkl smíchy. „Bez legrace. Je vás vidět na kilometr daleko. Hodil byste se do revivalu Prince."

„Jsi moc mladý na to, aby sis ho pamatoval," namítl Tony.

„Moje máma Prince milovala." Obličej se mu krátce zachmuřil, ale vzpamatoval se. „Tak proč je to zajímavý?"

„Jmenuje se po Albertu Vesteym. Byl to střední útočník Victorie – pro tebe striker – od roku devatenáct set dvacet devět do roku devatenáct set třicet osm. Dal za klub sto devadesát sedm gólů a pro Anglii vyhrál dvacet dva pohárů. Nikdy ovšem nedal gól v otevřené národní hře. Všechny tři jeho góly byly penalty. No, musíš uznat, že je to zajímavé."

Torin ho jemně šťouchl do ramene. „Dobře. Trochu zajímavý to je." Přiblížili se k turniketům vedoucím do jejich sekce tribuny. „Dík, že jste mě pozval. Vážně se mi to poslledně líbilo."

„Od poslledně se mi nepodařilo sehnat lístky. Jinak bych tě na zápas vzal už dávno. Zápasy teď sleduju na laptopu. Předplatil jsem si TVics. Můžeš se kdykoli zastavit u mě na lodi a dívat se se mnou, když budu ve městě."

Chlapec přikývl. „Ale Paula říkala, že jste se přestěhoval ke Carol. Takže to už na lodi nebudete, ne?"

Tony udělal obličej. „Nedá se říct, že jsem se k ní přestěhoval. Spíš jí dělám společnost. Dvě nebo tři noci v týdnu pořád přespávám v Minster Basin. Tak příště, až bude domácí zápas a já tu budu, pošlu ti esemesku."

„Dobře." Začali prudce stoupat ke svým sedadlům. „Jste s Carol, teda jako pár?"

„Začneme s jednoduššími otázkami, co říkáš?" zamručel Tony. „Nejsme si lhostejní. Ale nejsme pár. Ne v konvenčním slova smyslu. Jsme víc než nejlepší přátelé a míň než milenci." Něco takového nemusel nikdy tak přesně formulovat pro kohokoli jiného. Nebylo mu úplně jasné, proč to říká Torinovi. Chápal ovšem, že nejlepší způsob, jak u někoho povzbudit upřímnost, je nabídnout ji sám.

Protáhli se kolem dalších fanoušků na svá místa a usadili se, prohlíželi si list se sestavou týmu, který si vyzvedli cestou dovnitř. „Karabinits je zase na lavičce náhradníků," poznamenal Tony.

„Jak to, že se z vás nikdy nestal pár?"

„To je složité. Špatné načasování? Strach? Nechtěli jsme zkazit něco, co funguje? To všechno dohromady. A mě na romantiku neužije."

Před dalším výslechem Tonyho zachránilo zapískání rozhodčího. Začal první poločas. Zápas od jednoho konce hřiště ke druhému, každá strana po jednom gólu, několik oslnivých okamžiků v jeho průběhu. Dav řval a vřel a zpíval a nikomu nevadilo, že se spustil déšť, drobné mrholení, které vítr hnal do tváří těch, co seděli v nižších řadách.

V poločase půlka davu zmizela, aby si vystála frontu na špatné jídlo a předražené pití. Tony sáhl do jedné z mnoha vnitřních kapes a vytáhl lahev cukry nadupaného energy drinku a pytlík popcornu. Podal je Torinovi. „Tady máš. Zachrání nás to před stáním ve frontě."

„A co vy?" Torin se chtivě zadíval na svačinku, ale byl příliš zdvořilý na to, aby se do ní pustil bez ujištění.

Další kapsa, lahev vody. „Já jsem v pohodě."

Probrali první poločas, rozpitvali problémy se středem hřiště Victorie. A jak se tribuna začala znovu plnit a stadion hlučel očekáváním, zeptal se Tony: „Tak v čem spočívá problém, Torine?"

Začal druhý poločas a hukot fanoušků přerostl v ohlušující crescendo. Z přelidněné tribuny to paradoxně udělalo velmi soukromé místo k hovoru. „Nechci se o tom bavit." Torin se mračil a naklonil se dopředu, zíral na zápas pod sebou.

„Nikdy se nám nechce mluvit o složitých věcech. Ale pokud to neuděláme, otráví nám to dobré věci v našem životě. Už ses rozkmotřil s Paulou. Kde to skončí? Rozhádáš se i s Elinor? Se mnou? A kvůli čemu?"

„Nechápete to."

„Chápu stud. A chápu strach ze ztráty, Torine. Už jsi zažil tu nejhorší možnou ztrátu a tím spíš se bojíš, že ztratíš víc."

Torin si olízl rty, ale nic neřekl.

„Nás neztratíš. Neopustíme tě. Jsme na tvé straně. Věř mi, neexistuje nic, co bys mohl udělat, abychom tě zavrhli. Chceme ti pomoct. Já ti chci pomoct. Pamatuju si, jak mi bylo v tvém věku. Ve vlastní hlavě nám všechno připadá nesmírně velké. Ale nikdy to není tak zlé, jak si myslíš." Suše se zasmál. „A věř mi, já měl naprosto děsné dospívání."

Torin po něm střelil rychlým pohledem. „Nemůžu vám to říct, Tony. Všechny jsem zklamal, to uznávám. Ale to nejhorší teprve přijde."

„Tak to odvrátíme. Není nic, co by se nedalo zmírnit. Nemůžeme spravit všechno, to vím, ale vždycky můžeme najít způsob, jak se s problémem vypořádat, ať je jakýkoli. Problémy lidí řeším celý svůj profesní život a vážně to nikdy není tak katastrofické, jak se zdá."

„Tady nikdo nic nezmůže." Torinův hlas zněl prázdně, ramena měl pokleslá. „Udělal jsem jednu fakt velkou blbost a zničí mi to život."

Kdyby Paula netrvala na tom, že to tak není, hádal by Tony, že Torin přivedl nějaké děvče do jiného stavu. „Cože? Házíš ručník do ringu bez boje? To ti vůbec není podobné. Po mámině smrti sis vedl skvěle, nebyla to reakce někoho, kdo se hroutí. No tak, Torine, ať jde o cokoli, není to konec světa."

Torin zareagoval tak, že vstal a začal se prodírat ke konci uličky. Tony měl zpoždění několika vteřin a vysloužil si mručení, stížnosti a nadávky. Seběhl za chlapcem po schodech vyvolávajících závrať a téměř zároveň se vynořili na široké promenádě, která se táhla podél zádi tribuny. Torin se opřel o stěnu a klesl do dřepu, zabořil obličej do složených paží. „Je mi to moc líto," zamumlal tak tiše, že ho Tony sotva slyšel.

Tony si dřepl vedle něj. „Já vím. Ale líp se začneš cítit teprve tehdy, když o tom budeš mluvit."

„Nemůžu o tom mluvit." Hlas se mu třásl.

„Nebudu tě soudit, Torine."

„To nemusíte, na to si stačím sám." Znělo to znechuceně. „Nevím, jak se komukoli budu moct podívat do tváře."

Tony vzal chlapce kolem ramen a přitáhl ho k sobě blíž. „No tak, kámo. Víš, čím se živím. Po tom všem, co jsem za všechny ty roky slyšel, mě nic neodrovná. Potřebuješ někomu důvěřovat a můžu to být zrovna tak dobře já."

Torin se otřásl, pak polkl. „Musíte mi slíbit, že to neřeknete Paule a Elinor."

„Musí to vědět, Torine."

„Neřeknu vám ani slovo, dokud mi to neslíbíte."

Tohle půjde nějak obejít, ale bude to muset vyjít od Torina samotného. Teď záleží na tom, aby zjistil, o co jde. „Slibuju. Přísahám. Jako bys byl pacient."

„Cítil jsem se osaměle. Paula a Elinor jsou skvělý, ale…"

„Není jim čtrnáct."

„Dávám hodně věci na Instagram. Umím nafotit docela zajímavý snímky. Moje věci se líbí nejrůznějším lidem a občas je komentujou, víte?"

Tony věděl. Sám sociální média moc nepoužíval, ale nahlížel do nich, protože potřeboval vědět, jakými druhy chování se lidé na netu zabývají. Většina predátorů považuje anonymitu za neocenitelnou, a je to dokonalé prostředí pro provádění různých ošklivých věcí, aniž by člověk moc riskoval. „Někdo je začal hodně komentovat? Chválil ti tvé věci?" Torinova hlava se pohnula tak, že to Tony považoval za souhlas. „Nějaká dívka?"

„Byla zábavná," odpověděl. „Docela trefně o těch věcech vtipkovala. A měla ráda stejný kapely a stejný hry jako já."

Jak těžké může být něco takového zjistit? Dokonce i Tony by to dokázal několika kliknutími a trochou práce s vyhledávačem. „A tobě se líbila?" zeptal se jemně.

„Každýmu by se líbila. Byla skvělá." Roztřeseně vydechl. „Sotva jsem dokázal uvěřit tomu, že se jí taky líbím."

„A stáhli jste se z veřejného fóra? Do soukromého prostoru?"

Torin zvedl hlavu, měl vlhké oči. „Cítil jsem se tak opuštěně. A ona mi poslala fotky. Pak krátký videa. Sexy, víte?" Jeho obličej zapřísahal Tonyho, aby ho pochopil a odpustil mu.

Tonyho hruď zaplavil soucit, zabarvený vztekem, který cítil k těm bezcitným parchantům, kteří Torina zneužili. „A požádala tě, abys udělal totéž."

Torin opět sklopil zrak. „Jo," zaskuhral. „Tak jsem to udělal."

Tony se natáhl a položil mu ruku na rameno právě ve chvíli, kdy na stadionu propukl řev a zahltil je. Bradfield zjevně zabodoval. Když hluk utichl, Tony pokračoval: „Vydírali tě. ‚Naval prachy, nebo všichni ze seznamu tvých kontaktů dostanou kopii.'"

„Jo. Chtěli pět set liber."

„Tak jsi prodal mámin medailonek?"

Přikývl. „Dostal jsem za něj pět set padesát liber. A pak Paula řekla, že se prodává za osm set liber, takže ať už to koupil, kdo chtěl, taky mě podvedl. Jsem úplnej balík. Jenže ono to neskončí. Minulej tejden mi přišla další zpráva, chtějí do konce měsíce tisíc liber, jinak to rozšíří mezi všechny, koho znám, a umístí to na net." Hlas se mu lámal zoufalstvím.

„Jak jsi jim zaplatil?"

„Udali mi číslo karty a měl jsem jít do banky a zaplatit to hotově na tu kreditní kartu. Byla to taková ta karta, co si ji člověk koupí a naláduje penězma a pak tou kartou platí. Jako když jede do zahraničí. Kdyby se mě někdo vyptával, měl jsem říct, že je to pro bratrance, kterej přerušil studium a cestuje po světě a potřebuje vypomoct. Ale nikdo se mě na nic neptal."

Nejspíš nevystopovatelné, pomyslel si Tony. Budou k tomu potřebovat Stacey. „Je mi moc líto, že ses s tím musel trápit sám." Vzal chlapce kolem nahrbených ramen. „Myslím, že to zvládneme," řekl. „Ale napřed to budeš muset říct Paule a Elinor."

Torin se odtáhl, obličej plný obvinění. „Slíbil jste!"

„Já vím. Právě proto jim to budeš muset říct *ty*."

40

Eileen Walshová seděla na stoličce před toaletním stolkem a měkkými odličovacími tampony si odstraňovala make-up. Když si ložnici zařizovala, žárovky lemující zrcadlo odpovídaly její představě, jak by měla vypadat šatna hollywoodské hvězdy. To klišé jí nevadilo; chtěla, aby jí jedna část dne dodávala pocit, že je hvězda. I kdyby byla jen hvězdou vlastního života.

To bylo před pěti lety a od té doby se nepřihodilo nic, díky čemu by se Eileen cítila alespoň vzdáleně jako hvězda. Na její práci nebylo nic atraktivního. Být ošetřovatelkou na ženském oddělení chirurgie v Manchester Royal Infirmary znamenalo existovat ve stavu permanentní přepracovanosti s občasnými radostnými okamžiky, když pacientka, kterou si oblíbila, na tom byla lépe, než čekala, nebo když ji rodina zaplavila díky a čokoládami. Ale konstantní vyčerpání přehlušilo veškerý pocit oprávněného sebeuspokojení, že je součástí tak humánní profese.

V jednu chvíli se odvážila doufat, že ji z té otročiny vysvobodí manželství. S milým, jemným Timem, který měl dobrou práci u významné pojišťovny. Seznámili se, když jeho matka podstoupila operaci močového měchýře, a Tim se do Eileen z nevysvětlitelných důvodů zamiloval. Nebyl to nejvíc vzrušující muž na světě, ale Eileen se v jeho společnosti líbilo a dokázala si představit, že by spolu mohli vést spokojený život. Konec osamělosti, konec finančních starostí. A konec vláčení unaveného těla nekonečnými šichtami, které nikam nevedou. Tohle můžu, pomyslela si.

Timova matka se dobře uzdravovala, což přičítal Eeleině péči. O dva měsíce později, po několika večerech strávených v kině, v nejrůznějších restauracích a na několika koncertech v Apollu, kde oba téměř ohluchli z hlasitosti hudby, ji požádal o ruku a ona řekla ano. Její rodiče měli nejen radost, také se jim ulevilo; byli přesvědčení, že v pětatřiceti už má dávno prošlou dobu spotřeby.

O osm dní později Tim čekal na přechodu na Whitworth Street poblíž křižovatky na Sackville Street a klempíř, pracující na lešení hned za ním, upustil část kovového okapu. Ten se zřítil dvanáct metrů dolů na chodník. A během těch několika strašlivých vteřin přišel Tim o zbytek svého života.

První Eileeninou emocí byla zlost. Jediný okamžik nepozornosti ji okradl o život, který měla vést. Bylo jí Tima líto. Samozřejmě že jí ho bylo líto. Nebyla přece žádná bezcitná zlatokopka. Ale víc litovala samu sebe. Tim pro ni představoval šanci vyměnit existenci za život. A ta šance najednou byla navždy pryč.

Bylo to horší, než kdyby ji opustil, protože ztratila víc času. Kdyby jí nějaký parchant dal kopačky, mohla by se zase hned vydat na lov. Jenže truchlící člověk musí projít odpovídajícím obdobím žalu. Nicméně to teď skončilo. Od pohřbu uplynulo sedmnáct měsíců a nastal čas začít se znovu rozhlížet.

Snažila se v nemocničním pokoji okouzlit každého, kdo by ve svém životě mohl mít nějakého kandidáta. Syny nebo bratry, svobodné, rozvedené nebo ovdovělé. Nezáleželo jí na tom. Srovnala by se se sportovním zanícením i s výstředním sběratelstvím. Dokonce i se závislostí na Jeremym Clarksonovi. Dokázala by se vtěsnat do formy ženy, jakou potřebují. Ale zatím se neobjevili žádní vhodní kandidáti, kteří by chňapli po návnadě. Čas běžel a Eileen se toužila dostat z nemocničního pokoje do jiného života.

Setřela zbytky líčidla a naklonila se blíž k zrcadlu. Pod očima měla kruhy, v nich jemné vrásky. Pořád ještě téměř neviditelné, ale budou stále výraznější. A tenké linky, které se jí při úsměvu objevují u úst. Ty nezmizí. Brzo se stane neviditelnou. Jen další ženou vstupující do středního věku s několika kily navíc v pase a všechno půjde k ledu spolu s jejími šancemi.

Možná tenhle víkend bude mít štěstí. Eileen koketně povytáhla obočí. Nevypadá špatně, ne na svůj věk. A svatba každého tak nějak prozáří. Už to zažila. Oslava manželského stavu proměňuje lásku v infekční chorobu. Svatba dvou gayů jistě musí mít stejný afrodiziakální účinek jako normální. Greg a Avram přece musí mít nějaké heterosexuální přátele? No dobrá, patrně zná většinu Gregových přátel. Koneckonců spolu v nemocnici pracují sedm let.

Ale s Avramem je to jiné. Je zaměstnaný v Media City. Produkuje rozhlasové dokumenty. Musí znát desítky zajímavých lidí. A už podle statistiky musí někteří z nich být svobodní muži určitého věku, kteří chtějí mít ženu. A bude to velká svatba. Sto čtyřicet tři hostů, říkal Greg. Určitě tam bude mít velkou šanci.

Eileen odšroubovala víčko z výživného nočního krému a nanesla si ho na obličej. Už jenom několik málo kratičkých dnů. Dost času na obarvení řas a na manikúru. Nezaškodí vytěžit ze sebe maxium.

Sobota by mohla všechno změnit. Ale i kdyby ne, je to taky v pořádku, namlouvala si. Nevadí jí, že je sama. Má přátele z práce, má život.

Koho se to snažíš oblafnout? Hlas ze zadního koutku mysli zněl kousavě. A opět otevřel vrata paniky. Vidina, že zestárne a onemocní bez bezpečnostního polštáře něčí společnosti a dostatečného příjmu, ji děsila. Její vlastní rodiče na penzi živořili, ale měli alespoň jeden druhého. Jenže ona nikoho nemá. Stane se jednou z těch páchnoucích starých žen, které žijí v jediné místnosti, nikdo je nenavštěvuje a nemají peníze na nic jiného, než aby celý den sledovaly televizi. Přežívají na pečených fazolích a levném bílém chlebu.

„Drž se, Eileen," nabádala se přísně. Sobota bude její šance. Chopí se jí oběma rukama.

41

Další týden, další stupeň frustrace regionálního týmu pro závažné zločiny. Nějaký čipera z místního tisku si přes Carolino úsilí udržet souvislost mezi případy pod pokličkou spojil okolnosti obou úmrtí. Teď jim přes ramena nenakukují jen kolegové, palba médií po nich denně vyžaduje tiskovou zprávu. Skenfrith Street se nachází pod permanentním obležením skupiny odhodlaných pisálků, kteří jsou přesvědčení, že před nimi policie zatajuje nové skutečnosti.

Pravda je naprosto odlišná. Při ranním brífinku chyběla jakákoli nová vodítka a žádný rutinní postup je nikam nedovedl. Bezpečnostní kamery z nádraží v Leedsu je nedostaly dál; jejich terč kolem nich prošel s hlavou sklopenou a ani na okamžik hlavu nezvedl. Stacey procházela výsledky automatického systému rozpoznávání značek ze všech hlavních silnic do Dales a zpět o dvou víkendech, kdy byly oběti zavražděny, ale kupička výsledků jim nijak nepomohla. Všechna auta, která se tam ukázala o obou dvou víkendech, měla ke své přítomnosti důvod.

„Máme tu čtyřicet tři místních lidí, kteří jeli nakupovat, na fotbal nebo do práce. Třicet jeden z nich jsou muži," referovala Stacey. „Všichni mají svědky, kteří nám jejich slova potvrzují, a také alibi pro nejrůznější časové mezery o víkendu. Nikdo z nich neměl dost času, aby se dostal k místům, kde byla odložena těla, takže ty zločiny nemohl spáchat. A veřejnou dopravou se tam nedostanete."

Při jejích slovech Tony vzhlédl a uklonil hlavu ke straně, mračil se. Ale nic neřekl.

„Máme také dvacet devět lidí, kteří v místě strávili víkend, všichni vlastní nemovitosti uvnitř námi vyznačených zón bez kamer. Kromě jednoho případu to všechno byly buď páry, nebo rodiny a opět by si kdokoli z těch mužů mohl těžko odskočit někam pryč, aby svedl naše oběti a zavraždil je."

„Co ten jeden?" zajímala se Paula.

„Podle místní policie z Prestonu, kde žije, je z toho venku, pokud jde o obě sobotní svatby. Je to tenisový trenér z místního klubu. V sobotu odpoledne má tři lekce. Jednu pro děti, dvě pro dospělé. Oba večery pracoval za barem klubu během sponzorských akcí. Jeho přítomnost v klubu máme potvrzenou." Stacey se zatvářila omluvně. „Takže teď nás za všechno to otravné ověřování alibi policie Lancashiru nenávidí stejně jako sbory Severního a Západního Yorkshiru."

„Používá pronajatá auta," prohlásil Tony věcně. „Ze všeho, co souvisí s těmito případy, je zjevné, že má pozoruhodné vědomosti o forenzních vědách. Nebude riskovat cestu vlastním autem kamkoli poblíž místa, kde ty ženy zabil nebo kde je zanechal."

„Stejně jsme to museli ověřit," řekla Carol. „Dostali jsme se někam díky svatebním fotografiím z některé z těch událostí?"

Slovo si vzal Alvin. „Jak už jsme hlásili, podařilo se nám sehnat všechny svatební hosty a zkompilovat fotografie ze všech jejich snímků a videí. Stacey vytvořila počítačem vygenerovaný obrázek, jak vrah pravděpodobně vypadá. Ukázali jsme ho hostům, ale nikdo nepřiznal, že by ho poznal."

„A my jsme s Karimem obcházeli přátele, rodinu a spolupracovníky," přidal se Kevin. „Kromě Amiina bývalého přítele, který tvrdil, že muž na obrázku vypadá přesně jako chlápek, co Amii nosil do bytu balíčky z Valhally – což jsme prověřili a nikdo z rozvážejících řidičů tak ani vzdáleně nevypadá –, ho nikdo nepoznal. Měli bychom jeho portrét poskytnout médiím, šéfko. Co krimi zprávy?"

„Čekala jsem s tím, protože ten software, co Stacey použila, ještě nebyl vyzkoušený a otestovaný u soudu," odpověděla Carol. „Nechci riskovat, že nás nějaký mazaný obhájce časem obviní z používání pavědy. Ale všechno ostatní skončilo ve slepé uličce, takže myslím, že se budeme muset obrátit na veřejnost."

Kevin zasténal. „Další kupa falešných vodítek, za kterými se budeme honit."

„V první instanci využijeme místní policisty. Vás a Karima si schovám pro ta vodítka, která by nás mohla někam dovést."

„To je jako s terorismem," vyletěl Karim. „Víme, že tu vrah někde je, ale nevíme kde. Je to, jako kdybychom čekali na příští oběť a doufali, že vrah udělá chybu. Jak to zastavíme, když nemáme nejmenší tušení, kde hledat?"

Nastalo krátké šokované ticho. Konečně Carol promluvila. „Takhle vypadá naše práce. Zastavujeme lidi, jako je on, protože usilovně pracujeme na všech možnostech, dokud ho nenajdeme."

Paula se naklonila ke Karimovi a položila mu ruku na paži. „Na tenhle pocit si zvyknete," řekla tiše. „Dochází k tomu pokaždé. A překonáme to."

„Vážně," připojil se Kevin.

Karim se zahleděl do stolu, jeho levá noha se pod ním neklidně chvěla. Carol si odkašlala. „Má někdo něco dalšího?"

Tony se postavil a začal jako obvykle přecházet sem a tam. „Stacey před chvílí řekla jednu věc. ‚A veřejnou dopravou se tam nedostanete.' Jenže to znamená, že platí i opak. Vrah se odtamtud nemůže dostat veřejnou dopravou. Poté co zabil Kathryn McCormickovou, jsem měl za to, že musel odejít pěšky. Nebo třeba běžet. Chtěl jsem navrhnout, abychom zkontrolovali všechny nemovitosti ve vzdálenosti, která se dá pohodlně překonat pěšky. Pak mě napadlo, co to vlastně znamená? Vzdálenost, která se dá pohodlně překonat pěšky? Já bych klidně ušel osm nebo deset kilometrů, aniž bych se musel dvakrát rozmýšlet. Ale ve tmě? Dokonce i ve známém terénu je to hodně obtížné. Protože přece nemohl odejít po silnici, že ne? Stačilo by jediné projíždějící auto."

Carol ho přerušila. „Mysleli jsme na to, Tony. A přesně z tohoto důvodu jsme to odložili stranou. Nedokázali jsme stanovit rádius, který by dával smysl. Protože co víme, mohl kdykoli v průběhu toho víkendu zaparkovat svoje auto někde opodál a pak pro konečnou cestu použít její auto."

„To je pravda. A proto jsem tím nemarnil váš čas. Stejná byla moje reakce na místo činu v případu Amie McDonaldové. Jak bychom se mohli pustit do smysluplného hledání z toho mála, co jsme věděli? A pak Stacey řekla to, co řekla, a najednou mi to sepnulo a já pochopil, na co se tu díváme." Triumfálně se usmál, nedbal na to, že na něj hledí zcela nechápající obličeje.

„Budete nám toho muset říct víc než jen tohle, kámo," ozval se Alvin. „Nemyslím, že bych tu byl jediný, kdo nemá ani páru, o čem to mluvíte."

„Carol, Paulo? Vzpomínáte si na tu polehlou trávu a vyrytou brázdu v zemi, na které jsem upozornil na místě činu? Přišli forenzní technici s něčím?"

„Ne," odpověděla Paula. „Nic nenaznačovalo, o co by mohlo jít, až na to, že to muselo být dost těžké, aby to mělo tak silný dopad, a nejspíš šlo o nějaký kovový předmět nebo robustní plast, protože to narušilo půdu."

„Známe rozměry?" zeptal se Tony, vytáhl mobil a začal ťukat do obrazovky.

„Moment, kouknu se," řekla Paula. „Ta zpráva dorazila teprve předevčírem…" Přešla ke svému stolu a vyndala složku. „Je to sedm set šestnáct milimetrů dlouhé a šest set milimetrů široké. Ten předmět prý nejspíš bude o něco menší, protože se patrně lehce sklouzl."

Tony s blaženým úsměvem vzhlédl od telefonu. „Složené kolo značky Brompton má rozměry pět set osmdesát pět na pět set šedesát pět. Pokud ho přehodíte přes příkop, nejspíš se trochu sklouzne, ne? Věc, co váží docela dost?"

Po chvilce ticha se ozvala Carol. „Jak jsi na to přišel?"

„Za jedním nebo dvěma poli od obou míst činu vedla značená turistická cesta. Všichni jste se dívali na silnici, protože tudy přijel."

„Měli jsme na to pomyslet," sypala si popel na hlavu Paula.

„I kdybychom to udělali, stejně bychom se soustředili na silnice," přiznal Kevin lítostivě.

„To je skvělé." Karim zvedl hlavu s nadějí v očích.

„Proto si Tonyho držíme," souhlasila Carol. „Máme plné ruce práce s tím, jak koukáme na stromy. On za nimi vidí les. Paulo, zavolejte na forenzní a zjistěte, jestli na některé z fotografií z místa činu není otisk pneumatiky kola. Tohle mění celou řadu věcí. Možná máme i něco solidního, s čím bychom mohli do krimi zpráv. Pokud dokážeme nabídnout cyklistu a ten obrázek, třeba tvůrci pořadu usoudí, že stojí za to s tím jít ven. Má někdo něco dalšího?"

Ticho. „Tak se do toho radši pustíme," řekla Carol unaveně a zamířila do kanceláře.

Tony odchytil Paulu u jejího stolu. „Už vám něco řekl?"

Paula zavrtěla hlavou. „Když jste ho po tom fotbalu vysadil doma, byl velice zamlklý. A při snídani, ještě než Elinor sešla dolů, se mi omluvil, že na mě vyletěl. A já se mu omluvila za to, že jsem mu lezla do soukromí. Co se děje, Tony?"

Povzdechl si. „Slíbil jsem mu, že vám to neřeknu. Nemůžu riskovat ztrátu jeho důvěry. Je mi líto. Co kdybych se večer zastavil? Zkusil odstranit tu překážku?"

„Díky."

Přikývl a cestou ke dveřím popadl svoji fialovou bundu. Paula odeslala zprávu technikům místa činu a opřela se na židli. Zahlédla u kávovaru Kevina, dospěla k závěru, že teď je stejně vhodná chvíle jako kdykoli jindy, a nonšalantně k němu přešla.

„Měla jsem za to, že ses do služby vrátil nadobro," řekla.

„Co ten dotaz vyvolalo?" vyjádřil se nevyhraněně.

„Carol mi řekla, že jsi odsouhlasil návrat do doby, než si najde jiného detektiva inspektora, kterého by si cenila stejně."

Přikývl. „Tak to prostě je. Užíval jsem si důchod. Nepatřím k chlapům, co prahnou po vzrušení z pronásledování zločinců. Odsloužil jsem si svůj čas a rád jsem se zařídil v novém životě."

„Ale Carol tě navnadila k návratu?"

Ušklíbl se. „Navnadily mě peníze, Paulo. Nabídla mi mou starou hodnost. Krok vzhůru od detektiva seržanta k detektivu inspektorovi. Slíbila mi, že až najde rovnocennou náhradu, odejdu s penzí inspektora. Nebudu předstírat, že mě to zatraceně nestimulovalo. Máme se Stellou svoje plány. A trochu peněz navíc nám je usnadní. Proč se ptáš?"

„Carol si myslí, že bych měla složit inspektorské zkoušky." Paula bedlivě sledovala Kevinův výraz. Netvářil se zrovna překvapeně.

„To se nemýlí," řekl. „Co ti v tom brání?"

Paula pokrčila rameny. Ne že by jí chyběla ctižádost, ale bála se, co by spolu s tím mohlo přijít. „Líbí se mi to, co dělám. Užívám si vyslýchání svědků a podezřelých. Ráda pracuju v terénu, nechci být zavřená v kanceláři a zadávat úkoly podřízeným."

Kevin vrtěl hlavou. „To by platilo, jenom kdybys pracovala na standardní kriminálce. Víš přece, že tady to funguje jinak. Vidíš mě snad často za stolem? Dělám tu špinavou práci a chodím klást otázky přesně tak, jako když jsem byl seržantem. Jediný rozdíl spočívá ve snazším jednání s důstojníky ostatních sborů, s nimiž pracujeme. Spolupráce je mnohem jednodušší, když máš vyšší hodnost."

To byla pravda. I za těchto raných časů ReTZZ Paula vnímala neochotu vyhovět jejím prosbám. A musely to být prosby, protože ji důstojníci, které o něco žádala, často převyšovali hodností. Neodmítali ji striktně, protože věděli, že Paula může postoupit po žebříčku výš, což by znamenalo, že by jim vynadali z větší výšky. Ale tvářili se neochotně, vyměňovali si pohledy se svými lidmi, vzbuzovali v ní pocit, že je spíš vetřelec než někdo z týmu. „Mávání hodností vážně věci zjednodušuje? Nenaštvou se ještě víc?"

Kevin se usmál. „Nebudeš muset mávat hodností, Paulo. Prostě ji jen budeš nosit. A je nejvyšší čas, abys povýšila na to, co bys měla být. Všichni se posouváme. Carol Jordanová bude muset jednoho dne do penze. Musí tu být někdo, kdo zaujme její místo."

Polekaná Paula se nervózně zasmála. „Cože? To myslíš, že já jsem osoba, která zastane práci šéfky?"

„Proč ne? Jsi dobrý detektiv a umíš to s lidmi. A nevláčíš za sebou tolik duchů jako ona."

Přes Paulinu tvář přelétl stín. Má svá temná místa, byť ne tolik jako Carol. „Strávil jsi příliš dlouhou dobu na slunci na tom svém pozemku," řekla a snažila se, aby to vyznělo lehce.

„A ty se musíš brát trochu víc vážně." Dokončil přípravu kávy a odešel. Paula zůstala stát, dívala se za ním a zmítaly jí podivné pocity.

42

Penny Burgessová si ověřila čas na mobilu už potřetí za stejný počet minut. Opozdil se. Seděla u ušmudlaného umakartového stolu v restauraci u dálnice, která páchla žluklým tukem, nad něčím, co prohlašovali za flat white, ale co chutnalo jako horké mléko, kterému kdysi dávno ukázali zrnko kávy. Když to půjde dál tímhle tempem, bude si muset umýt vlasy a odnést kabát do čistírny.

Dohadovala se, jestli policejního konstábla Darrena Finche nepřepadly pochybnosti. Umí uklidnit nervozitu informátorů, jenže se napřed musí dostavit, aby s tím mohla začít. A na smluvenou schůzku má Finch už devatenáct minut zpoždění. Tenhle podnik navrhl on, ne ona. Udivilo ji, že se s ní dopravní policista chce setkat na benzince u dálnice. Přesně na takovém místě, kde může narazit na nějakého kolegu, pomyslela si.

Možná je tak omezený, že nedokázal vymyslet nic jiného. A technicky vzato jsou v Lancastershiru, a ne v Západním Yorkshiru, pro jehož sbor pracuje, usoudila.

Nemohla si pomoct, musela zvažovat, jestli nepoužila špatný přístup. Zjistit jména policistů, kteří zatýkali Carol Jordanovou, bylo snadné, když má teď v kapse Sama Evanse. Vyhledal jí ta jména v záznamech soudu a zjistil, ze které stanice pocházejí. Penny si pak oba policisty sama vygooglovala a Finch na ni vyskočil s fotografiemi a vším možným pod programem bezpečnosti na silnicích, který vede pro šestnáctileté, co míří ke svým prvním lekcím řízení o příštích narozeninách. Zavolala na policejní stanici v Halifaxu a požádala, jestli si s ním může promluvit, doufala, že bude mít službu nebo bude venku na hlídce. Ochotně jí sdělili, že do služby nastoupí až v deset večer. Z toho, co věděla o směnách na policii, usoudila, že ze služby bude odcházet druhý den v sedm ráno, tak si přivstala a zaparkovala proti zadnímu vchodu do stanice, kde parkují policisté.

Dvacet minut po sedmé sledovala, jak Finch opouští stanici, klábosil při tom s kolegyní. Rozloučili se a Finch odjížděl v černém BMW. Penny vyrazila za ním, udržovala mezi nimi odstup, protože takhle brzo po ránu nebyl provoz moc hustý.

Finch projel centrem města a zabočil do bludiště uliček s řadovými domky, mnohé z nich byly jednosměrky. Penny se podařilo udržet si ho na dohled, když klikatě projížděl řadami domů ze zčernalého kamene, dohadovala se, jestli ji nezahlédl, jak se za ním drží, a nesnaží se ji setřást. Konečně zpomalil, zjevně hledal místo k zaparkování. Projela kolem něj, zabočila za roh, auto nechala stát přes ústí uličky.

Přichvátala zpátky právě včas, aby viděla, jak se vmáčkl na místo o něco málo delší, než bylo jeho auto. Když vystoupil, čekala na něj na chodníku. „Konstábl Finch?"

Zatvářil se překvapeně. „Znám vás?"

„Penny Burgessová. *Bradfield Evening Sentinel Times.*"

„To jste docela daleko od svýho revíru," konstatoval. Hlas měl temný a těžký, seděl k jeho vzhledu. Odmlčel se, přehlédl ji od hlavy až k patě. „Co ode mě chcete?"

„Řekla bych, že budete stejně rozhořčený jako já kvůli těm čtyřem řidičům, kteří před několika týdny odkráčeli volní poté, co jste jim testoval dech na alkohol."

Výraz v jeho obličeji se změnil. Svraštil obočí, útočně vystrčil dopředu čelist. „Nemám vám co říct."

„Neoficiálně," povzbudila ho. „Potřebuju jen potvrzení, to je všechno."

„Jak jsem řekl. Bez komentáře."

„Takže jak? Zamete se to pod práh? Čtyři lidi jsou mrtví a všichni pokrčíme rameny a řekneme: ‚Tak jo.' A Carol Jordanová povede regionální tým pro závažné zločiny a bude vašim chlapcům říkat, co mají dělat? Nemluvě o tom, že vy a váš parťák pak vypadáte jako pitomci."

Ještě pořád se mračil, ale rychle pohlédl nahoru i dolů ulicí. „Tohle není vhodný místo ani čas."

Penny mu podstrčila vizitku. „Tak určete místo a čas a já tam budu. Není správné, abyste vy dva nesli vinu za neúspěch něčeho, na co jste malí páni."

Převzal vizitku a beze slova odešel. Ale později téhož dne dostala Penny esemesku z neznámého čísla stanovující schůzku na místě, kde teď sedí.

Zvolila špatný postup, když se odvolávala na jeho rozhořčení a hrdost? Neměla raději zaútočit na smysl pro spravedlnost? Je snad Finch větší idealista, než vypadá? Doufá, že ne. Pokud se v té věci nezmýlila, bude to báječný příběh. Na titulní stranu jejích novin a převezmou to celostátní deníky a všechna internetová zpravodajství. Není tak ambiciózní, aby se toužila přestěhovat na Fleet Street nebo se dostat do televize, ale chce mít pověst, při níž lidé zalapají po dechu, když se jim ozve.

Její dohady zodpověděly těžké kroky za ní. Odolala nutkání otočit se a počkala, až dosedne na plastovou židli proti ní. Měl na sobě černou péřovou bundu oblečenou přes černou polokošili a černou baseballovou čepici naraženou hluboko do čela. Napadlo ji, že vypadá jako laciný rapper. Odšrouboval víčko dietní coly a napil se. „Omlouvám se za zpoždění,“ řekl. „Protáhla se mi šichta. Musel jsem zkásnout jednoho idiota, co telefonoval při řízení.“

„O jednoho blbce na silnicích míň.“

„Jo. A teď, než postoupíme někam dál, nechci vidět svoje jméno v novinách.“

„Vaše jméno můžeme vynechat. To není žádný problém.“

Pohlédl na její mobil na stole. „A nenahráváte si to, doufám?“

Penny odemkla telefon a nechala ho nakouknout, že nemá aktivované nahrávání. Nemusí vědět, že má v kapse další mobil, který pilně zaznamenává všechno, co říkají. „Víte, konstáble Finchi… Nebo vám můžu říkat Darrene?“

„Říkejte mi, jak chcete, jen ne pozdě k večeři.“ Zasmál se vousatému vtipu. Rozhodně nepatří mezi nejostřejší tužky v krabičce, pomyslela si. „Takže se mnou chcete mluvit o tom alkoholtesteru?“

Přikývla. „Přijde mi to vážně docela podezřelé. Carol Jordanové projde škraloup s řízením pod vlivem alkoholu, zrovna když má být jmenována šéfkou nové jednotky.“

„Myslíte?“ Sarkasmus nebylo možné přehlédnout.

„Jak to chápete vy?“

„Přišel pokyn seshora,“ odpověděl.

„Víte to jistě?“

„Co jinýho to mohlo bejt? Ten alkoholtester byl naprosto v pořádku.“

„Jak si tím můžete být tak jistý?"

Ušklíbl se způsobem muže, který ví všechno nejlíp. „Pokud máte ve svý skříňce s vybavením vadnej alkoholtester, co s ním uděláte?"

Penny chvíli zvažovala odpověď. „Necháte ho opravit? Nebo ho vyhodíte?"

„Přesně tak." Spokojený úsměv. „No, a v ten večer, co se to stalo, se nezdálo, že by byl jakkoli v nepořádku. Zastavili jsme čtyři řidiče a dali jsme jim dejchnout, všem z dechu táhl alkohol. Žádnej z těch výsledků nás nepřiměl říct: ‚Moment, tady něco nehraje.' Ale jde o tohle. Ten alkoholtester nikdy nestáhli z oběhu. Ani tu noc, ani poté co soud zrušil ty čtyři obvinění. Pořád ten samej alkoholtester používáme."

„To si děláte legraci!"

Zavrtěl hlavou. „Jako by se ani nikdo neobtěžoval tu věc zamaskovat. Prostě jsme si řekli, nevadí. A pokračovali jsme dál, jako by se nic nestalo."

„To je ale nesmírně cynické. Tak odkud přišel ten příkaz?"

Finch zavrtěl hlavou. „Nevím. Odněkud hodně z vysoka nad mou platovou třídou."

„Nemáte ani tušení?"

Zavrtěl hlavou a opět se zdlouha napil coly. „Já vím jen tolik, že když došlo na ten případ, zástupce Korunní prokuratury se postavil před soudce a řekl, že obvinění byly stažený, protože se zjistilo, že byl vadnej alkoholtester. A že jsou tu tři další případy, se kterejma se naloží stejně." Přiložil si ruku k ústům a překvapivě delikátně říhl.

„Co jste si v tu chvíli myslel?"

Povzdechl si. „Pomyslel jsem si, že s tím alkoholtesterem mohlo něco bejt. Dva večery předtím jsem nebyl ve službě, tak jsem předpokládal, že mi někdo zapomněl něco říct. Ale když jsem se vrátil na stanici, seržant, co měl službu, řekl, že o tom slyší poprvé. A prej co on ví, není s ním nic špatně. Dokonce jsme ho sami trochu otestovali. Dva z nás jsme do něj foukli a porovnali jsme výsledky s jedním z dalších přístrojů. Byly naprosto stejný."

Penny se napila kávy. Teď když vystydla, byla ještě hnusnější. „Tak co jste udělali?"

„Nic moc jsme dělat nemohli. Nemůžete začít bojovat, když nevíte, s kým bojujete, ne? Vyzkoušeli jsme to jen pro svou vlastní potřebu. A já a můj parťák jsme si chtěli krejt záda pro případ, kdyby se časem něco dělo.

Rozhodně jsme nechtěli, aby na nás svalili vinu, kdyby se něco zvrtlo. Tak jsem si šel promluvit s hospodyní v domě George Nicholase. Snažil jsem se ji přimět, aby přiznala, že do sebe Jordanová kopala jednu skleničku za druhou, ale ta se nedala. Ví, na který straně má chlebíček namazanej. Připustila jen tolik, že Jordanová měla v průběhu asi tak čtyř hodin ,nejspíš' skleničku bílýho a skleničku červenýho. Kecy, že měla." Zkřivil ústa, aby odpovídala jeho zahořklému tónu.

Penny se musela hodně snažit, aby na sobě nedala znát radost z ohromně vzrušujícího příběhu, který se vynořoval z tak nepravděpodobného zdroje. „Co se podle vás stalo?"

„Vždycky se najdou lidi, co mají pojistku proti svinstvu, jaký se valí na obyčejný lidi. Nemám pro to teda žádnej důkaz, ale myslím si, že někdo moc chtěl Carol Jordanovou v regionálním týmu pro závažný zločiny."

„Z tak vysokého místa, jako je ministerstvo vnitra? ReTZZ je koneckonců jejich iniciativa."

Finch vrtěl hlavou. „Já jsem jenom prostej dopravní polda. A nevím nic o tom, jak se provádějí rozhodnutí. Vím jenom, že kdyby ty případy pokračovaly, jak měly, ještě dneska by nejspíš pět lidí žilo. A že je třeba zaplatit určitou cenu, když šéfové chtějí někoho dosadit na nějakej flek."

43

Tony zazvonil a čekal. Když Torin se škubnutím otevřel dveře, netvářil se překvapeně. Tony mu z konce ulice poslal textovku, že je na cestě. Teď se na chlapce usmál. „Je čas, Torine. Musíš to udělat, kámo. Je to začátek řešení věcí."

„Slíbil jste to." Spadly z něj roky, vypadal a mluvil jako malý kluk, připravený se rozbrečet.

„A svoje slovo držím. To ty jim to musíš říct."

„Nemůžu. Budou zuřit."

„Ne na tebe. Budou raněné *za* tebe, ne *kvůli* tobě. Neobrátí se k tobě zády. Znám Paulu hodně dlouho a svěřil bych jí do rukou svůj život."

Torin se chystal protáhnout kolem Tonyho a vyrazit do noci, ale zevnitř se ozvalo: „Kdo je to, Tore?" Paula. „Jestli jsou to svědkové Jehovovi, řekni jim, že jsme lesby."

„To jsem jenom já," křikl Tony.

Za Torinem se objevila Paula. „Tak proč stojíte ve dveřích? Pojďte dál."

„Bavili jsme se o fotbalu," řekl Tony. „Nechtěli jsme vás nudit." Udělal krok vpřed a Torin musel couvnout, aby Tony mohl projít. „Nezklam mě, chlapče," zašeptal Tony, když se ocitl v jeho blízkosti.

Všichni se přišourali do obývacího pokoje, Tony cestou odhodil fialovou bundu přes zábradlí schodiště. Elinor vyskočila z pohovky a objala ho. „Moc ráda vás vidím. Paula neřekla, že se zastavíte."

„Myslím, že byl nejvyšší čas. Vím, že vám Torin potřebuje něco říct, a nabídl jsem mu morální podporu."

Na Torinově tváři byla patrná zlost a pocit zrady. „Slíbil jste!" vyštěkl. Elinor se zatvářila zmateně.

„Ano. Slíbil jsem, že nechám mluvit tebe."

„To jo, ale neřekl jste, že mě do toho budete tlačit."

„Nikdo tě do ničeho netlačí, Torine. Jsem tu, abych ti byl oporou."

Torin se ušklíbl. „Jo, přesně tak. A teď vědí, že něco skrývám."

„To jsme věděly stejně," promluvila Elinor tiše. „Bydlíme s tebou. Vnímáme, že se s tebou něco děje. Máme tě moc rády, Torine. Chceme ti pomoct."

„Mně není pomoci." Torin se vrhl do křesla. „Udělal jsem fakt hroznou pitomost, víte?" Rozzlobeně si povzdechl. „A teď se mi to vrátilo zpátky a úplně mi to zničí život."

Nastala chvíle ticha. „Možná bys mohl být konkrétnější," řekla Elinor klidně. „Ale než to uděláš, chci, abys věděl, že ať už jsi udělal jakoukoli pitomost, neobrátíme se k tobě zády."

„To říkáš teď," zamumlal Torin.

„Říkám to, protože je to pravda. Jsi součástí téhle rodiny." Co nejmileji se na něj usmála.

„Ať se ti to líbí, nebo ne," dodala Paula. „Tak by ses s tím měl smířit."

Torin zvedl hlavu, oči měl zalité slzami. Přejel přes obličej hřbetem ruky, mrkáním zaháněl slzy. „Připadal jsem si osamělej, víte? Vy dvě jste byly skvělý. *Jste* skvělý. Ale občas je těžký bejt sám sebou. A ta holka začala lajkovat moje obrázky a pak jsme se spolu začali bavit." Pevně stiskl víčka.

„A zašlo to dál než jen k mluvení?" Elinor mluvila velice jemně.

„Ne tak, jak si myslíš," řekl rychle. „Všechno se odehrálo na netu."

„Dneska všechno probíhá jinak," potvrdil Tony. „Tak ti poslala svoje fotky?"

„Jo." Věnoval Tonymu prosebný pohled.

„A ty pak začaly být trochu lechtivější, viď?"

Torin těžce polkl. „To je takový divný starosvětský slovo. Ale jo, byly… víte? Sexy?" Poposedl si, pevně zkřížil nohy, prstem si třel tvář. „A požádala mě, abych pro ni udělal to samý, tak jsem to udělal." Vycházelo to z něj překotně.

„To je jedině lidské," prohlásila Paula. Viděla a slyšela moc horších věcí. Zachytila Tonyho pohled. „Ale ano, bylo to trochu stupidní."

„Já vím. A pak…" Torinovi se stáhl obličej. „Pak napsala, že když jí nedám peníze, pošle ty videa mailem všem mejm kontaktům. A rozešle je na moje účty na sociálních sítích."

„Ach, Torine, chudáčku." Elinor měla zjevně pláč na krajíčku.

Z koutku Torinova oka ukápla slza. „Povězte jim to vy, Tony."

Tony vstal a posadil se na opěradlo Torinova křesla, objal ho paží kolem ramen. „Torin vás nechtěl rozčílit. Proto prodal jeden z matčiných šperků, aby tomu vyděrači zaplatil. Tak se ten medailon, co jste, Paulo, viděla, dostal na net."

Elinor se obrátila a podívala se na Paulu. „Jaký medailon? O čem je řeč?"

„Vysvětlím ti to později, o tom tohle celé není."

„Ale proč jsem jediná, kdo o tom slyší teprve teď?" zeptala se Elinor smutně.

„Protože jsi moc pracovala a já neměla šanci sednout si s tebou a vysvětlit ti to. Později, Elinor." Paula se natáhla k její ruce a pevně ji stiskla. „Tony?"

„A teď se ten vyděrač vrací pro víc. A my musíme dát hlavy dohromady a vymyslet nějaký plán." Tony masíroval Torinovi rameno, byť nevěřil, že to chlapci přinese jakoukoli úlevu.

„Žádnej plán neexistuje." Torinův hlas zněl tupě a monotónně. „Budu si muset zvyknout na to, že mám zničenej život. Všichni ze mě budou mít náramnou srandu. Žádná holka se ke mně nikdy nepřiblíží." Svěsil hlavu. „Jsem rád, že tu máma není a neuvidí to."

„Tvoje máma by ti řekla, koukej se přestat litovat," prohlásila Elinor. „Řekla by ti, že ses zachoval jako idiot, ale není důvod, abys v tom pokračoval."

Torin zvedl hlavu, šokovaný Elinořinou razantností. „Co jinýho můžu bejt než idiot?"

„Jak řekl Tony, potřebujeme plán. A je jasné, kde máme začít." Zíraly na ni tři páry očí, nejisté a nepřesvědčené. „Proboha. Máme Stacey Chenovou. Někdo tam venku si myslí, že si s námi může zahrávat, ale není Stacey Chenová."

Později toho večera, když se Tony vrátil na *Steeler* a Torin konečně usnul, se Elinor pod přikrývkou přitulila k Paule. Ležely přimknuté těsně k sobě, jedna druhé byla útočištěm před bouří, která do jejich životů vnesla zkázu.

„Při tom všem musíme být vděčné za jedno drobné milosrdenství," zamumlala Elinor. „Jsem moc ráda, že jsme se nemusely dívat na ty fotografie."

„Já taky. O neschopnosti zapomenout, co jsem viděla, toho vím hodně.“ Paula se otřásla. „Ani ve snu by mě nenapadlo, že by mohlo jít o tohle.“

K jejímu překvapení se Elinor tiše uchechtla. „Ze všech trablů, které jsem si představovala, že by nám je mohl život přinést, bych nikdy nečekala, že bych se mohla ocitnout v situaci, kdy by řešením byla Stacey Chenová.“

Paula ji políbila. „Ani já. Ale vzhledem k masakru, jaký rozpoutala kolem Sama Evanse, si myslím, že je fér si přiznat, že ať si kdokoli myslel, že si může zahrávat s Torinem, dočká se ošklivého překvapení.“

Na druhé straně Bradfieldu byl vzhůru další člen regionálního týmu pro závažné zločiny. Kevinovi se pro jednou vyhýbal spánek. Běžně spal s bezstarostností adolescenta, ale na tomhle případu ho něco hluboce zneklidňovalo. Kremace žen v jejich vlastním voze byla znepokojivá sama o sobě. Ale pod ní cítil něco mnohem krutějšího. V tom, co tenhle vrah dělal, bylo něco bezcitného, dehumanizujícího. Oběma obětem něco slíbil. Nabídl jim milostný vztah. Dokonce i lásku. A pod rouškou tohoto slibu si získal jejich důvěru a pak ji zradil. Tomu zvrácenému parchantovi nestačila vražda; musel ji protkat záští. K těm ženám se zachoval pohrdlivě a s opovržením. Někteří lidé by to třeba považovali za irelevantní, jediné, na čem záleží, je podle nich samotné zabití. Jenže u Kevina se urážlivé chování, jak si vrah pohrával s emocemi těch žen, rovnalo těžkému zločinu. Pokud se vražda dá vůbec odstupňovat, tahle patří k horším exemplářům.

Ležel na zádech a zíral do stropu, vědomě nehybný, aby nevzbudil Stellu. Probíral v duchu všechny akce, které provedli, hledal volné konce, za které by se dalo zatáhnout a rozmotat vrahovo pečlivé plánování. Krok za krokem procházel vším, co udělali, až o sebe jeho myšlenky začaly chaoticky zakopávat.

Zavřel oči a zhluboka dýchal, snažil se zklidnit vír ve své hlavě. Ještě jednou se pokusil utřídit své myšlenky. Jaké jsou forenzní základy případu? Na místech, kde byla těla odložena, se nedá nic očekávat, ne po těch požárech.

Musí na to jít z jiného úhlu. Myslet na samotné oběti jako na zdroje forenzních důkazů. Jejich mobily zmizely v ohni. Vrah po sobě zametl stopy, co se týče komunikace. Vždycky byl dostupný jen…

A najednou se Kevinovi v hlavě rozsvítilo. Vzpomněl si na slova Harrisona Braithwaitea: „Každopádně se políbili na rozloučenou. Nic neslušného, ale nechyběla v tom trocha vášně, víte?"

Musel ji držet v náručí. Vrah ji musel držet v náručí. Ústa, která políbil, se proměnila v popel. Ale kabát, který měla Amie McDonaldová na sobě, možná ještě visí v její skříni. Visí ve skříni a má všude vrahovu DNA.

A Kevin má svědka, co by mohl přesně určit, který kabát to byl.

TŘETÍ ČÁST

44

Dnes večer se jmenuje Richard. Ne Rick nebo Dick nebo Richie; Richard, trval na tom, když se ho Eileen zeptala, jestli jeho přátelé jméno někdy zkracují. Ráno strávil tím, že byl sám sebou – Tomem Eltonem, majitelem několika časopisů, na poradě s externími spolupracovníky z Manchesteru kvůli článkům, kterými potřebuje vyplnit další čísla časopisů. Žádný z nich nevyprodukuje lepší číslo než Tricia a on mezi svými zaměstnanci nemá nikoho, kdo by texty dokázal redigovat a přepracovat tak jako ona. Dobře věděl, že kvalita jeho produktů neúprosně klesá, a dobře věděl, komu to přičíst za vinu.

Toto vědomí ještě přiostřilo jeho odhodlání pokračovat v plánu. Pokaždé když vykonal jeho část, poučil se a vylepšil ho. A pokaždé to bylo o něco snazší. V rámci svého forenzního průzkumu si nedávno přečetl studii jakéhosi chlápka jménem Tony Hill, klinického psychologa, který pro policii vytváří psychologické portréty pachatelů. Psal o čemsi, čemu se říká neurální adaptace. Vědci o ní již dlouho vědí ve fyzickém světě. Když vezmete do ruky pero, uvědomujete si, že ho cítíte v ruce, ale váš nervový systém vám velice brzy napoví, abyste se s registrováním toho pocitu vůbec neobtěžovali. Ukazuje se ovšem, že stejná věc platí i o nečestných skutcích. Když poprvé zalžete nebo když poprvé spácháte určitý zločin, je to velký krok a celou dobu si to uvědomujete. Ale čím častěji stejnou věc děláte, tím snazší se pro vás stává. Vždycky si myslel, že je to tak proto, že jakmile vám něco projde, příště se míň bojíte. Ale zjevně jde o víc. Mozek se přizpůsobí. Chce se dobře cítit při dělání věcí, které vnímá jako překročení hranice.

Věcí, které by většina lidí označila za špatné chování.

Stejná studie poukazovala na to, že když se chováte nesprávně, srdce vám začne tlouct rychleji a tělo se víc potí. Tyhle věci ovšem účinně zvládnou betablokátory. Nebylo těžké přimět praktického lékaře, aby mu předepsal betablokátory. Zejména když do sebe těsně před schůzkou kopl dvě dvojitá espressa. A teď cítí, že má věci ještě víc pod kontrolou.

Zastavil se v prodejně Waitrose v Otley a nakoupil luxusní jídlo a pití před cestou k hospodě, u níž se má setkat s Eileen. Byla to velká budova na okraji Dales, uvnitř kruhu bezpečnostních kamer. Jediné kamery v místě byly obrácené ke vchodu a východu samotné hospody. Nebylo téměř možné, aby ho zabraly. A navíc pro jistotu z vypůjčeného mercedesu ani nevystoupí.

I tohle byl geniální nápad. Nechtělo se mu používat žádné auto, které by mělo spojitost s ním nebo jeho firmou, kdekoli poblíž Dales. Napřed se rozhodl auta si půjčovat, pokaždé jiné. Jenže k výpůjčce by musel využít vlastní řidičák, a pokud by ho policisté kdy podezírali a začali hledat, nebylo by těžké ho najít.

Dlouho hledal odpověď a přitom ji měl celou dobu přímo před nosem. Robbie Dawson. Chodili spolu do školy a Robbie si od samého začátku zadával inzeráty do Local Words. Byl obchodním zástupcem firmy specializující se na nové luxusní modely aut s pobočkami v Bradfieldu a Manchesteru. Párkrát si od něj půjčil špičkový mercedes, aby udělal dojem na klienty. Robbie se nebude dvakrát rozmýšlet, pokud se za ním přižene a požádá ho, jestli by si tu a tam nemohl půjčit vůz. A tak se taky stalo. Robbie předpokládal, že teď, když Tricia zmizela ze scény, chce oslnit nějakou kočičku. Přikývl, mrkl a bylo to. Žádné opakované zahlédnutí stejného čísla vozu, jakmile se objeví v dosahu kamer na automatické rozpoznávání značek aut. Pokaždé když jel do Dales, bylo to v autě, které bylo po forenzní stránce čisté.

Zaparkoval pod rozložitým dubem na konci parkoviště a čekal, pustil si playlist ze skladeb Billa Frisella, který si sám sestavil ze svého účtu na Spotify. A pak, pět minut před domluveným časem na parkoviště poklidně vjelo její auto. Pomalu ho v kruhu objížděla, a když se přiblížila, zablikal reflektory, vyjel ze svého parkovacího místa a zastavil vedle ní. Stáhl okénko a krásně se na ni usmál. „Moc rád tě vidím," řekl a myslel to vážně.

Její úsměv byl mnohem opatrnější. Jako by si nebyla sama sebou jistá. „Já taky. Tak mám jet za tebou?"

„Přesně tak. Skvěle se pobavíme." No, alespoň jeden z nás, pomyslel si, když se zařadil před ni a vyrazil do noci.

* * *

Nemůžu na něm najít žádnou chybu, pomyslela si Eileen, když ležela rozvalená vedle Richarda na obrovském dvoulůžku, které vyplňovalo téměř celou ložničku v chatě. Taková scenerie volala po romantice. Chata byla uhnízděná na konci úzké a prudce stoupající silnice plné zákrutů. Ze dvou stran ji obklopoval hustý les, jímž sotva pronikly reflektory jejího auta, když stavení objížděla dozadu, aby zaparkovala. Ujistil ji, že výhled na zbývající dvě strany je pustý, ale krásný.

Uvnitř byla chata kouzelná. Na základě svých zkušenostní s prázdninovými objekty očekávala chintz a tvíd. Jenže tohle místo bylo skromné až spartánské, přesto zároveň pohodlné a uklidňující. Řekl, že patří příteli, který vlastní celou řadu časopisů. Znají se od dětství. Tom mu chatu půjčuje několikrát do roka. „Kéž bych měla taky takového přítele, jako je Tom," povzdechla si.

Povytáhl obočí a drze se usmál. „Možná ho jednoho dne budeš mít."

Richard si se vším dal práci, nelitoval času. Večeři tvořila úžasná směsice lahůdek – humr, tepelně upravená masa, vynikající francouzské sýry s hrozny a sušeným ovocem – a k tomu pili vážně dobré víno. Po celou dobu poklidného jídla se choval velice pozorně, vyptával se jí na ni a na její práci a odpovědi zjevně shledával fascinujícími.

I svádění odvedl pěkně. Žádné náhlé výpady přes gauč ani nemotorné osahávání, když sklízeli ze stolu. Místo toho se v kuchyni zastavil, pohlédl jí do očí a řekl, že je první žena, s níž je mu od Triciiny smrti dobře. Byl přesvědčený, že nikdy nenajde ženu, která by se jí vyrovnala, ale Eileen mu umožnila zavřít dveře za minulostí a představit si nějakou budoucnost. A pak ji vzal do náručí a políbil ji s prudkou touhou, které bylo těžké odolat. Bože, to ale bylo přesvědčivé.

Cesta z kuchyně do ložnice, což nikdy nebývá snadná operace, proběhla také hladce. Tlumené světlo, žádné nemístné zápolení s knoflíky nebo s podprsenkou. Všechno běželo bez škobrtání a jejímu tělu prokazoval tolik pozornosti jako předtím jejím slovům. Byl ohleduplný, vynalézavý a po pravdě řečeno hodně dobrý přes svoje námitky, že vyšel z praxe. Tomu se srdečně zasmála. „Pokud tomuhle říkáš vyjít z praxe, tak se nemůžu dočkat, až se vrátíš zpátky do tempa."

Zareagoval tak, že se znovu vrhl pod přikrývku a ještě jednou ji zredukoval na nesvéprávné blábolící zvíře.

Ale přesto. Eileen byla od přírody skeptická. Ležela tam, nasycená a vyčerpaná, měla za sebou jednoznačně soulož života, ale pořád ji něco brzdilo. Všechno jí připadalo příliš krásné na to, aby to byla pravda. Vysoko převyšoval její úroveň, v tom to spočívalo.

Ne že by se kdovíjak podceňovala nebo že by si myslela, že si nezaslouží někoho extra. Moc dobře si ovšem uvědomovala, kde je její místo v hierarchii atraktivnosti. Strávila v nemocničních pokojích celá léta, registrovala, co se odehrává mezi pacienty a jejich návštěvníky, sledovala dynamiku mezi páry a rodinami. Pro dobrou péči o pacienty bylo důležité vědět, kde berou podporu a odkud pochází jejich stres. A pokud si něčím byla jistá, pak tím, že si voda vždycky přirozeně najde výšku své hladiny.

A ona je jiná liga než Richard.

Až se vytratí novost randění s někým, kdo mu tak moc připomíná zesnulou manželku, uvidí ji Richard takovou, jaká je. Pak se s ní, pokud bude mít štěstí, slušně rozejde. Jenže ona do toho jde s očima otevřenýma. Je jí jasné, že tohle nevydrží na celý život. Proto si nebude nic namlouvat a nezamiluje se do něj, ať si ji rozmazluje, jak chce. Protože on se ve skutečnosti snaží rozmazlovat ženu, kterou doopravdy miloval, tu, která už tady není.

Eileen Walshová pozná dobrou věc, když ji uvidí. Ale také zná meze. Proto se rozhodla, že si tuhle jízdu užije. Vytěží z toho vztahu maximum, pokud trvá, a odejde s lehkým srdcem, protože jí bylo na chvíli umožněno cítit se jako někdo mimořádný.

Netušila, jak krátká chvíle to bude.

Přežít sobotu bylo snazší, než očekával. Dopoledne strávili v posteli, popíjeli kávu a milovali se. Rozhodně nebyla jeho typ – postrádal Triciino opálené tělo a pevné svaly –, ale léta v profesi ošetřovatelky ji patrně naučila, jak tělo funguje, a musel připustit, že znala pár pěkně šikovných pohybů. Tady taky problémy nevznikly.

Odpoledne už tak jednoznačné nebylo. Co je to s těmi ženskými a jejich posedlostí chodit po Dales? Nakonec ji vzal na túru do lesa a na kopec za ním. Byla to nudná trasa, takže věděl, že není zrovna pravděpodobné, že by narazili na někoho dalšího. Ale vyhlídka seshora byla dostatečně dramatická, aby mohl předstírat, že to byl důvod, aby sem šplhali. Většinu cesty lapala po dechu, a když se vrátili, zatoužila se nadlouho naložit do vany s horkou vodou. To mu naprosto vyhovovalo.

Společně připravili večeři. Pečenou jehněčí kýtu, dauphinské brambory, mlaďoučkou brokolici. Ze zbytků první lahve vína a nějakých bylinek z truhlíku na kuchyňském okně stvořila překvapivě nevýraznou šťávu. Takže žádná škoda, že od ní neochutná další domácí jídlo.

Spousta vína – lví podíl pro ni – a pak šli brzo do postele. Může si klidně dopřát množství dobrého sexu, dokud ji má při ruce.

Později, když ležela stočená do klubíčka zády k němu a slabě pochrupovala, na něj padla nervozita z toho, co má přijít. Ne ze zabití samotného; to bylo opravdu snazší, čím častěji to dělal. Jenže ta ženská se mu přese všecko líbila. Nebyla zoufalá a potřebná jako Kathryn ani lačná po mužích jako Amie. Připadala mu vyrovnaná, spokojená sama se sebou i s ním. Obával se, že kdyby s ní strávil víc času, mohly by se v něm probudit výčitky, že ji chce zabít. A to nejde. Možná by měl celou věc urychlit. Omámit ji při snídani, a jakmile ztratí vědomí, práci dokončit. Teď už ví, že snese mrtvolu v chatě.

A pak ho napadlo, že když ji zabije po snídani, získá příležitost zajistit si alibi. Pokud si policie jeho činy spojí, brzy přijde na to, že oběti s vrahem prožily celý víkend. Jenže takhle by se mohl snadno vrátit do Bradfieldu a strávit odpoledne na očích lidí, kteří ho znají. „Pane důstojníku, nemohl jsem to odpoledne být s Eileen Walshovou, sledoval jsem s pěti svými přáteli fotbal ve Sportman's Arms." Určitě to má svůj půvab. Požár nepotřebuje založit dřív než pozdě večer, takže se po zápasu bude moct zdržet a tím ještě víc zúžit okénko příležitosti.

Když se pak snažil usnout, napadla ho další věc. Nemusí zas tak dlouho čekat, než se bude moct jednou provždy vypořádat s Tricií. Vytvořil vzorec vraha, který vyláká ženy z jejich životů a jejich bezvládná těla pak nechá shořet v jejich vlastních autech. Kdyby Tricia zemřela stejným způsobem, vypadalo by to jako část posloupnosti sériového vraha. Jen ji musí dosadit na nějakou svatbu. To není nemožné. Jsou ve věku, kdy se jejich vrstevníci berou několikrát do roka. Ať už se Tricia schovává pod jakýmkoli kamenem, vynoří se, aby se podívala, jak některá z jejích kamarádek kráčí uličkou. Teď když si našel zadní vrátka do životů jejích přítelkyň, bude o podobné příležitosti vědět. Stačí jen počkat si na nějakou svatbu a pak se s tou mrchou bude moct vyrovnat. Dobře, nebude možné se k ní přiblížit na veřejnosti. Ale najde si ten správný okamžik. Přesně to si Tricia zaslouží. Vzala mu všechno, na čem mu záleželo.

Bude to potěšení, když jí provede totéž.

45

Harrison Braithwaite se zatvářil překvapeně, když následujícího rána na svém prahu uviděl Kevina. „Nečekal jsem, že vás znovu uvidím," řekl a zamířil zpátky chodbou ke svým ptákům. Kevin šel za ním, nesl s sebou těžkou igelitovou tašku.

„Nebyl jsem si jistý, jakému druhu zobu dáváte přednost, ale ten člověk v chovatelských potřebách tvrdil, že tohle je nejlepší." Kevin vytáhl z tašky velké balení směsi ptačího zobu.

Braithwaite se mračil a díval se na pytel. „Vy jste mi koupil krmení pro ptáky?"

Kevin se sebeironicky usmál. „No, myslel jsem si, spíš něco pro ptáky než pro vás. Říkal jste, že vám Amie nakupovala, a tak mě napadlo, že vám tohle postačí, než se zařídíte jinak."

Braithwaite klesl do křesla, ústa mu pracovala. Vzpamatoval se a řekl: „To je od vás velice laskavé. Kolik jsem dlužný?"

Kevin zavrtěl hlavou a posadil se proti starému pánovi. „Zapomeňte na to. Byl jsem tak jako tak v chovatelských potřebách, kupoval jsem žrádlo pro kočku a řekl jsem si, že bych mohl být užitečný, to je celé. Není to úplatek, víte." Usmál se.

„No, moc jste mi pomohl. Nevím, co na to říct." Drsně si utřel ústa hřbetem ruky. „Děkuju, hochu."

„Je tu jedna věc, na kterou jsem se vás měl zeptat, když jsem tu byl posledně, ale nenapadlo mě to."

Braithwaite se naklonil dopředu, pln pozornosti. „Pochybuju, že vám mám ještě co říct, ale klidně se ptejte."

„Dokázal byste určit, jaký kabát měla Amie na sobě ten večer, kdy se s Markem vrátila taxíkem?"

Braithwaite se zatahal za ušní lalůček. „Byl to její nejlepší kabát. Vždycky si ho brala, když se šla bavit do města. Byl to černobílý dvouřadý pepitový kabát s vysokým límcem. Jako má rolák."

Kevin nemohl uvěřit svému štěstí. Patrně bude dost nápadný. „To je skvělé," řekl. „Můžu vás požádat o laskavost? Mohl byste se mnou zajít nahoru do Amiina bytu a podívat se, jestli tam ještě pořád je?"

„Měl by tam být," tvrdil. „Když v pátek odjížděla, měla na sobě bundu. Aby mohla chodit po Dales." Namáhavě vstal z křesla. „Ale stejně s vámi půjdu a ověřím to."

Stoupal s Kevinem nahoru, na každém schodě odpočíval. Na prahu dveří se Kevin zastavil, navlékl si modré nitrilové rukavice. „Ničeho se, prosím, nedotýkejte, pane Braithwaite."

Starý pán přikývl. „Sleduju v televizi pořady o skutečných zločinech, vím, že nesmím zničit důkazy."

Vstoupili dovnitř. Stojan na kabáty měla Amie McDonaldová u stěny za dveřmi. Visel tu černý vlněný kabát, tmavě zelený plášť do deště a šedobílý tartanový pléd. A nakonec černobílý pepitový kabát se stojáčkem, který popisoval Harrison Braithwaite. Kevin by se nejradši dal do vítězného tanečku, ale udržel se.

„Je to on? Ten kabát, co měla na sobě, když ji Mark objal u dveří?"

Braithwaite přikývl. „Jo," řekl ztěžklým hlasem. „Zase se mi všechno vrátilo zpátky, když koukám, jak tu visí její věci. Už ji v nich nikdy neuvidím. Byla tak plná života, prostě si nemůžu zvyknout na to, že už tu není."

„Je mi moc líto, že jste to musel podstoupit," omlouval se Kevin. Vytáhl z kapsy velký pytel na důkazy, rozložil ho a zasunul do něj kabát, dával si pozor, aby ho nekontaminoval vlákny z vlastního kabátu.

„Jeho DNA bude po celém kabátu? To si myslíte?"

„Je to nepatrná možnost, ale nedá se vyloučit."

Braithwaite potřásal hlavou v údivu. „To je úžasné, co všechno je dneska možné. Když jsem byl ve vašem věku, mysleli jsme si, že víc než otisky prstů získat nejde. A teď se na otisky prstů pohlíží jako na věc názoru, ne jako na fakt. Teď je to DNA. Jak dlouho bude trvat, než to s ní dopadne stejně jako s otisky prstů?"

To je dobrá otázka, pomyslel si Kevin. Čím dál technologie postupuje, tím zmatenější někdy bývají odpovědi. „To jde mimo mě," řekl.

„Ale možná ti chytří chlápci v laboratoři pro nás tentokrát najdou odpověď."

„Už chápu, proč jste celý vzrušený." Braithwaite se odvrátil, svíralo se mu hrdlo. „Jenže pro Amii to přišlo už moc pozdě. Tohle děvče si nezasloužilo, aby se jí to stalo. Možná chytíte toho, co to udělal, ale čas zpátky nevrátíte."

46

Když Paula dorazila do práce s krabicí se šesti koblihami, seděla už Stacey ve své pevnosti za monitory, přestože byla neděle. „Policejní klišé," prohlásila Stacey, když jí Paula nabídla, ale bez nejmenšího zaváhání si vybrala kousek s karamelovým krémem. „Co tu děláš v neděli, když nemáme žádná vodítka, která by nás mohla někam dovést?"

„Mohla bych ti položit stejnou otázku."

„No, na rozdíl od tebe nemám vedle práce žádný život a rodinu. Zbývají mi dvě možnosti: sedět doma a zápasit s nějakým nepoddajným kódem, který potřebuju pro novou aplikaci, nebo jít sem a zápasit s lavinou zbytečných dat, která generuje tento případ." Stacey zvýraznila oblast na jednom monitoru a přesunula ji po diagonále na další monitor. „Ne, tohle nepomohlo." Přestala manipulovat s trackpadem a soustředila se na svou koblihu.

„Vlastně mě sem přivedla právě rodina. Napřed jsem se zastavila u tebe doma, a když jsi tam nebyla, usoudila jsem, že budeš určitě tady."

„Na základě toho, že nemám žádný život." Ve Staceyině hlase zaznívala dosud neznámá hořkost. Před Samem jí život na jediné koleji patrně vždycky připadal dostačující. Měla pár přátel – Paulu a několik počítačových maniaků, s nimiž ji spojovala fascinace daty a programováním – a nezdálo se, že by toho potřebovala víc. Kdyby se Pauly tehdy někdo zeptal, tvrdila by, že Stacey je jedním z mála lidí, co zná, kteří jsou spokojení se svým životem. Pak jí do srdce pronikl Sam a všechno změnil. Stacey nepatřila k lidem, co se svěřují s důvěrnostmi, ale to málo, co Paule řekla, naznačovalo, že si teď kvůli němu připadá jako hlupačka. Kdykoli si Paula na Sama vzpomněla, pocítila nutkání zfackovat ho, až mu poteče krev z uší. Nikdy by to samozřejmě neudělala. Nemá sklony k násilí. Ale kdyby se jí naskytla šance pokořit ho nebo mu uškodit profesionálně, hned by se jí chopila za to, jak ublížil její přítelkyni.

„Na základě toho, že všichni z tohohle týmu jsou posedlí našimi případy," opravila ji Paula. „Akorát, jak už jsem řekla, tady jde o rodinu."
Položila na stůl iPhone a přistrčila ho ke Stacey.

„To je iPhone 6," řekla Stacey.

„To je balistická střela, která udělala díru do Torinova života."

Stacey vylétlo obočí nahoru a dolů. „To zní… drsně?"

„Je to tak." Paula jí vypodobnila noční můru, která rozložila jejich životy. Na Stacey nebyl patrný žádný šok ani překvapení.

Když Paula dospěla na konec vyprávění, Stacey přikývla. „To není nic nového, Paulo."

„Já vím. Četla jsem podobné příběhy. Teenageři páchají sebevraždy, protože před sebou nevidí nic než ostudu a potupu. Děti utíkají z domova kdovíkam, protože mají pocit, že ztratily budoucnost. No, nedopustím, aby se něco takového stalo Torinovi. Ne, dokud jsem tady já." Paulin obličej zrudl hněvivým odhodláním.

„Chápu," řekla Stacey. „Ale možná nebudeš schopná zabránit prvnímu stupni té katastrofy. Zveřejnění toho, co udělal. Můžeš ovšem podniknout několik praktických kroků, které by těm útočníkům mohly ztížit práci. Pořád existuje možnost, že nevyplenili celý seznam jeho kontaktů. Takže co musí Torin udělat – a musí to udělat ještě dneska –, je vymazat všechny svoje kontakty z telefonu, jeden po druhém. Pak to samé musí udělat na všech účtech na sociálních médiích. Jeden kontakt po druhém, ručně, ne použít příkaz ‚smaž všechny'. Pak musí uzavřít veškeré účty na sociálních médiích. Až bude po všem, může si otevřít nové. Ale prozatím se musí stát neviditelným a zůstat neviditelným."

„A tohle to vydírání zastaví?"

„Upřímně? Nejspíš ne. Ale může to útočníkům natolik ztížit situaci, že se přesunou někam jinam. Jo, a taky musí smazat všechny kontakty v mailu. A musíš sem přinést jeho laptop. Možná ho ovládli a sledují Torina po celou dobu, co u něj sedí. Vlastně rovnou pošli Elinor esemesku, ať sem Torin přinese laptop a tablet. Uvidím, co v nich je, a pročistím je."

Paula okamžitě udělala, co jí Stacey přikázala. „Nedokážeš vysledovat, kdo mu to dělá? A zastavit je u zdroje?"

Stacey si povzdechla. „To je silně nepravděpodobné. Tyhle kyberútoky přicházívají z míst, kde vláda umožňuje anonymní servery, které z mailů a zpráv vymažou všechny zdrojové informace."

„Takže například z Ruska?"

„Mnohem pravděpodobnější jsou Filipíny. Udělám, co bude v mých silách, ale nevkládej do toho moc naděje." Pak, jako by ji cosi napadlo, řekla pomalu: „Kolik peněz žádali?"

„První požadavek byl pět set liber. Torin zaplatil a potom požadovali tisíc liber. Dali mu termín do konce měsíce." Telefon zahvízdal. „To je Torin. Elinor ho sem sveze, bude tu asi za čtvrt hodiny."

„To není zrovna moc za takovou námahu," soudila Stacey. „Požadavky obvykle začínají kolem pěti tisíc."

„To záleží na tom, kdo to dělá," namítla Paula. „Kluk Torinova věku může být schopný sehnat několik set, ale k pěti tisícům se hned tak nedostane. Lepší je mít alespoň něco nežli vůbec nic. A pokud to dělají i dalším dětem, důležité je celkové množství, ne jednotlivé sumy."

„To je pravda. A mají jeho záznam. Můžou ho zpeněžit na nějaké pornostránce," přemítala nahlas Stacey.

Paula vytřeštila oči hrůzou. „To by ho dali na pornostránku?"

Stacey došel rozsah toho, co řekla, a rychle se stáhla. „Nejspíš ne. Na pedofily je moc starý."

Ale ne na zvrhlíky, kterým se líbí pubertální chlapci, pomyslela si Paula. Byla to odpuzující představa.

„Poslyš, udělám, co bude v mých silách. Mám pár kontaktů, které se pohybují na opačné straně zákona. Uvidím, co se mi z nich podaří vytáhnout. A mezitím uděláme, co půjde, abychom minimalizovali škody." Zvedla mobil. „Jaký má PIN? Mrknu se na to, než sem Torin dorazí."

„Tři devět pět dva tři devět," odpověděla Paula. Před odchodem z domu trvala na tom, aby jí Torin kód prozradil. Musela mu slíbit, že ho nezneužije a nebude procházet jeho soukromými věcmi. Usoudila, že si tu nedůvěru po neschváleném prohledávání Torinova pokoje zasloužila. „Jdu na ně počkat venku." Mohla by si při tom čekání dopřát elektronickou cigaretu. Ve skutečnosti toužila po pravé cigaretě. Těžko se ovšem svého zlozvyku zbavovala a nehodlala tou nepříjemností procházet znovu. Občasné kouření elektronické cigarety musí stačit.

Když čekala na výtah, povzdechla si z plných plic. Chtěla by, aby Stacey mávla kouzelnou hůlkou, kterou tak často vnášela do jejich případů. Ale jako u všeho ostatního v ReTZZ jako by je stará kouzla opustila.

47

Po večeři začala Carol jevit známky nervozity. Netrpělivě listovala přílohou nedělních novin o životním stylu. „Kdo je u všech všudy tak stupidní, aby si četl článek o deseti nejlepších místech, kde se najíst pod širým nebem? Nebo jak proměnit dřevěné schody tím, že je nalakujete tak, aby vypadaly jako stylový běhoun?" Už když to říkala, znala odpověď. Někdo, kdo se snaží vyhnout myšlence na osvěžující vodku s tonikem nebo na skleničku pinotu grigio tak studeného, až z něj trnou zuby.

Koho se to snaží obalamutit? Zrovna teď by se spokojila s levným albánským bílým vínem, teplým jako lidská krev. Nebo by stačil průlom v případu, ten by odvedl její pozornost od touhy po alkoholu, která jí protéká žilami jako elektrický proud. Vnitřek hlavy jí připomíná močál, kterým se snaží brodit. Jak může vyřešit tak komplikovaný případ, když jí mozek přestal pořádně fungovat?

Tony vzhlédl od článku v časopisu, který četl na tabletu. „Někdo, kdo *má* schody?"

„Velice vtipné." Carol po něm střelila rozzlobeným pohledem a odhodila noviny. „Tenhle případ mě zabíjí. Jak je možné, že není čeho se chytit? Jsme odsouzeni k protahování nekonečného proudu dat přes Staceyiny systémy v naději, že se objeví nějaký odkaz, který nám dodá něco, na co bychom se mohli zaměřit. Budeme se muset uchýlit k výzvě veřejnosti."

„Pokud se nebude držet svého intervalu. Pokud dodrží cyklus tří týdnů, dnes v noci bude hořet další auto. A pokaždé když to udělá, k němu máme blíž. Protože pokaždé začíná být patrnější jeho vzorec. Čím víc se toho o něm dozvíme, tím pravděpodobnější je, že se dostaneme před něj a postavíme se mu do cesty." Třel si rukama obě strany hlavy. „Trápí mě to, ale čím víc zabíjí, tím je moje práce snazší. Tohle je to nejtěžší na tom, co dělám, Carol. Vina, kterou pociťuju, protože nejsem dost dobrý na to, abych podchytil nejdůležitější podrobnosti od samého začátku."

„Tak dobrý není nikdo. A kdybys o tom poctivě přemýšlel, místo abys toho využíval jako výmluvy k sebemrskačství, uznal bys to a odpustil by sis." Vřelost jejího tónu ubrala slovům osten. Carol se natáhla přes roh stolu, který je odděloval, a oběma rukama přikryla jednu jeho. „Nejsi vševědoucí."

„Nejsem. A proto se nakonec budeš muset obrátit na veřejnost s výzvou, která vytáhne z vody síť plnou falešných vodítek." Pokrčil rameny. „A možná tak jedno skutečné, pokud ho v tom úlovku budeme vůbec schopni najít."

„Podle toho, jak to zatím postupuje…" Carol přerušilo zazvonění telefonu. Popadla mobil. „Severní Yorkshire," zamumlala a přijala hovor. „Vrchní inspektorka Jordanová."

„Tady detektiv superintendant Hendersonová. Ozvali se mi z dispečinku. Nastavila jsem si, aby všechny zprávy o požárech aut v Dales chodily rovnou mně. Skupina cyklistů nám nahlásila požár na odpočívadle na silnici mezi Blubberthwaitem a Scarholmem. Nad Wharfedalem."

„Dík, že jste mi dala vědět. Kdo tam míří?"

„Hasiči a hlídkový vůz," odpověděla Hendersonová odměřeně.

„Mohli byste si promluvit se šéfem hasičů a požádat ho, aby požár nehasili, pokud nebudou ohroženy životy nebo majetek?"

„Už jsem takový pokyn vydala. Předpokládala jsem, že to tak budete chtít. Samozřejmě si v tomto stadiu nemůžeme být jistí, jestli jde o náhodný požár auta, nebo o součást vašeho případu, ale řekla jsem si, že bude lepší vydat opatření."

„Ano, madam. Cením si toho, že jste to tak udělala. Dorazím tam se členy svého týmu, jak nejdříve to bude možné. Pokud policisté z hlídkového vozu uvidí v tom autě tělo, mohla byste zařídit, aby na místo povolali forenzní tým?"

„I to jsem zařídila. Jakmile zjistíme, že je to třeba, jmenuju hlavního vyšetřovatele a všichni se s vámi setkají na místě činu."

„Děkuju, madam." Carol ukončila hovor a věnovala Tonymu lítostivý úsměv. „Vypadá to, že získáme další údaje. Musím se převléknout do něčeho, co vypadá oficiálněji než běžecké kalhoty a bunda s kapucí."

„Kde je to?" zeptal se, zvedl se a zamířil k poličce, v níž Carol skladovala mapy.

„Wharfedale. Mezi Blubberthwaitem a Scarholmem. Další absurdní jména ze Severního Yorkshiru," dodala a zašla za zástěnu, která oddělovala její prostor na spaní od zbytku stodoly.

Tony vytáhl mapu, která obsahovala Horní Wharfedale, a rozložil ji po stole. Chvíli nad ní stál, dokud nenašel řeku Wharfe, a pak ji sledoval proti proudu do míst, která Carol jmenovala. Ani jedno z nich nevypadalo na moc víc než pouhý shluk několika obydlí bez kostela nebo hospody.

Nicméně po opačné straně řeky, než vedla silnice, se táhla stezka pro cyklisty. A spojovalo je cosi, co vypadalo jako několik lávek pro pěší. „Carol," zavolal. „Vedle té silnice vede stezka pro cyklisty."

Vynořila se zpoza zástěny ve volném šedém svetru a černých kalhotách. „Cože?"

„Podívej, vede celým údolím. Pokud se s tím kolem nemýlíme, mohl by být zrovna teď na té cyklostezce."

Carol se naklonila Tonymu přes rameno. Okamžitě pochopila, co jí ukazuje. „Sakra," ulevila si, přešla k telefonu a zvolala zpátky Hendersonové. „Myslíme si, že možná prchá na kole," řekla bez jakéhokoli úvodu. „Údolím vede cyklostezka. Určitě existuje jen omezený počet míst, kde se může protínat se silnicí a kde mohl mít zaparkované auto. Existuje šance, že byste taková místa dokázali pokrýt?"

Ke cti Hendersonové je třeba říct, že ani na okamžik nezaváhala. „Promluvím se svými lidmi a uvidíme, co se dá udělat. I když může být dávno pryč. Nechte to na mně."

Linka zmlkla a Carol se podívala na Tonyho. „Dobrá policejní práce," pochválila ho.

Pokrčil rameny. „Pracujeme spolu už dlouho. Učíme se jeden od druhého. Ty jsi taky několikrát přišla s náhledem psychiatra dřív než já."

„To je od tebe hezké, že to říkáš, ale nejsem si jistá, jestli souhlasím. Jdeš se mnou, Sherlocku?"

V autě se Tony usadil na sedadle, hlavu si položil na opěrku. „Nedostanou ho," prohlásil.

Carol se hnala silničkami vedoucími od stodoly k hlavní silnici směřující na sever. „Jak si tím můžeš být jistý?"

„Protože je velice opatrný. Plánuje všechno do posledního detailu. Zjistil si, jak dlouho pohotovostním složkám potrvá, než se dostanou k ohni, a jak dlouhá je jeho cesta zpátky k autu. Mě ovšem zajímá jiná věc. Většina sériových pachatelů tím či oním způsobem začne přitvrzovat. Buď se zkracuje interval útoků, nebo jsou činy násilnější, propracovanější. Jenže tohle se tady neděje. To je jeden z důležitých aspektů, s čím se tu setkáváme. A je tu ještě další věc. Je přímo posedlý tím, aby nezanechával stopy, které by k němu mohly vést. Není to proto, že by se jen bál skutečnosti, že ho chytí. O to nejde. Je to proto, že je na misi. A kdyby nebyl dost opatrný, kdyby se nechal chytit kvůli nějaké hloupé chybě, nemohl by svou misi dokončit."

Carol na něj vrhla rychlý pohled. „Jak jsi na tohle přišel?"

„Znáte moje metody, Watsone." Usmál se na ni. „Tohle vysvětlení dodává největší smysl jeho chování, Carol. Zaměřuje se na svatby, protože mu dodávají takový druh oběti, jakou potřebuje. Ženu, která je bezbranná vůči příslibu milostného vztahu. To nám ovšem nezaručuje žádný konkrétní fyzický typ, a dokonce ani věkové rozmezí. Nezáleží mu na těch osobách jako na individualitách. Jde o to, co pro něj představují."

„A co pro něj představují?"

„Ženu, kterou chce zabít."

„Tak proč ji nezabije?" Dlouhá odmlka. Carol zabočila na směrově dělenou vozovku a popohnala Land Rover na rychlost vyšší než sto třicet kilometrů za hodinu. „Co mu v tom brání?"

„To kdybych věděl… Možná už je mrtvá? Možná je mimo dosah z nějakého jiného důvodu?"

„Možná chce svůj čin dovést k dokonalosti, než to udělá jí?"

Tony si ten nápad promýšlel. Těžce vydechl nosem. „To se mi nezdá. Protože byl dokonalý už od samého počátku."

„Ne nutně." Carol prudce vyrazila, aby předjela dodávku. „Vidíme jen konečný výsledek. Zbavil se těla. Netušíme nic o jeho rituálu předtím, než je zabije. Možná se snaží zdokonalit tohle."

Nedalo se popřít, že je to dobrá poznámka, a Tony se ani neobtěžoval tím, že by se o to pokoušel. „Máš pravdu," přiznal. „Vidíš, říkal jsem ti, že nejsem zdaleka tak dobrý, jak se mi připisuje. Vidíme jen začátek jeho postupu a konec. Nevíme, co se děje uprostřed. A to znamená, že nemáme nejmenší tušení, koho chce ve skutečnosti zabít."

48

Stacey na místa činu nejezdila. Ne v oblečení od Stelly McCartneyové a mokasínech od Nicholase Kirkwooda. I kdyby se oblékla, jak náleží, pořád by se netáhla někam doprostřed pustiny, aby postávala kolem a předstírala, že je užitečná. Platná je přesně tam, kde je. Zatímco plameny požíraly vnitřek sedm let starého Vauxhallu Astra Eileen Walshové, seděla Stacey sama v kanceláři, čekala na nová data, jimiž nakrmí svoje systémy, a doufala, že tentokrát někdo zachrání něco konkrétního, na čem si její stroje smlsnou.

Mezitím měla na čem pracovat. Stacey vždycky měla na čem pracovat, zatímco její oficiální práce běžela na pozadí. Jenže to, čím se zabývala dnes, mělo osobní rozměr, jaký její práce obvykle postrádala. Někteří z kolegů, kteří ji znali méně, než si mysleli, by se mohli domnívat, že osobní věci na ni mají malý dopad.

Moc by se mýlili.

Stacey nenáviděla lidi, kteří zneužívali digitální systémy. Uráželo ji, že osudově podkopali základní krásu a čistotu internetu. Zničili nejrevolučnější vynález dvacátého století a proměnili ho ve stroj na malichernosti, v jed, darebáctví a v podrývání samotné struktury demokracie. Staceyina rodina přijela z Hong Kongu; zažili tam z první ruky účinky tyranie a útlaku a Stacey zraňovalo, že oportunisté a idioti vezmou takovou neobyčejnou věc, jako je internet, a promění ji v něco ošklivého a vykořisťovatelského. Hněv podněcoval její policejní práci stejně jako licence, díky které ji toto zaměstnání opravňovalo, aby strkala nos do dat ostatních lidí, aby si procvičovala zvědavost, kterou ospravedlňovala jako nutnou invazi do soukromí. Patří koneckonců k těm hodným.

Velkou část odpoledne strávila s Torinem, jeho nejrůznější zařízení zbavovala osobních dat. Seděl vedle ní s ponurým výrazem ve tváři, když pročišťovali a zavírali jeho účty na sociálních médiích. Pokusila se mu vysvětlit, co dělá a proč to dělá, ale on ji přerušil. „Já vím. Kdybych nebyl úplnej blb, nemusela byste mi promazávat život. Pochopil jsem to. Tak můžeme v tom prostě jenom pokračovat, prosím?"

I ona to chápala. Připadala by si stejně deprimovaná a stísněná, kdyby udělala něco, co by mělo tak zničující následky. Nemyslí tu část s odhalením. To se dá přežít. Ale zrušit celé propojení se světem? To by byla hrůza. Proto jí chlapce bylo líto. „Až bude po všem a ty si budeš účty zase zakládat, ukážu ti, jak musíš systémy nastavit, aby se ti něco podobného nemohlo stát znovu," odpověděla.

„To umíte?"

„Ano. No, *já* ano."

„Dík. Omlouvám se."

„Měl jsi prostě smůlu. Většině lidí se podaří selhání udržet pod pokličkou. Ale nemysli si, že jsi jediný, kdo něco zvoral." Jak sama moc dobře věděla. „Stává se to i dospělým."

Když skončili, Torin vyklouzl z kanceláře, aby chytil autobus, a svůj mobil nechal u Stacey. Připojila ho ke svému systému. Až – bude to až, ne jestli – ho vyděrači zkontaktují, použije veškerou svou výzbroj ke zjištění, kdo je za vše odpovědný a kde se schovává.

A samozřejmě, ani ne deset minut poté, co přišlo hlášení o nočním požáru, na Torinově mobilu pípla esemeska. Stacey si představila pavučinu vláken, která se rozsvítila mezi telefonem a osobou, jež tahle kola uvedla do chodu. Řady čísel se posouvaly po monitoru, který pro tento večer věnovala Torinovi. Sledovač IP adres, který spustila, běžel, sledoval signál kyberprostorem zpátky ke zdroji.

Až na to, že ho nenašel. Jak se obávala, tracker skončil ve slepé uličce. V digitálním ekvivalentu cihlové zdi. Ať tu zprávu Torinovi poslal, kdo chtěl, na netu se vyznal. Uměl nasměrovat zprávy přes server, který nebylo možné identifikovat na dálku. Stacey studovala monitor, nechala přitom běžet celou řadu kontrol. Byla to, jak očekávala, slepá ulička někde na Filipínách, v jurisdikci, kterou nikdo nemohl přinutit, aby identifikovala hackery typu černý klobouk, autory phishingů a další podvodníky.

Stacey těžce dýchala nosem. Dokonce ani ona nedokáže odkrýt cestu k téhle konkrétní záležitosti. Opřela se v křesle a mračila se do akustických panclů na stropě, jejich dolíčkovatý povrch jí připomínal fotografie měsíčního povrchu z lunárního modulu. „Co to s tebou je?" zavrčela, zlobila se sama na sebe za tak povrchní myšlenku v takové situaci.

Napřímila se, zakroužila rameny, aby se zbavila napětí, a zvážila možnosti. Sledování zprávy naprosto selhalo. Ale může prozkoumat jinou cestu, i když nejspíš nebude o moc úspěšnější. Peníze vyděrači uložil Torin na účet předplacené kreditní karty. Banka, která ji vydala, bude mít kontakt na majitele.

Jenže získat tyhle údaje je téměř nemožné. Banky podobné informace nesdělují. Na podobné uvolnění informací je značně těžké získat soudní příkaz, i když se jedná o vážný zločin, natož když někdo pracuje takhle neoficiálně. Stacey zkusmo prověřila ID kódu banky, k níž karta patří. K jejímu úžasu to byla pobočka významné banky v Bradfieldu. Někdo si nakráčel do banky ani ne dva kilometry od Skenfrith Street a koupil předem nabitou kreditní kartu.

Ať Torina vykolejil kdokoli, nebyl to žádný podvodník z druhé strany zeměkoule. Udělal to někdo, kdo je mnohem blíž domovu.

49

A uto bylo dosud příliš horké na to, aby bylo možné se k němu přiblížit. Tony ten žár cítil na dvacet metrů. Rámy oken občas nesměle olízl plamen, ale viditelně tu nezbývalo moc, co by mohlo hořet. Ze zápachu se zvedal žaludek. Spálená umělá hmota a štiplavé chemikálie z čalounění a pod tím vším puch spáleného masa. Zčernalá lebka, kůže a maso se proměnily v popel a nedaly se rozeznat od kovového rámu sedadla. Tony se v duchu otřásl.

„Nezůstáváš tu, abys to pozoroval," řekl tak tiše, že ho nikdo nemohl slyšet. „Není to oheň, co tě spouští. Ten jen vše vymaže. Spálí je, aby nezůstalo nic rozpoznatelného z lidské bytosti. Někoho trestáš, ale nejsou to ony. Jsou pouhé náhradnice."

Carol opustila klubko detektivů a techniků místa činu, kteří se zdržovali na okraji scény. „Je to stejné jako u ostatních," sdělila Tonymu.

„Ne tak úplně." Tony přešel na konec úzkého odpočívadla, nezbylo jí, než jít za ním. „Tady silnici lemují na sucho zděné zídky. Mají něco přes metr. A za tím teče řeka. Když se chceš dostat na tu cyklostezku, musíš asi tak pět set metrů buď jet na kole, nebo jít pěšky a vést kolo, než se dostaneš k lávce přes Wharfe."

„Takže musím hned za prvního světla zařídit bedlivé prohledání podél okraje silnice," shrnula to Carol. Sehnula se a nastavila hlavu tak, aby se mohla poblíž země ohlédnout k autu zářícímu do noci. „Není tohle stopa po pneumatikách kola?" zeptala se, ukazovala na blátivou šmouhu táhnoucí se několik metrů od zadního nárazníku.

Tony si přičapl vedle ní. „Vypadá to tak."

Carol se zvedla. „Mohl by sem přijít velitel zásahu?" zavolala.

Jedna z bíle oděných postav se odpojila od skupinky. „To jsem já, madam."

Tony sebou škubl. Carol nesnášela tuto formu oslovení a pohrdala vysoce postavenými policistkami, jako je detektiv superintendant Hendersonová, které na tomto oslovení lpěly jako na projevu úcty. „Jde o starou dobře známou nenávist k ženám," tvrdila Tonymu v raném stadiu jejich společného pracovního života. „Je to způsob, jak nám dát najevo, kde je naše místo." Přesně chápal, jak to myslí. To oslovení předstíralo vyjádření respektu, ale bylo tomu právě naopak.

„Vrchní inspektorko Jordanová bude stačit," řekla rázně. „Nejsem žádná paní domu, prokrista. Tak a teď si tady přičapněte a otočte hlavu tak, abyste ji měl šikmo k silnici. Jste zkušený velitel zásahu. Řekl byste, že je to stopa po pneumatice kola? V tom kusu bláta za autem?"

Velitel udělal, co mu přikázala. Pohyboval hlavou sem a tam, snažil se vidět to, čeho si všimla Carol. Pak pohyb zastavil a řekl: „Mám to." Napřímil se. „Řekl bych, že můžete mít pravdu. Odpoledne pršelo. Pršet přestalo kolem šesté, takže tohle muselo vzniknout až potom. A pokud se nepletu, bláto se žárem ohně upeklo a ztuhlo." Dvěma prsty pravé ruky napodobil zasalutování. „Dobrý postřeh. Myslíte si, že z místa činu odjel na kole, viďte? Slyšel jsem, že jste si objednala kontrolu výjezdů z cyklostezky." Lehce se zaculil. „Problém je, že s horským kolem se nemusíte držet hlavní stezky. Mohl zmizet za Bicker Edge dávno předtím, než jsme dostali tísňové volání."

„Není to horské kolo," bránila se Carol. „Je to brompton nebo něco podobného. Víme to podle posledního místa činu. Chci, abyste hned za prvního světla bedlivě prohledali okraj silnice až k lávce. Pokud tudy jel, existuje velká naděje, že zanechal nějaký důkaz."

„Máte pravdu, ma… paní vrchní inspektorko. Pochybuju, že z toho otisku získáme nějakou užitečnou informaci, ale člověk nikdy neví. Třeba budeme mít štěstí a najdeme na pneumatice nějakou viditelnou vadu."

„To pochybuju," vložil se do hovoru Tony. „Nedovedu si představit, že by přehlédl něco tak zjevného. To není jeho styl, věřte mi."

Velitel zásahu pokrčil rameny. „Když říkáte. Stejně se na to mrkneme." Připojil se ke svému týmu, vrhl rychlý pohled přes rameno na Tonyho a Carol.

„Udělali jsme si tu dalšího přítele," poznamenala Carol.

„Dělám, co můžu."

„Jdu se zeptat vyšetřovatele požárů, zda tu není nějaká stopa, že by použil zápalnou šňůru. Dohaduju se, jestli si neposkytl nějaký čas navíc, aby stačil ujet."

Tony se mračil. „Za zeptání to stojí. Ale nemyslím, že by cokoli ponechal náhodě. Určitě si chce být jistý, že oheň vzplanul, protože zaručeně nechce, aby někdo nakráčel k jeho perfektnímu nastavení včas a zabránil *auto da fe*."

„Cože?"

„Pálení kacířů na hranici. Španělská inkvizice. Proměňování lidí v lidské pochodně." Lítostivě se usmál. „Promiň. Víš přece, že mám hlavu plnou nepatřičných informací."

„Nejsou to informace, co je nepatřičné, je to čas a místo, kdy je vytahuješ."

Než stačil odpovědět, Carol zazvonil telefon. „Kevine," řekla. „Co pro mě máte?"

„Dobrou zprávu a špatnou zprávu," odpověděl.

„Jako obvykle. Tak do toho."

„Spojil jsem se s týmy Severního Yorkshiru, které měly monitorovat výstupní body z cyklostezky podél řeky. Tým ve východní části se zrovna připravoval k monitoringu, když kolem nich prošla nějaká žena. Venčila psa."

„Není to tak vždycky? Pořád mě překvapuje, že Flash ještě nikdy nenašla mrtvolu. Tak co jim ta paní řekla?"

„Když policisty uviděla, mířila už domů. Řekla jim, že ji cestou div nesrazil cyklista, který se hnal stezkou jako blázen – a teď cituju – ,na jednom z těch maličkých skládacích kol, jako měl Hugh Bonneville ve *W1A*'." Když Carol nereagovala, pokračoval. „To byla televizní show, šéfko. Dělala si legraci z BBC."

„Já vím, o co šlo, Kevine. Bonneville jezdil na kole Brompton, jaké podle nás možná používá vrah. Tak viděla něco užitečného?"

„Trochu to s ní zamávalo a rozzlobil ji způsob jeho jízdy, tak se za ním otočila. Ze stezky sjel hned v místě, kudy vstupuje do vesnice. O několik minut později slyšela startování motoru a odjezd auta."

„Auto neviděla?"

„Bohužel ne."

„A co je ta dobrá zpráva?"

Kevin si odkašlal. „Tohle byla ona."

„Takže máme neidentifikované auto odjíždějící neidentifikovaným směrem krátce před tím, než naše týmy dorazily na místo?"

„Asi tak, ano."

„Viděla ho vůbec?"

„Ano, ale popis není zrovna k užitku. Měl na sobě cyklistické lycrové oblečení tmavé barvy včetně helmy a brýlí. A nesvítila mu jenom světla kola, na hlavě měl i čelovku. Takže byla docela oslněná."

Carol si povzdechla. „No, patrně je to lepší než nic. Přinejmenším to potvrzuje naši teorii, že z místa činu ujíždí na kole. Můžete to všechno nahlásit Stacey? Bude ze systému rozpoznávání registračních čísel potřebovat všechny údaje o vozech, které najely na hlavní silnice z Dales. Promluvíme si později, Kevine." Ukončila hovor a svěsila hlavu. „Pochopil jsi, o co šlo?"

„Podstatu věci. Nějaká paní, co venčila psa, viděla našeho muže, ale ne dostatečně dlouho, aby nám ho dokázala popsat, a myslí si, že odjel v autě?"

„Přesně. No, možná z toho Stacey něco vytáhne. Nějaký odkaz na dřívější informaci ze systému rozpoznávání registračních čísel vozů nebo tak něco."

„Pokud ovšem nezůstává v Dales."

Carol zvedla hlavu. „Myslíš, že tu skutečně bydlí?"

„Nedá se to vyloučit. Zjevně tu oblast velmi dobře zná. Ví, kudy se může pohybovat, aby nespustil kamery. Není těžké dojet odsud do Bradfieldu nebo Leedsu nebo – neříkal někdo, že tohle auto patří někomu z Manchesteru?"

„Ne přímo z Manchesteru. Je registrované na Eileen Walshovou." Carol začala odpovídat, aniž by o tom musela přemýšlet. Měla neobyčejnou paměť, takže si naprosto přesně dokázala vybavit, co slyšela. Někdy to bylo věrnější než nahrávka. „Adresa v Salfordu."

„Takže není nerozumné předpokládat, že by mohl žít v téhle oblasti. Nebo tu možná má víkendovou chatu. To se pak může vrátit do svého úkrytu a tam v klidu zůstat do pondělního rána, kdy se stane jedním z dojíždějících, kteří míří z Dales na místo, kde pracují. Nejsem si jistý, jestli to nějak pomůže, ale…"

„Ale je to další hypotéza, kterou můžeme přidat k těm stávajícím. Často jsi opakoval, že pokud jde o sexuálně motivovanou vraždu, nezačíná zločinnost obvykle vraždou. Jaký počáteční přestupek bys čekal tady?"

„Pojďme se projít," vybídl ji Tony. Hlava mu vždycky fungovala líp, když byl v pohybu. Minuli místo činu a vydali se po silnici opačným směrem, než kudy podle předpokladu odjel vrah. Horko rychle pominulo, byl rád, že má svou novou bundu. Noc byla jasná a chladná a kouř, který se táhl po obloze, připomínal šmouhu hadru na tabuli přes dětský obrázek hvězdné oblohy.

„Nebude to nic obvyklého. Žádné trápení zvířat, banální vandalismus, drobnější sexuální prohřešky. Není to sexuální vražda jako taková," tvrdil a při řeči rozhazoval rukama. „Předpokládám, že s nimi má sex. Nastavil tenhle scénář, že je to celé o milostném vztahu a námluvách, a je pravděpodobné, že to končí v posteli. Jak už jsem řekl, získává je v době a na místě, kde jsou otevřené pomyšlení na lásku. Zve je na rande a zjevně v nich nespouští žádný varovný signál, protože ty ženy souhlasí s opakovanými schůzkami. Důvěřují mu natolik, aby s ním strávily víkend v Dales. To je naprosto netypické pro sériové sexuálně motivované vraždy."

„Třeba to celé hraje. Jakmile je sem dostane, možná v tu chvíli pan Hodný zmizí a znásilňuje je a mučí?"

Tony si uvědomil, že má studené ruce, a zastrčil si je do kapes. „Možné to je," souhlasil. „A těžko proti tomu můžeme něco namítat, když neexistují žádní svědkové jejich vzájemného chování. Až na to, že neexistence jakýchkoli svědků naznačuje, že to chování bylo naprosto normální, až nudné. Žádné scény v restauraci, žádné hádky na ulici, žádné stížnosti přítelkyním. Slyšíme o něm jen tolik, jaký je to úžasný gentleman, jak je pozorný, jak stále překonává tragickou smrt manželky."

„Co ta manželka?"

„Manželka, přítelkyně, cokoli. Nemyslím, že by byla mrtvá. Myslím, že je to právě žena, kterou chce zabít. Je to posedlý člověk a je odhodlaný svou posedlost dovést až do konce."

„A tím koncem je co? Zabití ženy, kterou kdysi miloval?"

„Pořád ji miluje, ale ona nemiluje jeho. Napřed jsem si myslel, že ji třeba nemůže zabít proto, že už je mrtvá. Ale čím víc o tom přemýšlím, tím menší smysl mi to dává. Smrt prostě těm, co zůstanou, *připadá* jako dezerce. Kdyby byla mrtvá, myslím, že by svoji pomstu obrátil proti tomu, u koho by mohl najít vinu. Proti doktorům, kteří ji nedokázali vyléčit. Proti policistům, kteří ji neochránili. Proti řidiči, který…" Náhle se zarazil, uvědomil si, s kým mluví. „Každopádně by hledal někoho, koho by mohl obvinit. A někoho takového ty ženy v jeho hlavě nepředstavují."

„Takže jsi dospěl k jednoznačnému závěru, že jsou to náhradnice?"

„Ano. A to, že je zabíjí, mu dává určitý stupeň útěchy. Ujištění, že může ovládat svět kolem sebe. Protože ona mu tím, že odešla, sebrala tuhle moc a kontrolu." Tony se prudce zastavil. „Naplánoval to nesmírně pečlivě. Ví, že všechno musí dělat bezchybně, protože potřebuje zůstat na svobodě, dokud pro něj nebude bezpečné ji zabít. Ať už je ta žena kdokoli. A někdy časem ji zabije. Protože ho neumíme zastavit. Takže až do té doby to bude dělat znovu a znovu a znovu."

Jakmile Tony domluvil, uvědomil si, jakou udělal chybu. Viděl to Carol na očích. Vina, kterou cítila za oběti Dominika Barrowclougha, byla už tak dost zlá. Jenže teď jí k tomu přibude vina za to, že není schopná chytit vraha. Tony věděl, že v Caroliných očích je svět prostý. Její prací je prosazování spravedlnosti. Musí dělat jedinou věc, chytat násilníky a dostávat je z ulic. Tím, že to dělá, zachraňuje životy. Každý den lidé žijí svoje životy – vaří, nakupují, spí, smějí se, milují –, protože ona dělá to, co se od ní očekává. Jenže on jí právě řekl, že není dost dobrá. Nikdo z nich není dost dobrý na to, aby chytil tohohle vraha.

50

Při jízdě do práce nedokázala Paula přestat zívat. Než se vrátila domů z Wharfedale, bylo už po druhé ranní, a tělo ji bolelo na překvapivých místech, jak spala na gauči. Teď, když s nimi žil Torin, neměly žádný volný pokoj, a vzhledem k Elinořině dlouhé a proměnlivé pracovní době jí Paula nechtěla narušit spánek.

Cestou do kanceláře se opět zastavila v obchodě s koblihami. Veselý přátelský pozdrav estonského mládence z ranní směny ji na chvíli zarazil. Když vás lidé za pultem s koblihami znají jménem, nastal čas přerušit návyk. Neušlo jí, že poslední dobou přibírá v pase. Blíží se k věku, kdy je o hodně snazší tuk nabrat, než se ho zbavit, a Paula měla příliš ráda pocit z dobré kondice, než aby se s ní chtěla rozloučit kvůli smaženému těstu a cukru. Tohle je naposledy, slíbila si, když platila za krabici s dvanácti koblihami.

Kevin, Ambrose a Karim už byli v kanceláři a ve vzduchu opojně voněla čerstvá káva. Muži se vrhli na sladké jako hladovějící nalezenci. Kofein a cukr, po tom všichni po vraždě touží. „Kde je Stacey?" zajímala se Paula, překvapená, že vidí zavřené dveře a zhasnuté světlo.

„Nemám nejmenší tušení. Nebyla tu, když jsem přišel," hlásil Alvin.

„Možná ji unesl Sam," nadhodil Kevin s ústy plnými koblihy s jahodovým krémem. „Drží ji jako rukojmí, dokud neopraví jeho zmršené finanční poměry."

Paula zasténala. „O tomhle vůbec nežertuj. Jak to, že nikomu z nás nedošlo, co je to za slizáka, dokud s námi pracoval?"

„Protože je to chytrý slizák," znal odpověď Kevin. „Nikdy jsem ho nebral jako kamaráda, ale nemyslel jsem si, že by byl takový podrazák."

„Tak vážně nikdo z vás neví, kde je Stacey?"

„Určitě dělá něco záhadného s životní formou na bázi silikonu," tvrdil Alvin. „Takže počítám, že tím pádem mám legální právo na její koblihy."

„Jak to hodláš shodit, ty obře?" Kevin se natáhl pro kokosový kousek.

„Jsem obr, a proto potřebuju víc paliva."

Dveře se otevřely a vešla Carol se psem v patách. Vypadá, jako by vůbec nespala, pomyslela si Paula. Carol se podívala na krabici a nesouhlasně zavrtěla hlavou. „Vliv špatné společnosti." Pak se posadila ke stolu a natáhla se po koblize s kávovou polevou. „Potřebuju kafe," prohlásila a odněkud z hloubi duše vydobyla úsměv.

Paula vyskočila, aby jí ho připravila. Staré zvyky umírají těžce a ona byla Carol oddaná od prvního dne, kdy spolu začaly pracovat. I teď, když je centrem její oddanosti Elinor, pořád ráda dělala, cokoli šlo, aby Carol usnadnila život. „Nevíte, kde je Stacey?" zeptala se a zamířila ke kávovaru.

Carol se obrátila a pohlédla na zavřené dveře. „Nemám tušení. Předpokládala jsem, že je tady. Tony tu není?"

Kevin a Alvin si vyměnili krátký překvapený pohled. „Ne, šéfko," odpověděl Karim. „A není pravděpodobné, že bychom ho v té fialové bundě přehlédli."

Carol se zatvářila zmateně. „Vyrážel dvacet minut přede mnou." Poprvé tak veřejně přiznala změnu v jejich domácím uspořádání. Paula to už věděla, protože jí to Tony řekl, a o tuto informaci se podělila jen s Elinor a Stacey. To, že Carol porušila svoje pravidlo trvalé osobní diskrétnosti, musí něco znamenat, ale Paula si nebyla jistá co.

„Možná spolu utekli," zažertoval Kevin.

„Byla by v tom určitá komunikační symetrie," prohlásila Carol s nádechem sarkasmu. „Ale ať už s nimi, nebo bez nich, musíme se pustit do dnešních úkolů. Domníváme se, že mrtvá je Eileen Walshová, ošetřovatelka z manchesterské nemocnice Royal Infirmary. Manchesterská policie hledá jejího dentistu. Jakmile se totožnost potvrdí, prozkoumáme celý její život. Právě tak jako jsme to udělali u obou předchozích obětí. A možná se tentokrát dočkáme průlomu. Bůh ví, že ho potřebujeme. Ale prozatím musíme sedět se založenýma rukama." Mluvila těžce. Paula jí podala šálek silné kávy a posadila se.

„Nemůžeme provádět nějaké diskrétní výslechy?" zeptal se Karim.

„Ne. Ne, dokud nemůžeme vyloučit možnost, že to není ona. Poslední, co chceme, je vyděsit někoho, kdo náhodou půjčil její auto kamarádce na víkend." Carol se napila kávy a cukla sebou, jak byla horká. „Vyšetřovatel požárů byl na místě činu v podstatě od začátku, takže pokud se tu dá objevit něco významného, má lepší pozici, aby to našel."

„Přesto existuje jedna věc, kterou bychom mohli udělat. Paulo, sledujte vodítko k té Claire Garrityové, kterou Stacey našla na sociálních médiích. Zajděte za vdovcem a zjistěte, jestli mu něco neřekne ten obrázek, co jsme vygenerovali. Vy ostatní," pokračovala Carol. „Není toho moc, co by se dalo udělat, leda projít znovu vším, čím už jsme prošli…"

Než stačila říct víc, otevřely se dveře a do místnosti napochodoval James Blake v parádní uniformě. Šéfkonstábl byl mohutný chlap, ale jeho uniforma byla ušitá tak, aby působil spíš rozložitě než tlustě. „Skvělé," prohlásil a z hlasu mu odkapával sarkasmus. „Tři ženy zemřely za identických okolností a náš elitní tým sedí kolem stolu, jí koblihy a popíjí kávu."

Karim vyskočil, ale ostatní zůstali sedět a věnovali Blakeovi chladný pohled mlčenlivé opovážlivosti. Carol si utřela ulepené prsty do ubrousku, aby získala něco času, snažila se nedat na sobě najevo hněv a úzkost. V žaludku ji pálila kyselina, protože ji přepadly obavy. „Dobré ráno, pane," přivítala ho. „Přišel jste se připojit k naší poradě?"

Blake se ušklíbl. „Porada? Co jsem slyšel, není se o čem radit. Už je to šest týdnů, co zavraždili McCormickovou, a jak vidím, nemáte jediného použitelného podezřelého. Už to by bylo dost zlé, ale je tu ještě to děvče z Leedsu. A teď jsem se dozvěděl, že byla ve vyhořelém autě nalezena další z Manchesteru. V čem je problém, vrchní inspektorko Jordanová? Váš tým na tu práci nestačí?"

„Máme co do činění s velice rafinovaným vrahem. Zjevně hodně ví o forenzních metodách." Carol cítila, jak se jí svírá hrdlo, jako by měla na krajíčku. Nesmí se sesypat před Blakem, natož před svým týmem. Pod stolem zaťala nehty do citlivého místa v koleni.

Blake majestátně korzoval po kanceláři, prohlížel si tabule s důkazy, které přetékaly fotografiemi z míst činů, a bílé tabule pokryté zjevně náhodnými poznámkami, některé psali policisté z týmu, jiné Tony. „Není v tom žádný řád ani metoda," postěžoval si. „Když sem pošleme revizní týmy, aby zhodnotily, co jste doposud udělali, budou mít potíže najít v tomhle jakýkoli smysl." Obrátil se zpátky, potřásal hlavou. „Máte ještě týden na to, abyste dosáhli nějakého pokroku, vrchní inspektorko Jordanová. Vy a ten váš neschopný tým. Potom si vyžádám dozor. Plný audit a analýzu toho, co jste udělali. Takže mezitím radši dosáhněte nějakého pokroku. A poznámky k případu si pro jistotu dejte do pořádku, aby dávaly smysl řádnému poldovi."

Odcházel za ohromeného ticha. „Do prdele," ulevila si Paula. „Jestli na nás přijde revizní tým, jsme v háji."

„Proč?" zeptala se Carol skřípavým hlasem.

„Protože neděláme vždycky všechno podle předpisů," ozval se Kevin. „Jsme tím pádem zranitelní."

„Tak prostě musíme zajistit, že to dáme do pořádku." Alvinovo basové burácení bylo, jak všichni věděli, falešným ujištěním. Carol ovšem viděla, že se ostatní přece jen trochu uklidnili. Posloužilo to však jedině k tomu, že se cítila být ještě méně kompetentní pro svou úlohu.

Pak se Kevin naklonil dopředu. „Nó," řekl protáhle. „Možná mám něco, co by nás mohlo posunout správným směrem. Podle souseda Amie McDonaldové Harrisona Braithwaitea muž, o němž se domníváme, že je vrah, Amii na prahu domu vášnivě políbil. Došlo mi, že je těžké někoho obejmout, aniž by se na jeho kabát dostala vaše DNA. A ukázalo se, že Amiin parádní kabát je dost výrazný. Pan Braithwaite ho v jejím šatníku dokázal okamžitě určit. Takže jsem ho osobně strčil do pytle, označil a odvezl do laboratoře. Jestli se na nás bohové usmějí, budeme mít DNA. A jestli jsem se od Tonyho něco naučil, pak to, že sérioví vrazi nezačínají vraždou. Řekl bych, že jeho DNA bude hotovka pro databázi pachatelů."

Carol Kevinovo hlášení viditelně povzbudilo, dokud nedospěl na konec. Zavrtěla hlavou. „Skvělá práce, Kevine. Jenže Tony si myslí, že tenhle vrah patrně nespadá do obvyklého vzorce. Včera večer jsme se bavili o prvních přestupcích pachatelů a Tony soudí, že jemu jde výlučně o to, aby měl věci pod kontrolou. Pokud by se vůbec někde objevil, bylo by to kvůli tomu, že se dostal do sporu s policistou nebo do konfrontace s barmanem, který ho odmítl obsloužit po zavírací hodině."

„Na tom přece nezáleží, ne?" ujišťoval se Karim dychtivě. „Ať udělal cokoli, pokud je v databázi, najdeme spojitost."

„Není to tak jednoduché," vložila se do diskuse Paula. „Je to kabát. Amie přišla do styku se spoustou lidí. I ten samotný večer. Na tom kabátě bude ohromná nálož cizí DNA. Jela do města taxíkem. Ten kabát od ní mohl převzít některý z číšníků. Další čerstvá DNA. Taxíkem zpátky do bytu, zas to samé. A nevíme, jestli ten kabát na sobě neměla ještě po té večerní schůzce. Takže ano, mohli bychom mít štěstí a je to lepší než žádný pokus, ale neposkytne nám to definitivní odpověď."

Carol si povzdechla. „Někdy si říkám, jestli DNA nezpůsobuje víc potíží než užitku."

Kevin se zachechtal, ještě pořád spokojený sám se sebou. „Cože? Toužíte po starých časech, kdy jsme jim prostě mohli ve výslechové místnosti jednu vrazit?"

„To sotva. Ale občas se dohaduju, jestli technologie nás detektivy nezbavuje dovedností. Jak dlouho to bude trvat, než nám předloží algoritmus výslechu? Než se dovednosti, jaké má Paula, stanou nadbytečnými?" Carol si otřela ústa a hodila zmačkaným ubrouskem směrem ke koši na odpadky, netrefila se o několik centimetrů. Zvedla se. „Bože, jen si mě poslechněte. Ignorujte mě, lidi. Toho parchanta dostaneme, věřte mi. Dostaneme ho."

Odešla do své kanceláře, hlavu vztyčenou, ramena napřímená, pes v patách za ní. Všichni se po sobě podívali. Přes řeč jejího těla nikdo z týmu nevěřil, že by o svých slovech byla sama přesvědčená.

51

Tony odcházel do postele přesvědčený, že musí udělat něco, co by Carol vytáhlo z pevnůstky provinění, do níž se uzavřela. Když se v brzkých ranních hodinách vrátili z místa činu, mluvili spolu před stodolou v chladném nočním vzduchu, zatímco Flash běhala po drsných pastvinách za stavením, slavila svoje osvobození od střežení domu.

Tonymu rvalo srdce, když slyšel, jak na sebe Carol přebírá vinu za smrti, za něž nebyla odpovědná. Za těch pět lidí, kteří zemřeli, protože opilý řidič odešel volný na její účet. Za oběti zločince, kterého nechytila hned po jeho první exkurzi do světa vražd. Tato břemena přičetla k démonům, které tak dlouho udržela na uzdě díky alkoholu. Mrtví se jí kupili ve stínech srdce i mysli. Její bratr Michael a Lucy, žena, kterou nesmírně miloval. Policisté, za něž nesla odpovědnost a kteří se setkali s vrahy bezcitnějšími, než byli jejich pronásledovatelé. A všechny oběti, které podle vlastního názoru zklamala opožděným uplatněním spravedlnosti.

Nic z toho nebyla její chyba. Užíralo to ovšem tenký provaz jejího sebevědomí a dobrého pocitu ze sebe samé. Snažil se s ní promluvit jako terapeut, ale do dvou minut ho prokoukla a oddusala dovnitř uvařit ovocný čaj. Hvízdl na psa a šli za ní. Tentokrát se snažil mluvit jako člověk, kterému na ní záleží. Řekla mu, ať se k ní nechová blahosklonně, a doporučila mu, ať se stáhne do své části stodoly.

Spal špatně, dělal si o ni starosti. Svého času poznal hodně lidí se závislostmi, jak pacienty, tak kolegy. Věděl, nakolik křehká momentálně je její výdrž střízlivosti. Vídal, jak ji zlost i žal dohnaly takřka k šílenství, ale nikdy ji neviděl tak blízko hrany vlastní osobnosti. Když se ráno probudil, bylo mu jasné, že musí udělat něco, co by změnilo směr jejích emocí.

Strávil deset minut na googlu a už se mu rýsoval plán. Než se vysprchoval a zhltl toast s kávou, zmizela ven se psem. Zmínila se o brífinku týmu, ale on měl jiný nápad. Dal si dobrý pozor, aby vyrazil dostatečně dřív než ona, takže nemohla vidět, že na konci silnice místo doleva na Bradfield zamířil doprava na Hebden Bridge a Halifax.

Dům, před nímž zaparkoval, byla pěkná samostatně stojící viktoriánská vila se dvěma věžičkami v rozích průčelí. Světlý yorský kámen znečistily kouř a saze ze zpracovatelských závodů v oblasti. Některé z ostatních domů v ulici s listnatými stromy nechali majitelé opískovat na původní žlutou, rodinný dům Barrowcloughových však nesl industriální dědictví jako čestný odznak. Tony několik minut proseděl v autě, znovu přesvědčoval sám sebe, že dělá správnou věc. Věděl, že ne každý by s tím souhlasil. Jenže pro Tonyho měla záchrana Carol před sebou samou vyšší prioritu než zdolávání nějakých morálních bažin. Dluží Carol hodně, nehodlá ji zradit.

Žena, která mu přišla otevřít, byla vychrtlá jako člověk, který příliš rychle zhubl. Tmavé vlasy zbavené lesku jí bez života splývaly po ramena, tam, kde se rozdělovaly pěšinkou, bylo vidět bílé kořínky. Oblékla se nedbale; věci, které měla na sobě, byly bezpochyby nákladné a stylové, ale jednotlivé kusy k sobě neseděly a knoflíky dlouhého svetru si zapnula posunutě.

„Paní Barrowcloughová?" Přikývla. „Jsem doktor Tony Hill. Specializuju se na psychologii vnímání rizika. Spolupracuju s policií. Vím, že jste nedávno utrpěla nesmírný šok, a upřímně s vámi soucítím. Ale nedokážu si představit, že by kdokoli jiný měl lepší představu, jaký byl Dominic. A doufal jsem, že byste mohla být ochotná si se mnou promluvit."

Tvářila se prázdně, jako kdyby na ni hovořil cizím jazykem. „Nevrátí mi ho to, že ne?"

„Ne. Ale mohlo by nám to pomoct lépe pochopit situaci, takže bychom se mohli pokusit zabránit tomu, aby se to, co se stalo Dominikovi, přihodilo někomu dalšímu."

„Nicky. Říkali jsme mu Nicky, ne Dominic."

„Omlouvám se. Možná bychom si o něm mohli popovídat nad šálkem kávy?" Nebylo mu dobře z toho, že si s ní zahrává, ale Carol pro něj byla důležitější než truchlící matka. Překvapilo ho, když si po všech těch letech uvědomil, že empatie má zjevně svoji hierarchii.

Mona Barrowcloughová se nezmohla na odpor. Poodstoupila a pustila ho dovnitř. Vedla ho chodbou s dřevěným obložením, vymalovanou šedou barvou s růžovým nádechem, která se patrně nazývala nějak podobně jako

Králičí chřípí. Koberec pod jejich nohama v barvě temného burgundského tlumil kroky. Na konci chodby vstoupili do rozlehlé kuchyně, vyhřáté agou se čtyřmi troubami. Kuchyně se otevírala do skleníku s dobře ošetřovanými kvetoucími rostlinami. *Nezačínal takhle jeden z románů Raymonda Chandlera?*

Neurčitým gestem mávla směrem k jídelnímu stolu z borového dřeva a dřevěným židlím s opěradly, opatřeným pohodlně vypadajícími polštářky. Tony se posadil, a zatímco žena plnila konvici a stála k němu obrácená zády, ověřil si, že má na mobilu zapnuté nahrávání.

Měla plné ruce práce s french pressem, hrníčky a plechovkou mleté kávy, ale konečně seděli u kraje stolu a před oběma stály porcelánové šálky se slabou kávou. „Vy jste Nickyho neznal," začala. „Byl to milý chlapec. Tak plný lásky. Nikdy nikam neodešel, aniž by mě objal a políbil. Ale vždycky byl divous. Měl to v sobě už jako malé dítě."

„Dokážu si představit, že vám je, jako by zhaslo světlo."

Upíjela kávu, oči měla smutné a staré. „Přesně tak. Jako by zhaslo světlo."

„Je to těžké. A taky ten šok." Jemně ji vtahoval do jejího příběhu, hleděl jí do očí, výraz v jeho tváři vyjadřoval zájem. Tony se celá léta učil, jak z lidí vytáhnout jejich bolest a poškození. Ale nikdy mu to nepřipadalo důležitější než dnes.

Dlouze a zhluboka si povzdechla. „Šok možná. Ale ne překvapení. Je zvláštní říct něco takového o vlastním dítěti, ale nikdy jsem nevěřila, že se dožije stáří. Vždycky jednal unáhleně. Bezhlavě se do všeho vrhal. Bůh ví, že jsme se ho snažili naučit, aby si dával větší pozor, ale mohli jsme si šetřit dech. Jako dítě měl tolik úrazů, že si tu sociálka podávala dveře." Vydala ze sebe zvuk, něco mezi zasmáním a kašlem. „V té době to nebyla žádná legrace."

„Měl už někdy dřív autonehodu?"

„Z nepozornosti tu a tam poškrábal auto nebo do něčeho narazil. Na parkovištích a tak. Ale nehodu jako takovou nikdy neměl. Nicky miloval rychlost, ale byl dobrý řidič. Uměl ovládat auto. Ale ta jeho přítelkyně Casey? Kladu to za vinu jí. Nestačilo jí vyjít si ven tady ve městě. Pořád chtěla do Leedsu nebo Bradfordu nebo do nějaké hospody nahoře ve vřesovištích, kde hrála živá hudba. To se pak Nicky napil…" Hlas se jí vytratil a oči se naplnily slzami.

„A když se napil?"

„Měl pocit, že je nezničitelný." Odvrátila hlavu a zahleděla se do skleníku. „Napůl jsem doufala, že ho jednou chytí. Byla jsem tak hloupá, když jsem si myslela, že by to ukončilo to jeho šílenství."

„Ale oni ho přece chytili."

Mona pevně stiskla hrneček. „A dobře mu tak. Když nám večer telefonovali z policejní stanice, že ho zatkli, rozhodli jsme se, že nikam nepojedeme a necháme ho tam. Řekli jsme si, že několik hodin v cele mezi ožraly a narkomany na něj třeba zapůsobí."

To není zrovna pravděpodobné, pomyslel si Tony. Ne u někoho takového, jako byl Dominic, který věřil, že pro něj pravidla neplatí. „A zapůsobilo?"

Jako by se v křesle scvrkla. „Ani trochu. Prohlásil, že to pro něj není žádná překážka. Řídil by, i kdyby mu zakázali řídit. ‚Budu měnit auta, seženu si nějaký, který nehledají,' řekl doslova."

Tonymu poskočilo srdce. Přesně tohle potřeboval slyšet. Tahle věta může odebrat kus Caroliny viny. Dominic Barrowclough by dál řídil opilý, nehledě na jakýkoli soudní zákaz. Byl to arogantní nezodpovědný blbec; nic nemohlo změnit jeho osud, který si sám zavinil.

Mona stále mluvila a Tony se přinutil věnovat jí pozornost. Musí tím projít až do samotného konce. „Jeho táta zuřil. Řekl, že jestli Nickymu zakážou řídit, ale on v tom bude pokračovat, vyhodí ho z domu i z podniku. Pracoval pro otce, víte? Manžel je realitní makléř. Při takovém povolání samozřejmě musíte být schopen jezdit autem. Byla jsem tak rozčilená, netušila jsem, jak by to Nicky zvládal."

Dítě generace Y, pomyslel si Tony. Muži po dvacítce, kterým rodiče dosud dovolují vyhýbat se odpovědnosti. „Ale nezakázali mu řídit?"

„Ne. Něco nebylo v pořádku s tím zařízením, říkali u soudu. Tak museli stáhnout obvinění." Zavrtěla hlavou. „Nevěděla jsem, jestli mám mít radost. Nickymu prošlo řízení pod vlivem alkoholu, ale aspoň neztratil střechu nad hlavou a práci. Po tom soudním případu jsme se s ním posadili, já i manžel, a domlouvali jsme mu. Ale on se jen smál. Tvrdil, že je za volantem v bezpečí. Prý mu nikdo v řízení nezabrání. Ani policie, ani soud, ani táta." Překřížila si ruce před tělem, rukama si objala lokty. „Nevím, co jsme udělali špatně. Snažili jsme se ze všech sil, ale on byl vždycky sám sobě zákonem. Nevím, kde k tomu přišel. Nejsme vůbec impulzivní lidi, já a můj manžel."

„Neměla byste se obviňovat," konejšil ji Tony. „To, jací budeme, ovlivňuje celá řada faktorů. Nezranil se Dominic někdy v dětství na hlavě?"

Zatvářila se překvapeně. „Jak to víte? Jako batole spadl z vršku dětské klouzačky. Krátce po svých druhých narozeninách. Ztratil vědomí. Musel dva dny zůstat v nemocnici na pozorování, ale tam pak řekli, že je v pořádku. Tohle způsobilo, že byl takový, jaký byl?"

„Mohlo to mít takový účinek." Tony se dotkl čela. „Tahle část mozku, čelní lalok. Je to část mozku, která ovládá impulzy. Občas může zranění hlavy dramaticky změnit chování člověka. Nesmíte se obviňovat, paní Barrowcloughová. Naše práce o tom, co ovlivňuje náš přístup k riziku, přináší stále víc důkazů, že fyzická poranění mozku jsou běžnější, než si myslíme, a mají výraznější dopad, než jsme si dříve uvědomovali." Většinou to byly nesmysly, které si vycucal z prstu, ale doufal, že to Moně Barrowcloughové později zabrání se dohadovat, proč za ní proboha přišel a pokládal jí všechny tyhle otázky.

„Takže pokaždé, když jsme se snažili, aby dostal rozum, neignoroval nás jen ze zkaženosti? Nemohl si pomoct?"

„Do určité míry ano. Když vám řekl, že řídit bude tak jako tak, nejspíš tím projevoval svoje chabé ovládání impulzů. Šlo to proti logice a rozumu, ale ty pro něj moc neznamenaly. Říkal něco víc ohledně svého odhodlání řídit v každém případě?"

Na chvilku se zamyslela. „Trval na tom, že nikdo nemá právo mu říkat, co má dělat. Že je za volantem bezpečnější, i když pije, než většina blbců za střízliva. Když na to pomyslím, vždycky mě to nesmírně rozčílí."

„To chápu." Tony mluvil jemně.

„Už nemůžu chodit po ulicích tohohle města. Tolik se stydím za to, co Nicky udělal. Zemřeli kvůli němu čtyři další lidé. Čtyři další rodiny jsou zničené, ale pro ně je to ještě horší, protože oni se ničím neprovinili. Nikdy se z toho nevzpamatuju, pane doktore. I když říkáte, že za to, jak se Nicky choval, mohlo něco v jeho mozku, nikdy se z tohohle háčku nedokážu vyvlíknout."

Tony jí věřil. Zbytek života Mony Barrowcloughové navždy ovlivnil způsob, jak zemřel její syn. Nemůže jí nabídnout žádnou útěchu, která by tohle změnila. Ale dal jí alespoň něco, k čemu se může upnout, když bude hrozit, že ji vina zahltí.

A co je důležitější, má v mobilu nahrávku, která dokáže Carol nabídnout drobný paprsek světla v temnotě její viny.

52

Skutečnost, že předplacená karta, na niž Torin vložil pět set liber, pochází z místní pobočky banky, nabízela Stacey možnosti, které vůbec nečekala. Obvykle, pokud něco nešlo provést digitálně, její radar takovou věc vůbec nezaznamenal. Ale pro jednou dospěla k závěru, že musí vstát od monitorů a udělat něco, co je třeba vybavit osobně.

Jen tak pro někoho by to neudělala. Jenže Paula je kamarádka. V průběhu let se přesunuly od vzájemné ostražitosti ke vzájemné loajalitě. Pokud by snad Stacey potřebovala důkaz, stačila by podpora, kterou jí Paula poskytla po Samově zradě. A tak, protože šlo o Torina a protože Torin má místo v Paulině srdci, byla Stacey ochotná udělat, co je zapotřebí.

Zůstala vzhůru do brzkých ranních hodin částečně proto, že z místa činu přicházely parametry hledání, ale především proto, že plánovala extrémně riskantní akci, a chtěla si být jistá, že ošetřila všechno, co je třeba k tomu, aby si kryla záda.

Do tří ráno byla hotová s průzkumem a měla připravené všechny materiály, které podle svého názoru potřebuje. Bylo pro ni neobvyklé, že spala špatně a probudila se podrážděná a nervózní. Pro člověka zvyklého ovládat sebe a své okolí je to, co má v plánu, skutečně děsivé. Kevin má pravdu, že jsou díky svým metodám zranitelní. Nikdy jí to nedělalo problémy při smělých kouscích v digitální sféře; dobře věděla, že dokáže přechytračit každého vyšetřovatele, kterého by na ni poslali. Ale jít do terénu, to je úplně jiná věc. Nechtělo se jí počítat všechny potenciální přečiny, které se chystá spáchat. Je to, upřímně řečeno, hrůza.

Stacey vyhrabala starou krabičku pepřovníkového čaje, který si koupila na začátku vztahu se Samem, v době, kdy byla pořád neklidná. Dva šálky silného nápoje teď nezpůsobily žádný velký rozdíl. Bude muset sebrat veškerou kuráž, aby celý plán provedla.

A tak v půl desáté s vlhkými a studenými dlaněmi vstoupila do pobočky

Northern Bank na Campion Way a požádala o schůzku s ředitelem. Setkala se s trochou prvotního odporu, protože si jednání předem nedomluvila. Ale předložení policejní průkazky strážce brány uklidnilo, a do čtvrt hodiny seděla proti muži, na jehož jmenovce na stole stálo Patrick Haynes, ředitel pobočky. Měl hladkou pleť a dokonale upravený účes muže, který tráví hodně času před zrcadlem, ale košile ho zrazuje, usoudila Stacey. Patrně mu dokonale seděla, když se obdivoval vestoje, ale v sedu se napínala a rozevírala se přes počínající pivní břicho. „Tak o co jde?" chtěl vědět. Znělo to téměř srdečně, ale do jeho slov pronikal neklid.

„Jsem detektiv konstábl Xing Mingová," představila se a předložila průkazku, která nepatřila regionálnímu týmu pro závažné zločiny. „Jak vidíte, jsem z protiteroristické jednotky."

Haynes se zatvářil zmateně. „Tomu nerozumím."

„Možná pomůže tohle?" Stacey z prakticky vypadající kabelky vytáhla obálku a podala mu ji. Kabelku nonšalantně odložila na stůl.

Vyndal z obálky dva listy papíru, které se každému, kdo podobné věci nezná, musely jevit jako soudní příkaz vydaný okresním soudcem na základě zákona o prevenci terorismu, žádající banku, aby poskytla veškeré údaje vztahující se k předplacené kreditní kartě s níže uvedeným číslem. Dočetl dopis až do konce, mračil se. „Pořád nerozumím," řekl.

„Já bych řekla, že je to naprosto jasné. Na základě našeho šetření v rámci tohoto zákona jsme získali určitou informaci, která možná indikuje, že tato karta byla použita k nákupu vztahujícímu se k přípravě teroristických činů. Získali jsme soudní příkaz a vy jste povinen mi říct, kdo tuto předplacenou kartu koupil a kdy." Stacey svůj krátký projev pronesla s chladnou autoritou, která plně maskovala její prudce bušící srdce a čůrek potu na páteři.

„A to je všechno? Musím vám prostě předat informaci?"

„Ano. Tak prosté to je."

„Myslím, že si o tomhle musím promluvit s hlavním vedením," řekl nejistě.

Pohlédla na hodinky. „Poslužte si, ale řeknou vám to samé, co jsem vám řekla já." Lehce se nahnula dopředu a pokračovala důvěrným tónem: „Poslyšte, postupujeme co možná nejméně nápadně. S tímhle oprávněním jsme sem mohli vtrhnout s celou jednotkou a zavřít po dobu naší práce pobočku. Jak by to vypadalo v médiích? Northern Bank údajně zapletená do financování terorismu. Vašemu vedení by se to ohromně líbilo. Tohle je naléhavá záležitost." Upřela na něj ocelový pohled. „Pokud s tím máte problém, můj tým je pět minut odsud. A věřte mi, že pověst vaší banky je jim ukradená."

Otevřel ústa a zase je zavřel, tvářil se ztrápeně. Pak naskočil pud sebezáchovy. „No, všechny papíry se zdají být v pořádku, detektive. Okamžíček…" Odsunul se se židlí od stolu.

Srdce se jí rozbušilo ještě víc. Nesmí ho nechat odejít a promluvit si o tom s nějakým kolegou. „To, co musíte udělat, udělejte tady," prohlásila Stacey úsečně. Ukázala na jeho počítač. „Máte přístup do systému." Naklonila se a otočila monitor tak, aby viděla, co dělá. „Je to otázka bezpečnosti. Nesmí o tom vědět víc lidí, než je bezpodmínečně nutné."

Odkašlal si a začal bušit do starobylé klávesnice. „Samozřejmě. Jen mě to zaskočilo," brebentil. „Nemůžu uvěřit…"

„To nemůže nikdy nikdo," odpověděla rázně s očima stále na monitoru. V duchu se divila, že jí to prochází.

„To nemůže být pravda." Haynes se mračil. „Znám toho zákazníka. Není to žádný terorista. Je to instalatér. Vloni si od nás vzal půjčku, aby mohl rozšířit podnikání."

Stacey vytáhla mobil a nafotila údaje na obrazovce. Norman Jackson. Adresa v Harriestownu. „Uznávám, co říkáte. A možná ta informace, co se k nám dostala, bude mít naprosto nevinné vysvětlení." Vstala. „Děkuji za vaši pomoc. Prosím, o naší konverzaci se před nikým nezmiňujte." Krátce se usmála. „Nikdo nerozumí bezpečnosti tak jako bankéř, že?"

Haynesův úsměv byl opět nejistý. „Rozhodně." Vstal a obešel stůl, aby ji vyprovodil. Stacey se natáhla pro svoji kabelku, dávala si dobrý pozor, aby tělem zastínila, že do ní zasouvá falešný soudní příkaz. Pulz jí běžel jako šílený. Prošla kolem ředitele a pokračovala dál do haly a na ulici.

Jakmile zabočila za první roh, ke kterému došla, dlouze vydechla úlevou. Opřela se o studenou cihlovou zeď, zavřela oči a čekala, až se jí dech zklidní k normálu. Udělala to. Opustila svoje monitory. Šla do terénu a obalamutila muže, který by se neměl nechat ošálit.

A teď ví, kdo se pokusil vypálit díru do života její přítelkyně.

53

V dobře udržované části dvojdomku, postaveného v meziválečném období, kterou Sean Garrity původně sdílel se svou nyní již zesnulou manželkou Claire, nebyl nikdo doma. Paula přešla k druhé polovině domu, která vypadala podstatně zanedbaněji. Pohled arkýřovým oknem odhalil změť dětských hraček a složené oblečení. Paula zazvonila a jako reakce se ozval dětský pláč. Za dveřmi se objevila mladá žena, světlé vlasy svázané do neupraveného ohonu, u boku držela naříkající dítě a k noze se jí choulilo batole s umatlanou tvářičkou. Působila dojmem, že se co nevidět připojí k slzícímu dítěti. „Co je?"

Paula ukázala průkazku. „Hledám Seana Garrityho. Nezdá se, že by někdo byl doma."

„No, asi tam není. Bude v práci. Šťastlivec." Pohnula nohou, neúspěšně se snažila setřást batole, které na Paulu zíralo, jako by byla nějaká příšera z jiné galaxie.

„A kde pracuje? Víte to?"

„Vede takový ten gastropub v Kenton Vale. Jak jen se jmenuje?" Svraštila obličej ve snaze si vzpomenout.

„The Dog and Gun?" Paula si maně vybavovala, že v novinách četla o renovaci tradičního lokálu v něco výběrovějšího.

„Jo, to je ono. Pozval nás na otvíračku. Tehdy jsem měla jen jedno…" Na chvíli se zasnila, pak ji hlasité zanaříkání dítěte vrátilo zpátky do reality. Neúspěšně dítě konejšila. „Najdete ho tam. Spadl do toho, dalo by se říct. Od té doby, co Claire zemřela. Víte, že jeho žena zemřela? Kvůli tomu tady jste?"

„Dík, moc jste mi pomohla." Paula vycouvala, byla ráda, že unikne pachu zkyslého mléka a zpoceného těla uštvané ženy. Jela pryč, okénko auta nechala stažené, aby mohla kouřit elektronickou cigaretu. Bože, jak jí chybí kouření! Potahování z elektronické cigarety jí připomnělo dítě, které se drželo matčiny nohy. Na náhradě cigarety je něco tak dětinského, až měla Paula pocit, že by taky zasloužila zaťukat na hlavu.

Do The Dog and Gun dorazila deset minut po otvírací hodině. Lokál byl samé patinované dřevo a rádoby starodávné stoly. Odkazoval spíš na dědictví zlaté horečky na Yukonu než na industriální minulost Bradfieldu. Hipster za barem se při pohledu na Paulu napřímil, zjevně ji považoval za prvního zákazníka dne. Když mu ukázala průkazku a řekla, že hledá Seana Garrityho, obličej mu povadl. „Je vzadu. Dojdu pro něj. To jste tu kvůli tomu blbounovi, co najel do Claire?"

„Můžete mi prostě sehnat pana Garrityho?" Paula svá slova zmírnila vlídným úsměvem.

Sean Garrity se objevil krátce nato. Byl to štíhlý dlouhán s vyholenou hlavou a plnovousem. Takový vzhled přišel Paule poněkud absurdní. Měl na sobě kostkovanou košili zapnutou až ke krku a nízko posazené těsné džíny. Celkový obrázek doplňovaly dvě stříbrné náušnice. Ale na temných stínech pod očima a na sklence rumu v jeho ruce nic moderního nebylo. „Vy jste policistka?" zeptal se a z jeho hlasu i z postoje čišela agresivita. „Jste tu kvůli tomu kokotovi, co mi zabil ženu? To ho skutečně z něčeho obviníte?"

„Nemohli bychom zajít někam, kde budeme mít větší soukromí?"

Ukázal k zadnímu koutu baru, ke třem kójím s vysokými stěnami. „Bude to stačit?"

Paula přikývla a vyrazila za ním. Šel poněkud nestabilně, a když se k němu přiblížila, cítila z jeho potu alkohol. Tento muž se se žalem vyrovnává pomocí pití. To zrovna nepomůže, když člověk z někoho přichází tahat informace.

Klesl na sedadlo v kóji a nepřátelsky si Paulu měřil. „No? Tak co se děje?"

„Nepatřím do týmu, který vyšetřuje, co se stalo vaší ženě." Mluvila pomalu a klidně. „Jsem z regionálního týmu pro závažné zločiny."

Odfrkl si a napil se ze své sklenice. „To, co se stalo Claire, to byl závažnej zločin, nemyslíte?"

„Pro vás to jistě platí, pane Garrity. Já to ovšem nemůžu nijak komentovat, protože neznám okolnosti."

„Tak co tu děláte, když vás nezajímá Claire?" Další lok a sklenice byla prázdná. „Norrie!" zařval. „Přines mi lahev."

„Používala vaše žena často sociální média?“

„Co to má s čímkoli společného?“

„Domníváme se, že se někdo po Clairině smrti naboural do jejího účtu na RigMarolu, a snažíme se zjistit, kdo to byl a jak to udělal.“

Barman rychle přinesl lahev prémiového rumu se směšně překombinovanou etiketou. Garrity ho mávnutím ruky poslal pryč a nalil si do sklenice na tři prsty. „Kterej zvrácenej parchant udělá něco takovýho?“

Takový, který si pohrává se svými oběťmi. „Věříme, že to může mít spojitost s řadou vážných zločinů. Neznáte náhodou manželčino heslo na RigMarolu?“

„Jo. Bylo to Claire890714. Obrácený datum jejího narození, čtrnáctýho července 1989. Ale RigMarole skoro vůbec nepoužívala. Mohl jí bejt ukradenej. Ráda si s druhejma povídala, nevyžívala se v posílání zpráv lidem, který nikdy nepotkala.“

Nedalo by moc práce si tohle heslo domyslet, usoudila Paula. Všechny potřebné informace, které vrah potřeboval, byly na Clairině úmrtním oznámení. Lidé k heslům přistupují s depresivní nerozumností. Vytáhla z kabely fotografii a položila ji na stůl. „Znáte toho muže?“

Garrity na snímek zíral. „Nemyslím. Není to žádnej náš kamarád a neznám ho ani odsud. Norrie?“ Opět k sobě přivolal barmana. „Bude to vědět líp než já.“ Když Norrie dorazil, zamával na něj fotografií.

Barman si ji pečlivě prostudoval. „Určitě to není pravidelnej host. Jinak nemám co dodat. Udělal něco, o čem bysme měli vědět?“

„Možná po Clairině smrti hacknul její RigMarole.“

Norrie znechuceně zkřivil rty a obrátil oči v sloup. „To je zvrhlý.“

„Třeba byste měla zajít do Freshka.“ Když Garrity zaregistroval Paulino zamračení, pokračoval. „Tam Claire pracovala. Dohlížela na sekci pekárny. Mohl by to bejt jeden z těch magorů, co tam pracujou. Většinu z nich bych tady nenechal sedět.“ Vydrápal se z kóje, div nezakopl o vlastní nohu. „Tak pokud je to všecko, máme tu práci. Že jo, Norrie?“ A odklopýtal pryč, snažil se napřímit a působit střízlivě, ale nepodařilo se mu to.

„Nese to těžce,“ poznamenal Norrie. „Bejval to vážně příjemnej chlápek, víte? Claire naprosto zbožňoval.“

251

„Sežeňte mu nějakou pomoc," doporučila mu Paula. „Tím, že mu jdete na ruku s pitím, mu moc nepomáháte. Věřte mi, sledovala jsem kolegy, kteří si zvolili tuhle cestu."

Jízda do Freshka v Kenton Vale trvala pouhých deset minut. Skoro tolik času Paule zabralo hledání místa k zaparkování a cesta zpátky k obchodu. Jako obvykle během dne byly uličky plné nakupujících. Najde se tu veškerý lidský život, pomyslela si, když uskakovala před ospale působícím mužem ve vytahaných teplácích a potřísněném tričku, jen aby zastoupila cestu staré ženě, která tlačila vozík obsahující bochník chleba, lahev mléka a plechovku fazolí.

O dvě hodiny později se vynořila na denní světlo, připadala si omámená a frustrovaná. Personální oddělení supermarketu trvalo na tom, že se musí napřed poradit s vedením, než se vůbec podívají na fotografii, kterou přinesla. Ale musela připustit, že jakmile dostali svolení, moc jí pomohli. Představili ji Claiřiným kolegům z pekárny, a když nikdo z nich muže na fotografii nepoznal, velice nápomocná šéfka personálního oddělení ji vzala na obchůzku po jednotlivých odděleních a ukazovaly snímek všem zaměstnancům, které potkaly. Nikdo ovšem nevykazoval žádné známky, že by muže poznával. Jedna zaměstnankyně se domnívala, že možná několikrát prošel její pokladnou, ale její kolegyně kroutily očima a napomínaly ji: „Přestaň se předvádět, Varyo."

Nebylo to k ničemu. Žena z personálního oddělení fotografii okopírovala a slíbila, že ji vyvěsí v místnosti pro zaměstnance a na nástěnky nejrůznějších oddělení. Paula ovšem nepociťovala sebemenší naději. Další vodítko, které nevede vůbec nikam. Nikdy nezažila takový případ. Při každém vyšetřování obvykle přicházely frustrace a bylo jich hodně. Ale v jádru toho všeho bylo něco, co se nakonec obrátilo v jejich prospěch. Chvilková nepozornost vraha. Náhodné setkání, které rozbilo alibi. Forenzní průlom.

Jenže tenhle muž je na to příliš bystrý. Je příliš bystrý na ně, což je sklíčující. Carol Jordanová, Tony Hill a Stacey Chenová jsou podle Paulina názoru ti nejlepší ve svém oboru. A zbytek týmu tvoří policisté, které by si sama vybrala, kdyby měla vytvořit elitní tým. Přesto za celých šest týdnů s případem pokročili sotva o coul.

Blake buzeruje, ale to, co řekl, myslí vážně. Touží na ně zaútočit, protože na něj Carol kolikrát v minulosti vyzrála. Ale jsou tu i další šéfové bez osobních důvodů, kteří by nezaváhali a přidali by se k němu. Dříve nebo později se na ně nadřízení vrhnou. Pokud co nevidět něco nedodají, pošlou je zanedlouho do starého železa.

54

Nikdy v životě toho neměl tolik. I když podnikání s Tricií jelo na plné obrátky, měl víc času, který mohl nazývat vlastním. Jenže realizace jeho pečlivě promyšlených plánů ke zdokonalení pomsty si žádala čas. Nestačilo jen chodit na schůzky s těmi ženami, musel si připravovat půdu. Esemesky posílal nebo jim volal z jednorázových telefonů s předplacenou kartou. A aby po sobě zahladil stopy, kontaktoval každou jen z města, v němž žila, pak vyndal SIM kartu a baterii. Volání z Bradfieldu se objeví jen tehdy, když se dvoří oběti z Bradfieldu. Stejně jako mu běžel podnik, on běhal a uháněl ženy. Naštěstí se mu často podařilo spojit obě věci dohromady a odeslat jim další textovku mezi pracovními schůzkami v jiných městech.

Jednoho večera při jízdě do Liverpoolu poslouchal zápas Bradfield Victorie a zaslechl něco, co se mu líbilo. Komentátoři v poločase mluvili o skandování na fotbalu a o vynalézavosti fanoušků. Jeden z nich zmínil skandování z tribun týmu, kterému nepřálo štěstí: „Nejste nic extra, my prohráváme každej tejden." Přimělo ho to myslet na konečné zúčtování s Tricií a na to, co by jí mohl říct. Což takhle: „Nejsi nic extra, udělal jsem to tolikrát, že jsem to přestal počítat." Není to marné, ale určitě ho napadne něco sžíravějšího.

Dnes ráno už zkontroloval grafickou úpravu dvou různých časopisů a hovořil se dvěma klíčovými inzerenty, kteří požadovali pravidelnou aktualizaci. Poslední čísla nikomu radost neudělala; bude muset snížit částku, kterou oba inzerenti platí. A teď ho čeká schůzka s Carrií McCrystalovou, podnikatelkou, která vede řetězec kosmetických salonů rozmístěných po celém severu. Doufá, že mu nabídne šťavnaté sousto příjmu z reklamy, které odvrátí problémy, jež se na něj valí ze všech stran. Možná si bude moci dokonce dovolit najmout někoho, kdo převezme redaktorskou práci, kterou Tricia odváděla tak efektivně.

Přijela přesně načas, hotová chodící reklama svého podniku. Vlasy jí splývaly na ramena; tmavé, lesklé a skvěle udržované. Líčení nemělo chybičku, zdůrazňovalo lehce tajemné světle modré oči a plné rty. Měla na sobě pěkně padnoucí kostýmek s úzkou sukní a lodičky naboso. Nedokázal si pomoct, musel obdivovat její styl. Dával si práci s vlastním vzhledem a vždycky ocenil, když to dělali i ostatní. Vyjadřuje to respekt vůči lidem, s nimiž jednáte. Nicméně Tricia si také vždycky udržovala bezvadnou fasádu. A podívejte se, co se nakonec ukázalo – dokonale tím maskovala vlastní nejistotu. Nebude Carrii McCrystalovou soudit podle toho, jak vypadá.

Sešli se v malé konferenční místnosti, kterou používal pro porady týmu. Byla prostě zařízená, ale elegantní a o ničem moc nevypovídala. Nalil oběma kávu a nechal ji tlachat o počasí a dopravě, dokud konečně neseděli u stolu tváří v tvář proti sobě. „Jistě se dohadujete, proč jsem vás požádala o tuto schůzku," zněla její úvodní věta.

„Předpokládám, že si chcete promluvit o smlouvě na reklamní spolupráci."

Její úsměv mu připomněl kočku. „Ale, Tome, pokud by šlo jen o tohle, vybavila bych to s Marianne z reklamního oddělení. Vždycky jsme v minulosti našly uspokojivé řešení. Ne, dneska se chystám usmažit větší rybu."

Opřel se v židli, uklonil hlavu do strany. „Poslouchám," oznámil jí.

„Malý ptáček mi vyštěbetal, že vaše obchodní partnerka odešla." Nechala slova viset ve vzduchu.

Vší mocí se snažil udržet hněv pod kontrolou. Rozzuřilo ho pomyšlení, že cizí lidé probírají jeho soukromí. To má být Triciin odkaz? Aby v očích druhých působil neschopně? „Lidé přicházejí a odcházejí," odpověděl, podařilo se mu udržet vyrovnaný a příjemný hlas.

„O tom mi něco povídejte. Jsme podnikatelé, a chápeme, že nic netrvá věčně. Ale napadlo mě, že byste třeba měl zájem přivést do podniku nového partnera. Tedy, nemám přímou zkušenost s vedením časopisů, ale moje skvělá tisková mluvčí a PR pracovnice má přesně to, co je třeba. Melanie byla před tím, než jsem po ní chňapla, redaktorkou *Leeds Alive*. Myslím si, že by v tomhle byznysu dokázala divy, a uměla bych na stůl vyložit spoustu propagačních nápadů." Věnovala mu oslnivý úsměv. Tyhle zuby by snad ve tmě svítily, pomyslel si. Abych tě lépe snědla.

„To je velice zajímavá nabídka, Carrie," řekl. Záchranné lano pro podnikání, které tak dlouho budoval. Naděje na spásu toho, co Tricia téměř zničila. Ale chce doopravdy vložit svůj osud do rukou někoho jiného? A jak se sakra dostane k Triciiným akciím? Nemůže prodat něco, co nemá.

Otevřela velkou kabelu a vyndala z ní tenkou kartonovou složku. „Dovolila jsem si sestavit finanční nabídku. Samozřejmě nemám přístup k vašim komerčně citlivým informacím, ale podívala jsem se pozorně na to, co děláte, a dokonce i když vezmu v úvahu drobný, ale znatelný pokles v kvalitě z poslední doby, myslím, že jde o skvělý malý byznys." Přistrčila k němu složku. „Opravte mě, pokud se mýlím."

Otevřel složku. Napřed viděl číslice rozmazaně, ale přinutil se zaostřit a musel připustit, že odvedla pozoruhodně precizní práci. Skoro ho napadlo, jestli před tím, než sem šla, neposbírala rozumy od Tricie. Ale ne, napomenul se. Tohle není spiknutí. Nemůže začít tahle uvažovat. Je to zpráva, kterou mohl sestavit kdokoli, kdo má dost obchodních zkušeností, aby věděl, kam se podívat. Dával si načas, procházel stránkami řádku po řádce až do samotného konce. K jejímu odhadu, jaká je hodnota jeho podnikání, a její nabídce částečného odkoupení.

Na chvíli ho to ohromilo. Smířil se se skutečností, že jeho podnikání jde ke dnu. Věděl, že obsah časopisů trpí, věděl, že měl příliš práce se sháněním redaktorů a nemohl se plně věnovat grafické úpravě. Postupný úpadek jeho časopisů byla další věc, kterou přičítal Tricii, a rozsah její viny ještě víc rozpálil žár jeho hněvu a odhodlanosti.

Jenže Carrie McCrystalová mu nabízí alternativní konec jedné části katastrofy, kterou na něj Tricia seslala. Carriina finanční nabídka je rozumný počáteční bod. Bude se muset setkat s Melanií a podívat se na její práci, pak se rozhodne, jestli je dost dobrá na to, aby dokázala něco změnit. Ale tohle je bezpochyby potenciální úleva. Jedinou otázkou zůstává, jestli chce být zachráněný, nebo skončit v plamenech, jen když dosáhne svého.

Žádné těžké rozhodování. Zvedl hlavu od papírů a jeho zrak se střetl s Carriiným vyrovnaným pohledem. „Podle mě je tohle začátek velice užitečné konverzace," řekl.

Ne že by to Tricii umožnilo vyklouznout z háčku. Vlastně přímo naopak. Pokud má prodat její podíl v podniku, bude to o hodně snazší, když zemře. Nebude tak moci vyvrátit jeho verzi, když prohlásí, že na něj při odchodu přepsala zpátky svůj podíl. Zabít ji teď nebude pouhá pomsta. Bude k tomu mít vážné obchodní důvody.

55

Doktor Dave Myers nebyl pro většinu lidí z týmu ReTZZ neznámou veličinou. S Paulou se znali od počátku její práce na kriminálce, kdy moderní forenzní vědy byly ještě v plenkách. Pracoval na analýze DNA ve starém zařízení ministerstva vnitra v Bradfieldu, a když vláda zprivatizovala forenzní služby, noví poskytovatelé služeb ho zverbovali k vedení soukromé laboratoře. Když ještě fungoval starý tým pro závažné zločiny, vždycky se na něj obraceli jako na prvního, kdykoli případ vyžadoval výdaje za forenzní analýzu. Šéfkonstábl Blake s Carol Jordanovou permanentně bojoval ohledně ceny za využívání doktora Myerse a jeho týmu, argumentoval tím, že jsou k dispozici levnější služby.

Carol se vzepřela, trvala na tom, že tu plně platí princip „za málo peněz málo muziky". Většinou spor vyhrála díky Blakeově strachu, že média nějakým způsobem zjistí, že přehnaně šetřil na vyšetřování vraždy. Občas se dá mužské ješitnosti využít konstruktivně.

Jednou z podmínek pro přijetí práce v regionálním týmu pro závažné zločiny, na nichž Carol trvala, bylo, že bude mít přístup k laboratoři doktora Myerse, kdykoli to bude považovat za nutné. A tak když Kevin došel pro kabát Amie McDonaldové, byla jeho samozřejmým cílem nejmoderněji vybavená laboratoř, která se skrývala za anonymní fasádou montovaného skladiště v průmyslové zóně na okraji města. Zdůraznil význam kabátu ve vyšetřování vícenásobné vraždy a doktor Myers mu slíbil, že se vynasnaží ze všech sil, byť se tvářil pochybovačně.

Laboratoř svoje výsledky obvykle předávala v digitální formě, předem je vyšetřujícímu týmu telefonicky avizovala. Proto nastalo všeobecné překvapení, když doktor Myers osobně nakráčel do místnosti týmu na Skenfrith Street. Paula zvedla oči od monitoru počítače, na němž aktualizovala svoje zápisky k případu, a potěšeně se usmála, když ho viděla, jak kolébavě vchází do dveří svým vždy ležérním krokem. Mimo laboratoř, bez ochranné kombinézy vůbec nevypadal jako vědec, jehož obchodní značkou je preciznost. Velké hnědé ruce by se lépe hodily k manuálnímu pracovníkovi než k delikátní práci, kterou odváděl. Svou baseballovou čepičkou, drobnou bradkou, pytlovitými kalhotami z bavlněného kepru a brýlemi sedícími na špičce nosu Paule vždycky připomínal nekonformního akademika. Přátelili se celá léta, spojovala je společná záliba v hudbě a komediích. Dokud byli oba svobodní, pravidelně spolu trávili čas v komediálních klubech a na menších hudebních akcích. Ještě teď se tak každé dva měsíce setkávali ve čtveřici i se svými partnery na různých představeních.

Paula vstala od stolu a objala Davea. „Co tu děláš?" zajímala se.

Předstíral zamračení. „Tolik k: ,Ahoj, Dave, ráda tě vidím.' "

„Kávu?"

„Jistě, proč ne? Je tu někde Kevin?"

„Ne, odešel informovat tiskové oddělení o nejnovějším případu," hlásila a zamířila ke kávovaru. „Mimochodem, tohle je Karim Hussain, náš nový chlapec."

Dave naznačil zamávání směrem ke Karimovi, který z nově příchozího nespustil oči od chvíle, kdy vstoupil do místnosti. „Nazdar, Karime. Já jsem Dave Myers."

„Král forenzní analýzy DNA," dodala Paula od přípravy espressa pro Davea.

„Dneska zrovna moc ne," utrousil Dave. Složil své dlouhé tělo do kancelářského křesla a přejel na něm k Paulinu stolu. Vytáhl z kapsy obálku a položil ji vedle klávesnice počítače. „Kev nám přinesl kabát, který patřil Amii McDonaldové. Myslel si, že na něm bude nějaká užitečná DNA."

Paula před Davea postavila kávu a podívala se na obálku. „A byla tam?"

„DNA tam byla. Problém spočívá v jejím přílišném množství."

Paula zasténala. „Smíšené vzorky?"

„Celý komplex smíšených vzorků. Nevím, jestli Amie vůbec někdy odnesla kabát do čistírny, ale pokud ano, nebylo to v poslední době. Kev mě požádal, abych se soustředil na paže a horní část zad, kde se někoho dotýkáš, když se s ním objímáš a líbáš. Přinesl Amiin kartáček na zuby, abychom mohli eliminovat její DNA, ale moc to nepomohlo. I když jsme z rovnice vyloučili ji, získali jsme z vnější strany kabátu v klíčových oblastech přinejmenším šest nebo sedm různých stop DNA."

„Dokážete určit, kdy tam byly zanechány?" zeptal se Karim. „Jako, jestli nejsou ve vrstvách jedna přes druhou?"

Dave zavrtěl hlavou. „Takhle to nefunguje. Všechny jsou smíchané dohromady. Mohly tam být uložené v jakémkoli pořadí. Je to, jako když děláte polévku. Z hotového talíře nedokážete určit, jestli do ní přišla dřív mrkev nebo cibule. A pokud použijete mixér, nemůžete si ani být jistí, jestli je v ní cibule nebo šalotka."

Karim se nad tou analogií zatvářil zmateně, ale Paula byla na Daveův styl zvyklá. „Pokud bychom měli podezřelého, dokázal bys jeho DNA z té polévky vylovit?" zeptala se.

„Možná, ale k jistotě by to mělo daleko."

„Nečetla jsem někde, že existujou nové počítačové programy, které dokážou vytřídit složky směsí?" nadhodila Paula.

„Pracuje se na tom," připustil Dave. „Ten nápad spočívá v tom, že mají sadu složitých algoritmů, které předpovídají pravděpodobnost různých sekvencí, je to založené na statistické analýze. Říká se tomu pravděpodobnostní genotypování. Zní to skvěle. Ve Spojených státech to klinicky testovali. A objevily se značné problémy. Vezmete smíšený vzorek a protáhnete ho dvěma odlišnými programy. Odpovědi, které vyjdou na opačném konci, jsou zcela rozdílné. Výzkumníci odeslali smíšený vzorek náhodné skupině analytiků a každá reakce byla jiná. Takže ne, nevkládal bych žádnou naději v usvědčení pachatele na základě tohoto důkazu." Poklepal na obálku. „Všechno máte tady. Kev velice trval na tom, že jde o nejvyšší prioritu, tak jsem chtěl přijít osobně a vysvětlit výsledky pro případ, že by se vyskytly nějaké otázky."

„Moc si toho cením, Dave." Paula si povzdechla.

„Je mi líto, že jsem vás zklamal."

„Není to tvoje chyba. Tenhle případ nás ale ničí. Je v něm víc slepých uliček než na sídlišti ze sedmdesátých let. Pokaždé když zabočíme za roh, narazíme na holou zeď."

„Moc rád bych vám pomohl, jenže nejsme v *Kriminálce Miami nebo Las Vegas* a nedokážeme dělat zázraky." Dave se zvedl. „Rozlišování smíšených vzorků se blíží, ale nebude to včas pro vaše vyšetřování."

Paula si povzdechla. „No, možná v následujících letech nějaký skvělý detektiv pracující na odložených případech dostane Davea Myerse 2.0, použije nové postupy a vyřeší náš případ."

„Neztrácej naději. Jsi dobrý detektiv, Paulo. Občas k rozlousknutí případu potřebuješ staré způsoby. Přesně tak to říkám porotcům, kdykoli dostanu příležitost. Pokud máte naprosto čistý otisk prstu a půl tuctu očitých svědků, vážně nepotřebujete odebírat DNA. Hodně štěstí." Zamával prsty a odešel.

Karim za ním hleděl. „Jsme namydlení, že?"

„Nejspíš," konstatovala Paula. „Ale nemáme důvod přestat se pachtit." Než stačila říct víc, napochodovala do dveří Stacey se vzezřením ženy, která má svou misi.

„Ach, skvělé," řekla. „My dvě teď musíme někde být, Paulo."

„Musíme?"

„Ano. Vysvětlím ti to v autě."

„A co já?" ozval se smutně Karim.

„Hlídejte to tady a vybavte svoje papíry," odpověděla mu Stacey.

„Kam jdete, kdyby se po vás šéfka ptala?"

„Bojovat proti zločinu," řekla rozhodně Stacey a zamířila zase ke dveřím.

Paula pokrčila rameny a doširoka rozhodila rukama. „Taky nemám nejmenší tušení, co se děje. Ale zkušenost mě naučila Stacey neodporovat. Uvidíme se později."

56

Carol sestoupila z mola v Minster Basin na pěkně natřenou loď s nápisem *Steeler* na zlatočerném pozadí. Když se její váha přenesla na vodu, paluba se jí pod nohama zhoupla. Tohle byla Tonyho doména, tak jako stodola její. Loď zdědil po otci, kterého nikdy nepoznal, a ke Carolinu překvapení se ze shánčlivé veverky žijící mezi stohy papírů a knih změnil v natolik spořádaného lodníka, jakého si jen bylo možné představit. Žít v tak omezeném prostoru vyžadovalo důslednost a udržování pečlivého pořádku, nikdy by nečekala, že by se Tony dokázal takhle adaptovat. Pomohlo, že knihami osídlil přepravní kontejner, proměnil ho v knihovnu, z níž by Carol dostala klaustrofobii, kdyby v ní měla strávit byť jen hodinu. A samozřejmě měl pořád vlastní kancelář v nemocnici s ostrahou Bradfield Moor, jež mu patrně poskytovala veškeré možnosti hromadění, které potřeboval.

Neměla nejmenší tušení, proč ji ve své zprávě žádal, aby se sešli tady, a ne v jeho kanceláři. Položila mu tu otázku ve své odpovědi, ale on ji ignoroval, takže jí nezbývala jiná možnost než opustit policejní stanici a zamířit ke kanálu. Starý Grosvenor Canal se táhl rovnoběžně se Skenfrith Street, neviditelný mezi vysokými budovami, ale existovala tu úzká ulička, která směřovala k úseku podél vodní cesty vedoucí do Minster Basin. Ještě před pěti lety by se na tuhle stezku, byť se psem v patách, odvážila jen nerozumně riskující osoba. Jenže evropské peníze zaplatily rekonstrukci cesty, nainstalovaly tu dlážděný chodník a řádné osvětlení, které zahnalo temné stíny klenutých sklepení, jimiž vedl kanál pod ulicemi. Místní podnikatelé sáhli hluboko do kapes a zaplatili krajinné úpravy. Teď tu byla příjemná zkratka do centra města.

Flash lítala jako střela tam a zase zpátky podél břehu, nikdy Carol neopustila nadlouho. Když se cesta rozevřela do doku, věděla přesně, kam směřují, přeběhla po kočičím dláždění a posadila se vedle *Steeleru*, uši vztyčené, jazyk vyplazený. Carol nechtěně musela přiznat vděčnost Georgi Nicholasovi za to, že jí psa doslova vnutil.

Když vstoupila na palubu, kolie skočila na střechu lodi a usadila se tam, hlavu složila mezi tlapy, očima přehlížela dok, jestli její paní něco nehrozí.

Carol mezitím zaklepala na poklop v palubě, pak ho otevřela a začala sestupovat do hlavní kabiny. Tony seděl u stolu, před sebou knihu. „Nevstávej!" zavolala na něj. „Jsem překafovaná." Vklouzla na čalouněnou lavici proti němu. „Dneska ráno jsi zmeškal brífink."

„Já vím. Omlouvám se. Měl jsem na práci něco naléhavějšího."

„Tak proč jsme tady? Co se děje tak záhadného, že si o tom nemůžeme promluvit v kanceláři?"

„Nejde o nic záhadného," odpověděl. „Je to soukromé."

Carolin žaludek se stáhl obavami. Slovo *soukromé* jí v těchto dnech znělo hrozivě. Další noční můru by v tuhle chvíli neunesla. Napřímila se na sedadle, sepjala ruce na stole před sebou. „Co zas?"

„Dělal jsem si o tebe starost. O to, jak tě užírá pocit provinění."

Carol si odfrkla. „Nemám na vybranou. To, co se stalo, prostě existuje. Člověk by musel být monstrum, aby se necítil vinný."

„Souhlasím. Nějaká vina je nevyhnutelná. Ale tebe to přímo drtí, Carol, a musíš proti tomu bojovat."

„Bože, co je zas tohle? Nějaké terapeutické sezení? Nejsem sakra žádná tvoje pacientka."

„Ne, jsi moje přítelkyně. Moje nejlepší přítelkyně. Celá léta, než jsem začal chápat, jak na věc, jsi byla nejspíš moje jediná přítelkyně. Takže nemůžu sedět se založenýma rukama a nechat tě užírat se výčitkami. Proklínáš se za věci, ze kterých by tě nemohla obvinit žádná rozumně myslící osoba."

Zavrtěla hlavou. „Zemřelo pět lidí, Tony. Protože jsem chtěla znovu zaujmout místo na slunci."

„Jsem rád, žes to vytáhla," řekl. „Vím, jak moc tě to trápí, ale vážně za to neneseš odpovědnost. Spojitost není totéž co příčinnost."

Nedávalo jí to smysl. Jak by ta úmrtí mohla patřit jinam než na její práh? „Mýlíš se," řekla.

Tony vytáhl z kapsy mobil a položil ho na stůl před sebe. Chvíli manipuloval s displejem. „Dneska ráno jsem zajel do Halifaxu. Proto jsem propásl tu poradu. Šel jsem si promluvit s Monou Barrowcloughovou. Dominikovou matkou."

„Proč? Nemyslíš si, že toho má na talíři dost i bez toho, že budeš všechno znovu rozviřovat?"

„Vedli jsme spolu velice zajímavý rozhovor. Můžeš si to poslechnout celé, jestli chceš, ale je tu několik věcí, které musíš slyšet." Zvedl prst, aby jí zabránil cokoli říct. „Prosím. Jen poslouchej, Carol."

Stiskl <Play> na telefonu. Kajutu vyplnil plechový zvuk hlasu neznámé ženy:

Prohlásil, že to pro něj není žádná překážka. Řídil by, i kdyby mu zakázali řídit. ,Budu měnit auta, seženu si nějaký, který nehledají,' řekl doslova. Jeho táta zuřil. Řekl, že jestli Nickymu zakážou řídit, ale on v tom bude pokračovat, vyhodí ho z domu i z podniku. Pracoval pro otce, víte? Manžel je realitní makléř. Při takovém povolání samozřejmě musíte být schopen jezdit autem. Byla jsem tak rozčilená, netušila jsem, jak by to Nicky zvládal.

Pak Tonyho hlas. *Ale nezakázali mu řídit?*

Ne. Něco nebylo v pořádku s tím zařízením, říkali u soudu. Tak museli stáhnout obvinění. Nevěděla jsem, jestli mám mít radost. Nickymu prošlo řízení pod vlivem alkoholu, ale aspoň neztratil střechu nad hlavou a práci. Po tom soudním případu jsme se s ním posadili, já i manžel, a domlouvali jsme mu. Ale on se jen smál. Tvrdil, že je za volantem v bezpečí. Prý mu nikdo v řízení nezabrání. Ani policie, ani soud, ani táta. Nevím, co jsme udělali špatně. Snažili jsme se ze všech sil, ale on byl vždycky sám sobě zákonem. Nevím, kde k tomu přišel. Nejsme vůbec impulzivní lidi, já a můj manžel.

Carol se zatočila hlava. Nedokázala to pořádně vstřebat. „Přehraj to ještě jednou," zašeptala. Poslechl ji.

„Vidíš?" promluvil jemně Tony. „Nemělo to s tebou nic společného. I kdyby Dominic Barrowclough tehdy přišel o řidičák, stejně by tu noc, co naboural mini, řídil opilý. Není to tvoje chyba, Carol."

Nedokázala zadržet slzy. Zlobila se sama na sebe, že se přestala ovládat, ale nemohla s tím nic udělat. Slova Mony Barrowcloughové jí neposkytla rozhřešení, ale nadzvedla břímě natolik, že dokázala vidět skulinu denního světla v temnotě své viny.

„Měla by sis to poslechnout celé," vybídl jí Tony. „Pro případ, že by sis myslela, že jsem ji k tomu nějak dotlačil."

„To není tvůj styl," řekla Carol roztřeseně. „Děkuju ti." Odkašlala si a hřbetem ruky si otřela oči. „A teď se musím vrátit zpátky do kanceláře a zjistit, jestli někdo neobjevil dentální záznamy Eileen Walshové." Vyklouzla ze svého místa a otočila se k odchodu.

Na poslední chvíli se obrátila a třemi kroky došla k Tonymu. Naklonila se dolů, a když na ni překvapeně pohlédl, neobratně ho políbila na čelo. „Nezasloužím si tě," řekla.

„Nejde o to, co si zasloužíme. Jde o to, co si vysloužíme." Jejich pohledy se setkaly. Carol, zmatená návalem emocí, couvla a vystoupala na denní světlo. „Uvidíme se později," loučila se, ale zdaleka si nebyla jistá tím, co bude později.

57

Paula se připoutala a zařadila rychlost. „Mluv, Stacey. Musíš mi říct, kam jedeme, nebo budeme sedět tady na parkovišti, dokud se nesetmí.“

„Harriestown. Camborne Street 71.“

„To je hned za rohem kousek od nás. Proč tam jedeme?“ Paula se zapojila do dopravy a v hlavě nastavila kurz do Camborne Street.

„Mají tam problém s bojlerem.“

Paula zasténala. „Víš, pokud chceš, aby lidé neupadali do rasových stereotypů, vážně se budeš muset zbavit té své neproniknutelnosti. Proč nás zajímá bojler v Camborne Street 71?“

„Nezajímá.“ Stacey krátce po očku pohlédla na Paulu. „Dobře. Zželelo se mi tě. Jak víš, se sledováním IP adresy toho parchanta, co vydírá Torina, jsem se nikam nedostala. Zůstala mi jen ta předplacená kreditní karta, na kterou vložil peníze. No, za normální situace by to byla další slepá ulička. Vážně jsem očekávala, že kód banky bude odpovídat lehce pokoutní soukromé bance v nějakém daňovém ráji s přísnými zákony ohledně ochrany soukromí. Narazily bychom na stejnou neproniknutelnost, z jaké jsi obvinila mě.“

„A nebylo to tak?“ Paula zastavila na červenou a pohlédla na přítelkyni. „Proto se honíme za bojlery v Camborne Street?“

„Nejenže to nebyla pokoutní banka, nebyl to ani daňový ráj. Byla to bradfieldská pobočka Northern Bank.“

„To není možné!“

„Je. Přesně řečeno na Campion Way.“

„Takže ten vyděrač je zdejší?“

„To je nevyhnutelný závěr. Přesto tu máme ještě velice přísná pravidla ohledně soukromí zákazníka a starou písničku s ochranou dat.“

Na Paulině tváři se pomalu rozhostil úsměv. „A tys udělala něco nepěkného, viď?“

„Ano. Předstírala jsem, že patřím k protiteroristické jednotce."

Paule spadla čelist a noha jí na chvíli sklouzla z plynu, což vyprovokovalo hlasité zatroubení auta za ní. „Co žes udělala? Předstírala jsi, že jsi tajný agent?"

Stacey pokrčila rameny. Nebyl to zrovna snadný manévr, protože byla připoutaná bezpečnostním pásem. „Svým způsobem. Přišla jsem tam s falešnou průkazkou." Zahihňala se. „Uvedla jsem tam jméno Xing Mingová. To je mandarínsky ‚křestní jméno, příjmení'."

Paula na ni nechápavě pohlédla. „Teď si děláš legraci, ne? To, že jsi předložila falešnou průkazku, je vtip?"

„Vyžila jsem vysoké pravděpodobnosti, že ředitel pobočky Patrick Haynes sotva bude mít čínské předky," prohlásila vážně. „Ten vtípek mi měl pomoct se uvolnit, ne naštvat protiteroristickou jednotku. To, co dělají, beru velice vážně. Takže jsem si připravila průkazku a falešný soudní příkaz k uvolnění údajů."

„Pověz mi, že si tohle vymýšlíš. Protože už vidím, jak obě naše kariéry končí v troskách."

„Nevymýšlím si. Neexistuje nic, podle čeho by se mohli dostat zpátky ke mně."

„Až na skutečnost, že jsi jediná čínská policistka v Bradfieldu a oni nejspíš mají bezpečnostní kameru?"

„Chodila jsem se sklopenou hlavou. A nasadila jsem extra luxusní akcent Radia Four. Ale neboj se, žádná zpětná reakce nebude. Vyvolala jsem v panu Patricku Haynesovi strach z boha a zákona o utajovaných skutečnostech a on mi vyhrabal údaje o té kartě. Koupil ji před pěti měsíci nějaký Norman Jackson. Na tom monitoru jsem neviděla rozvahu a transakce, jenom jeho jméno a adresu. Je to instalatér."

„Proto ten bojler?"

„Správně. Proto ten bojler. Dneska ráno jsem mu zavolala a zeptala se, kde zrovna pracuje, abych se s ním mohla domluvit na práci, kterou jsem si objednala u dívky v jeho kanceláři. Ředitele pobočky jsem uklidnila, že ten hodný instalatér, kterému půjčil pětatřicet táců, peníze nevyužije k nákupu zbraní a bomb za účelem spuštění svého soukromého harriestownského džihádu." Zamračila se, přemýšlela. „Nemyslím, že by s tím někam běžel. Řekla bych, že jsem udeřila na tu správnou strunu autority plus čiré hrůzy."

„To si dovedu představit. Žasnu, Stacey. Páni! Ale stejně si nemyslím, že bys měla moc často opouštět svůj stůl. Dneska ráno jsi prošvihla Blakeovo úchvatné představení. V zásadě po nás jde. A jak zdůraznil Kevin, když ohýbáme pravidla a nezískáme přitom výsledky, ohrožujeme sami sebe."

„Ale já výsledek mám, Paulo."

„Ano. Instalatéra z Harriestownu. Jak to vzniklo?"

„Je to divné, ale ne tak děsivé jako banda gangsterů z opačné části zeměkoule. Tenhle chlap bydlí tři ulice od tebe. Je ženatý a vede malou živnost. Zaměstnává další tři chlápky a na googlu je hodnocený čtyřmi hvězdičkami. Nejspíš to bude nějaký osamělý podivín, který někde potkal Torina a vytvořil si v hlavě celý tenhle fantasmagorický vztah."

„To nám bude muset vysvětlit Tony." Paula zvolila pravou odbočku vidlicovitého rozdělení silnice, která je zavede do Harriestownu. „Lidé jsou divní."

„Musíš mi slíbit, že ho nezmlátíš."

Paulu náhle něco napadlo. „Ale co s ním uděláme? Nemůžeme ho zatknout. Nechci Torina vláčet po soudech."

„Přemýšlela jsem o tom," ujistila ji Stacey. „Řekla bych, že mu pohrozíme zatčením. Naznačíme mu, že ho obviníme. Pak začneme mluvit o restorativní justici. Vrátí Torinovi jeho peníze a už nikdy se nedopustí ničeho podobného, nebo mu dáme ochutnat jeho vlastní medicínu a zveřejníme na všech sociálních médiích a v místním tisku, že je perverzní vyděrač. Mezi námi, podle mě ho dokážeme vyděsit k smrti."

„Ale bude to stačit? Zabrání mu to vyrazit po někom dalším? Jak víme, že se už nezaměřil i na další lidi?"

Stacey se zatvářila zaraženě. „Já myslela, že jde jen o Torina?"

„No, to ano, ale nechci, aby si ten chlap myslel, že mu to může projít u ostatních."

Několik minut jely mlčky. „Torin je ještě pořád nezletilý, viď?"

„Jo, je mu čtrnáct."

„Přemýšlím o tom, že bychom mu mohly dát jen výstrahu a zapsat ho do ViSOR. Torin do toho nemusí vůbec vstoupit. Při té výstraze akorát připustí přečin. Nebude z toho soudní případ, žádná zpráva. Ale my mu pořádně znepříjemníme život."

Má pravdu, pomyslela si Paula. S výstrahou se Jackson na dva roky dostane na seznam sexuálních delikventů. Nebude se moct přestěhovat ani změnit práci nebo údaje na bankovním účtu, aniž by to nahlásil na policii.

„Začínáš být děsivě dobrá ve znepříjemňování životů lidem."

„To je digitální svět, Paulo. Já ten prostor vlastním. Konec s paní Hodnou."

Na příjezdové cestě domu v Camborne Street 71 stála bílá dodávka s nápisem INSTALATÉRSTVÍ JACKSON na boku. Paula našla místo k zaparkování o sto metrů dál a obě ženy se vracely zpátky po chodníku. „Teď jsme jako Cagneyová a Laceyová," holedbala se Paula.

Stacey zasténala. „To znamená, že se musím držet Harva, že?"

Zabočily na příjezdovou cestu právě ve chvíli, kdy zpoza boku domu vyšel rozložitý muž v sepraných džínách a kostkované košili a zamířil k dodávce. Vyhrnuté rukávy odhalovaly složité tetování propletených keltských symbolů na pažích. Krátce na ně pohlédl a pokračoval v otevírání posuvných dveří. Vypadal tak na pětačtyřicet, v neupravených hnědých vlasech se mu začínaly objevovat šedé pramínky. Měl narudlou pleť muže, který hodně a často pije, a tomu odpovídající rozměklé břicho.

„Pan Jackson?" zavolala Paula. „Norman Jackson?"

Vytáhl horní část těla z vnitřku dodávky a prohlédl si je od hlavy až k patě. „Jo, to jsem já. Co pro vás můžu udělat, dámy?"

Místní akcent, přívětivý tón, přátelský úsměv. První dojem může mýlit, to Paula dobře věděla. Nevypadá jako někdo, kdo by si zasloužil pěkně zkopat do kuličky. „Jsem detektiv seržant McIntyreová a tohle je detektiv konstábl Stacey Chenová. Normane Jacksone, zatýkám vás pro podezření z vydírání a držení dětské pornografie. Nemusíte vypovídat. Pokud však při vyšetřování nesdělíte určitou skutečnost, na níž bude založena vaše obhajoba, může ji to u soudu oslabit. Cokoli řeknete, může být použito jako důkaz proti vám."

Sotva dořekla úvod, začal blekotat: „Co… Já ne… Jak to myslíte? Sakra, co to má bejt? Vydírání? Dětská pornografie? To máte nepravýho. Nemám sakra nejmenší tušení…"

269

„Není tu nějaké místo, kde bychom si o tom mohli promluvit?" vstoupila do hovoru Stacey. „Nebo nás radši doprovodíte na policejní stanici k výslechu?"

Zatvářil se ohromeně. „Tohle je omyl." Divoce se kolem sebe rozhlédl. „To má bejt nějakej vtip?"

„Jste zatčený, pane Jacksone. Tak jak to bude? Tady, nebo na stanici?" Paula si udržela klidný hlas.

Kousl se do rtu. „Majitelé domu jsou v práci. Můžeme si promluvit uvnitř. Ale děláte strašnou chybu. Nemám nejmenší tušení…"

„To si ušetřete," poradila mu Stacey. Šly za ním do kuchyně, kde byla vyprázdněná skříňka pod dřezem a chyběl sifon. Na odkapávači ležely rozložené nástroje. Posadili se k malému jídelnímu stolu, obě ženy proti Jacksonovi. Stacey vytáhla mobil a nastavila nahrávání. Uvedla jména všech přítomných, čas a místo výslehu. Pak beze slova vytáhla list papíru s údaji o kartě, vytištěnými tlustými černými písmeny.

Zamračil se. „Co je to?"

„Nepoznáváte ty informace?" Paulin hlas vyjadřoval nevěřícnost.

„Ne. Co je to?"

„Čtrnáctiletý chlapec byl donucen zaplatit určitou sumu. Vložil ji na tuto předplacenou kreditní kartu."

Pokrčil rameny. „A co to má mít společnýho se mnou?"

„Karta byla původně zaplacená z vašeho bankovního účtu. Je registrovaná na vás. Vy jste legální držitel této karty, která byla využita k vymáhání peněz. Peníze byly zaplaceny, aby vám zabránily v šíření pornografických obrázků nezletilého chlapce na netu," odříkávala Stacey.

Paula se naklonila dopředu až k mužovu obličeji. Cítila z jeho dechu kávu. „Nemáte se kam schovat. Chytily jsme vás při činu."

Jenže jejich slova měla přesně opačný účinek, než čekaly. Napřed jako by se mu ulevilo, potom, jak Stacey pokračovala, začal jevit známky znepokojení. Ne že by měl strach, byl znepokojený. „Nechápu to," řekl. „Tu kartu jsem skutečně koupil. Vložil jsem na ni padesát liber. Ale nebyla pro mě. Zřídil jsem ji pro naši holku. Jela na školní vejlet do Londýna a nechtěla si s sebou brát hotovost." Pak se mu obličej rozjasnil. „Určitě tu kartu ztratila nebo ji někdo ukradl. A bylo jí tak trapně, že mi to nechtěla

270

přiznat." Rozzářeně na ně pohlédl. „Vidíte, říkal jsem, že to celý musí bejt nedorozumění."

„Vy si snad myslíte, že jsem přijela po řece Brade na kole," prohlásila Paula. „Nic lepšího vymyslet nedokážete?"

„Je to pravda." Pohlédl na hodinky. „Poslyšte, je pomalu čas na oběd. Můžeme zajet do školy a promluvit si s Elsou. S mojí dcerou. Bude nám to schopná vysvětlit."

Paula a Stacey si vyměnily pohled. „Jste si jistý, že do toho chcete zatahovat dceru? Je to velice vážné obvinění," upozornila ho Paula. „Pokud ta věc půjde k soudu, při důkazech, které máme, to vypadá na pět let. Možná i na víc. Ale pokud jste ochotný vinu přiznat, mohli bychom zvážit výstrahu. Vaše oběť by se tak vyhnula nutnosti svědčit u soudu. Vy byste se na dva roky ocitl v registru sexuálních deliktventů. Nikdo by se to ovšem nemusel dozvědět. Samozřejmě, pokud se nedopustíte dalšího přestupku."

„Vy mě snad neposloucháte? Nic špatnýho jsem neudělal. Nepřipustím nic, co jsem neudělal. Dostat se do registru sexuálních pachatelů? Vy jste musela zešílet! Četl jsem, co se děje lidem, který jsou na tom seznamu. Psí hovna ve schránce, nápisy po domě, rozbitý okna. To nestrpím. Ne kvůli něčemu, s čím nemám nic společnýho." V hlase mu stoupalo rozhořčení, jeho obličej nabíral barvu. Vypadal, že dostane infarkt dřív, než ho stačí obvinit.

Ale Paula proti němu zatvrdila své srdce. Co je to za poseru, že se svoje sexuální přestupky pokouší schovávat za svou dceru? Není nadšená z toho, že by do věci měla zatahovat Elsu Jacksonovou, ale pokud je to jediný způsob, jak dostat Normana Jacksona, udělá to vmžiku. Po tom, co provedl Torinovi. „Tak pojďme. Nasaď mu pouta, Stacey."

„Cože? To nemůžete!"

„Jste zatčený. To s lidmi po zatčení děláme," vyštěkla Paula.

„Neponižujte Elsu před jejími kamarády. Poslyšte, celý je to nedorozumění, ale na člověku ulpí špína, i když nic neudělal. Mějte trochu slitování." Působil dojmem, že se co nevidět rozbrečí. Ale i zločinci dokážou plakat.

Stacey zachytila Paulin pohled a nepatrně pokynula hlavou, aby Paule připomněla, že nejde o skutečné zatčení. Paula si povzdechla. „Dobře. Ale stačí jediný špatný pohyb a použijeme paralyzér. Což je, věřte mi, ještě víc ponižující než plastová pouta."

Dovedly ho k policejnímu vozu s kostkovaným vzorem a posadily ho dozadu. Paula se naklonila dovnitř.

„Do které školy chodí Elsa?"

„Do Kenton Vale High."

Paule se v hlavě rozezvučelo pronikavé zvonění o vysokém tónu. Na Kenton Vale High chodí Torin. Tenhle zločin se stále víc blíží k domovu. A ona možná bruslí na velice tenkém ledě.

58

Když zazvonil telefon, byl v kanceláři jen Alvin. Carol odjela na tiskovou konferenci do Severního Yorkshiru, Kevin opět obcházel svatební hosty. Karim si zaskočil na krátký oběd s bratrancem, který přijel na návštěvu z Glasgow, Paula a Stacey se ocitly na seznamu pohřešovaných. Alvin sám zoufale toužil po jídle, ale musí počkat, než se vrátí někdo další. To je nevýhoda malého týmu; všichni si musí vzájemně krýt záda. Kručelo mu v žaludku a snažil se rozptýlit opětovným procházením poznámek, jestli něco nepřehlédl.

Alvin si byl vědom skutečnosti, že je členem týmu, který toho má nejvíc k dokazování. Paula, Kevin a Stacey patřili k původnímu Carolinu týmu tady v Bradfieldu. Pracovali spolu celé roky a vyřešili řadu děsivých případů ve městě i jinde. Karim je pouhý začátečník; může si tu a tam dovolit chybu a přičte se to na vrub jeho nedostatku zkušeností. Jenže Alvin je u policie stejně dlouho jako Paula. Očekává se od něj určitá úroveň práce, přestože do Bradfieldu přišel z mnohem menšího sboru. Neměli tam v průměru ani pět vražd ročně a mohli jste se spolehnout, že většina z nich je domácí záležitost nebo že nějací opilí mladíci nebyli dost opatrní a způsobili při rvačce vážné zranění. Nebylo těžké být na takovém místě nejlepším seržantem. Nikoho nepřekvapilo víc než samotného Alvina, když pomoc Carolinu týmu na jednom případu vyústila v nabídku, aby se připojil k novému regionálnímu týmu pro závažné zločiny.

Ale ani při veškeré nejlepší vůli na světě ho opětovné pročítání poznámek nikam nedovedlo. Snad brzy zavolají mládenci z Leedsu a potvrdí totožnost Eileen Walshové, pak se do případu budou moct pořádně obout. Když se telefon konečně rozezněl, byl Alvin přesvědčený, že půjde o tohle. Takže mu chvíli trvalo, než zpracoval, co ve skutečnosti slyší. „Promiňte, můžete mi to zopakovat?"

„Jsem Denise ze služeb zákazníkům ve Freshku. Volám kvůli té fotografii." Hlas zněl nosově, měl přízvuk širšího Bradfieldu, což Alvinovi s pochopením situace moc nepomohlo.

„Kvůli jaké fotografii, prosím?"

„Mluvím se správným člověkem? Je to… regionální tým pro závažné zločiny?"

„Ano, tady detektiv seržant Ambrose."

„Príma. Akorát že tu seržantka McIntyreová nechala lístek, že pokud by někdo poznal toho člověka na fotografii, má se jí ozvat. Je tam?"

„Je mi líto, momentálně je mimo kancelář, ale pracujeme na stejném případu. Máte na mysli Freshco, kde pracovala…" Namáhal si mozek. „Claire Garrityová?"

„Přesně tak. No, jde o to, že jsem přišla na směnu, podívala jsem se na tu fotku a řekla jsem si: ‚To je on.' "

„‚To je on?' To je kdo?"

„Ten muž, co si stěžoval. Jak jsem vám říkala, pracuju na službách zákazníkům." Mluvila na něj, jako by byl malé dítě, kterému už potřetí vysvětluje něco zcela evidentního. „Stěžoval si, že našel v chlebu cizí předmět. Musela jsem mu zavolat Claire. Měla na starosti pekárnu, víte? Chtěl vědět, jak se do jeho sanfranciského kváskového chleba z kamenné pece mohla dostat dětská ponožka."

„Dětská ponožka?" Alvin se nemohl zbavit dojmu, že se mu tahle konverzace vymyká z ruky.

„Byl pěkně napružený. Teda chci říct, že mu to nikdo nemůže mít za zlé. Nikdo nečeká, že uprostřed bochníku najde dětskou ponožku, že? Zejména když se ani nedá poznat, jestli byla čistá nebo špinavá, a když už jste snědl tři krajíčky od konce. Zbledl vzteky. Jeho přítelkyně se prý zhrozila natolik, že vyzvracela celou snídani. Tak přece nikdo nechce začít den, že ne?" Denise zjevně nespadala do kategorie neochotný svědek.

„Ne," hlesl slabě. „Takže ten muž, jehož fotografii u vás nechala seržantka McIntyreová? Jste si jistá, že je to ten samý člověk, co si stěžoval ohledně chleba?"

„Naprosto jistá. Když přišel, tak neměl brýle, ale vypadá to na něj. Pamatuju si ho velice dobře, protože to byla zajímavá stížnost. Většinou jsou to pořád stejné věci. Chyba na pokladně. Špatný šev na oblečení se značkou našeho obchodu. Jídlo zkažené před uvedeným datem spotřeby. Ale ponožka v kváskovém chlebu? To stojí za zapamatování. A samozřejmě, ještě se vrátil. No, to bylo brzy poté, co Claire zemřela. Víte, že je mrtvá, viďte? No, každopádně jsem si ho díky tomu zapamatovala ještě líp, protože chtěl s Claire mluvit. Poděkovat jí. A já mu musela říct, jak tragicky zahynula.“

Chvíli se z úcty k mrtvé odmlčela a Alvin skočil po své šanci. „Tak si to vyjasněme. Ten člověk z fotografie si přišel stěžovat kvůli ponožce v bochníku chleba a mluvil o tom s Claire Garrityovou?“

„Tak jsem to říkala. Moc se omlouvala. Slíbila mu, že věc řádně prošetří a zjistí, jak k tomu došlo. Zjevně mu dala jiný bochník a řekla, že zařídí, aby se s ním spojilo vedení kvůli kompenzaci. Každopádně se přišlo na to, že ta ponožka spadla omylem do směsi. Jedna z pekařek ten den kupovala nějaké oblečení na dítě a nikdo nechápe, jak se to mohlo stát, ale prostě se to stalo. Ten člověk se nějaký čas nato vrátil, aby nám poděkoval, že jsme ho brali vážně. Ozval se mu vedoucí, prý dostal kompenzaci a chtěl Claire osobně poděkovat. Akorát že nemohl, že jo? Protože byla mrtvá.“

„Velká tragédie.“ A teď otázka za 64 000 dolarů. „Nemáte náhodou poznamenané jméno toho muže?“

„Bude v počítači. Můžu ho vyhledat. Je za to nějaká odměna?“

Alvin obrátil oči v sloup. „Je mi líto. Budete mít dobrý pocit ze splnění občanské povinnosti. Ale to je, obávám se, všechno. Můžete mi to tedy vyhledat? Jméno toho muže?“

„No nic, za dotaz to stálo.“ Denise si povzdechla. „Vydržte chvilku.“ Klapnutí odloženého telefonu, chrastění těžkopádné pisatelky na klávesnici, mumlání, jak Denise mluvila sama se sebou, zatímco procházela souborem. Pak ticho. „Haló? Jste tam ještě?“

„Jsem. Měla jste šťastnou ruku?“

„Mám to tu přímo před očima na obrazovce: Tom Elton, Minster Tower 426, Walker Wharf, Bradfield.“

Alvin nedokázal uvěřit svému štěstí. Zapisoval adresu, jak nejrychleji uměl.

„Je tu uvedené i číslo mobilu, jestli ho chcete?“

„Prosím vás.“ Další škrabopis, jak mu ho odříkávala. „Nesmírně jste mi pomohla, Denise. Mohla byste mi říct své příjmení?“

„Chowdhryová. Rodina mého muže pochází z Indie."

„Pošlu za vámi nějakého policistu, aby s vámi sepsal svědeckou výpověď. Všechno, co jste mi už řekla, plus cokoli dalšího, na co si třeba ještě vzpomenete. Kdy vám končí směna?"

„Jsem tu do osmi."

„Skvělé. Hned to zařídím. Mockrát děkuju, Denise. Úžasně jste nám pomohla." Když Alvin řádně vstřebal její slova, cítil, jak v něm narůstá radost. Tohle může být přesně takový důkaz, který celý případ doširoka rozevře.

„Není zač. Dnešek je další den, který si zapamatuju."

Alvin položil sluchátko a vyskočil. Když se vrátil Karim, právě si odbýval malý radostný taneček. Na Karimově tváři se při pohledu na Alvina, jak odvádí fantastickou práci nohama kolem stolů v místnosti, objevil užaslý výraz.

„Pěkný pohyby," utrousil Karim. Lehce se zhoupl v bocích a rukama napodobil bollywoodský tanec. Alvin se rozpačitě zastavil. „Konečně máme průlom, chlape," hlásil, lehce bez dechu. „Potřebuju, abyste zašel do Freshka v Kenton Vale a sepsal výpověď se svědkyní. Možná budeme moct našemu vrahovi přiřadit jméno."

59

Pauza na oběd na Kenton Vale High; bzučení teenagerů kroužících po místě ve skupinkách stejně diskrétních a organizovaných jako včelí roj. Pohyb se ovšem zpomalil a hovory utichly, když na parkoviště zaměstnanců vjelo policejní auto. Stovky očí sledovaly trojici dospělých, která vešla do hlavního bloku, a pak, když se nenašlo nic, co by nakrmilo spekulace, se děti vrátily k tomu, čím byly zaujaté předtím. Jeden nebo dva žáci soudili, že by muž mohl být otcem Elsy Jacksonové, ale ani zdaleka si tím nebyli jistí.

Paula předem zavolala a mluvila s ředitelkou, vysvětlila jí, že potřebuje coby svědka vyslechnout Elsu Jacksonovou a že přivezou jejího otce, aby zaujal roli odpovědného dospělého.

„Dík, že ji neztrapňujete," řekl stroze.

Paula mu neobjasnila, že se nepokouší být hodná na jeho dceru; prostě už zašly tak daleko po neortodoxní cestě, že jim nezbývá nic jiného než pokračovat v naději, že dojdou k nějakému přijatelnému závěru. Doufala, že se nikde poblíž nevyskytne Lorna Meikleová. Poslední, co by chtěla, bylo, aby Jackson zaregistroval, že má spojitost se spolužákem jeho dcery. Protože to by pak nastal ohromný zmatek. „Pokud ji nezačnete navádět," řekla. „Začnete jí napovídat odpovědi a jdete ven."

Jakmile obě ženy ukázaly průkazky, recepční je nasměrovala do kanceláře ředitelky školy. Na škole naštěstí studovalo tisíc pět set žáků a rodiče v ní mohla rozpoznat jedině Torinova třídní. Jejich chůze po vinylové podlaze se odrážela od stěn chodby. Tu ženu jen tak někdo nezaskočí, pomyslela si Paula. Dveře na zadním konci chodby byly pootevřené, a když na ně Stacey zaťukala, hluboký hlas se skotskou výslovností je pozval dál.

Když vešli dovnitř, doktorka Anna Aldermanová povstala. Bylo jí něco přes čtyřicet, vysokou a statnou postavu oblékla do černého svetru s výstřihem do véčka a šedé sukně z pleteného tvídu. Při představování si Paula

277

zdaleka ne poprvé pomyslela, jaký by z doktorky Aldermanové byl impozantní hokejový hráč. „Posadila jsem Elsu do jedné z poradenských místností," oznámila jim. „Řekla jsem jí, že s ní někdo potřebuje mluvit, jak jste mě požádala. Můžete mi poskytnout přesnější informaci, o co jde?"

„Je to celý nedorozumění," vyhrkl Jackson. „Čím dřív se to vysvětlí, tím líp."

„Jak řekla moje kolegyně, Elsa je svědek," prohlásila Stacey nesmlouvavě.

„Dobře. Vzhledem k tomu, že je přítomen pan Jackson… Ukážu vám cestu."

Vrátili se spolu s ní zpátky k recepci a zamířili do dlouhé chodby, která byla prázdná až na dva vytáhlé chlapce s dokonalými rasta copánky. „Kam jdete, hoši?" oslovila je doktorka Aldermanová, když se k nim přiblížili.

„Pan Merton nás požádal, abysme připravili pokus na odpolední laboratorní práce," odpověděl jeden z nich.

„Nicméně byste v téhle chodbě neměli být o obědové přestávce, jak určitě dobře víte." Zamumlali omluvu a spěchali pryč. „Omlouvám se. Máme přísná pravidla ohledně toho, kam studenti o přestávkách smějí."

„To je dobře, že jste na ně přísní," souhlasila Paula.

„Musíme být. Jsou to teenageři. Kdybychom jim poskytli jen trochu volnosti, přerostli by nám přes hlavu." Zastavila se před jedněmi ze zavřených dveří, které lemovaly chodbu. „Elsa je tady." Vyčkávavě postávala, ruku nad klikou dveří.

„Děkuju, odteď to přebíráme," prohlásila Stacey kategoricky.

„Pokud jste si jisté. Přijde mi to poněkud…"

„Moc jste nám pomohla." Paula popadla kliku a postavila se mezi doktorku Aldermanovou a dveře.

„Kdybyste cokoli potřebovali, budu u sebe v kanceláři." Odcházela, naposledy se ohlédla přes rameno.

Paula otevřela dveře a vešla dovnitř, hned za ní Jackson. Stacey skupinku uzavírala, zavřela za sebou dveře a postavila se před ně, zády k nim.

Elsa seděla u stolu, tmavou hlavu skloněnou nad mobilem. Při zvuku otevíraných dveří vzhlédla. Po tváři jí přelétl zmatený, a když zaregistrovala přítomnost svého otce, konsternovaný výraz. Pak začala vnímat obě ženy. Paula předložila průkazku a stačila říct jen: „Jsem detektiv seržant McIntyreová…" a děvče se rozplakalo.

Jackson se vrhl vpřed, ale Paula ho pevně chytila za paži. „Držte se od ní dál."

Elsa chvíli vzlykala, zakrývala si obličej rukama. Pak se postupně uklidňovala. Podívala se na ně, v zarudlých očích lítostivý výraz. „Je mi to líto, tati," lapala po dechu.

„Tvůj táta je zatčený," oznámila jí Paula. „Mezi jiným za vydírání. Potřebujeme ti položit několik otázek." Přitáhla si židli proti Else a tvrdě na ni pohlédla. Tohle nebyla Paula McIntyreová, která pozvolna tahá přiznání ze zločinců. Tohle byla rozzlobená žena chránící jednoho z těch, které miluje.

Elsa na otce úpěnlivě pohlédla. Prohrábla si rukama krátké ježaté vlasy, chytila se za hlavu. „To nemůžete. Pochopily jste to úplně špatně."

„Došlo k nějakýmu nedorozumění," začal Jackson. „Jen jim odpověz na jejich otázky a všechno to vyřešíme. Pověz jim, co se stalo s tou kreditní kartou, kterou jsem ti koupil. Žes ji ztratila…"

„Dost!" vyletěla Paula. „Varovala jsem vás, abyste se do toho nemíchal, pane Jacksone. Ještě jednou a budeme pokračovat na stanici a místo vás u toho bude sedět pracovník ze sociálky." Překvapilo ji, jak vynalézavě nepříjemná dokáže být, když se pravidla uvolní. „Teď si sedněte a buďte zticha."

Poslechl, neklidně si mnul ruce, tetování se deformovalo, jak hýbal svaly. „Jen jim to vysvětli, Elso, miláčku."

„Elso, máš tu kreditní kartu, co ti otec koupil?" zeptala se Stacey jemným hlasem. Bude hodný polda a Paula ten zlý.

„Ano." Sotva šeptala.

„Ne, to nemůže bejt pravda." Jackson vyskočil. „Zkontroluj si peněženku, určitě jsi ji ztratila nebo ti ji někdo ukradl nebo tak něco."

„Pane Jacksone!" zahromovala Paula. „Nebudu vás znovu varovat."

„Udělala jsem to já, tati." Elsiny oči se opět zalily slzami. „Je mi to moc líto. Nechtěla jsem, aby to zašlo tak daleko."

Jackson klesl do židle, jako by mu selhaly svaly. Po obličeji se mu pozvolna rozprostřel výraz naprostého zmatku. „Nechápu."

„To tys vydírala Torina McAndrewa." Paula mluvila monotónním hlasem. „To tím chceš říct? Přinutila jsi ho, aby zaplatil pět set liber, abys nerozšířila jeho pornografické fotky po celém internetu?"

Elsa přikývla. „Chtěla jsem ho ponížit, tak jako to udělal on mně."

„Tak moment," ozval se Jackson, náhle pobouřený. „Jak můžeš... Jak mohl...Kde jsi sebrala pornografický fotky toho kluka? Pokud on posílal svoje obrázky mojí Else, jak to, že nezatýkáte jeho?"

„Podvodně je z něj vytáhla. Myslel si, že má vztah na netu, ale ve skutečnosti vaše dcera využila sexuálně laděných obrázků jiného děvčete, aby mu namluvila, že je někdo úplně jiný," spustila Stacey. „A my ho kvůli těm fotkám budeme vyslýchat, tím si můžete být jistý. V tom ohledu se provinili oba. Jenže Elsa je jediná, kdo tady vydíral. Pět set liber je hodně peněz."

„A kde se ten kluk dostal k tolika penězům? Nebude asi zrovna čistej jako lilie, co?" Jackson teď nabýval na bojovnosti.

Paula se na něj obrátila. „Kde vzal peníze? Prodal šperky své mrtvé matky. Před několika měsíci ji zavraždili a on zdědil těch několik kousků, co měla. A musel prodat její oblíbený kousek, aby zaplatil vaší dceři. Protože vyhrožovala, že mu zničí život."

Dlouhý okamžik ticha. Pak promluvila Stacey: „Proč jsi to Torinovi udělala, Elso?"

Dívka svraštila obličej. „Mám Torina fakt ráda. Chtěla jsem, aby mě pozval na ples. Jenže to neudělal. Všichni se dávali dohromady a on ještě nikoho nepozval. Snažila jsem se ho k tomu přimět nenápadně, ale byl úplně natvrdlý." Jakmile začala, nabrala na setrvačnosti a její slova klopýtala jedno přes druhé.

„A ten den jsme všichni postávali před knihovnou a já se do toho pustila. ‚Hej, Torine, měl bys mě pozvat na ples, protože jsem jediná bezva holka, co zbejvá.' A on na mě koukl, jako bych byla kus hovna, a řekl: ‚V žádným případě.' Dokážete si představit, jak ponižující to bylo? Mohl z toho udělat vtip nebo cokoli, ale ne, on musí říct něco takovýho, abych vypadala jako naprostej debil. Všichni se mi smáli. Pokračovalo to celý dny. Ty hloupý kačeny na mě halekaly: ‚Hej, Elso, Jimmy Barker ze skupiny se zvláštníma potřebama shání společnost na ples. Radši si pospěš, holka.' A táhlo se to pořád dál. Nemáte *nejmenší* tušení, v jaký utrpení se kvůli němu proměnil můj život. Tak jsem se rozhodla, že se mu pomstím."

„Přikradla ses k němu na netu a nechala jsi toho chudáka, aby si myslel,

280

že jsi krásná mladá žena se sexuálními zkušenostmi, která se chce stát jeho milenkou?" Paula si uvědomovala, že jedná drsně, ale bylo jí to jedno.

„To všechno kvůli pitomýmu plesu?" Elsin otec tomu nemohl uvěřit.

„Kvůli nějakýmu tupounovi, kterýmu se nelíbíš?"

„Nečekala jsem, že to zajde tak daleko," kvílela Elsa. „Nemyslela jsem si, že se dostane k tolika penězům. Myslela jsem, že bude jen žebrat, aby to skončilo."

„Mohla jsi to zastavit kdykoli, Elso. Ale tys to neudělala. Ten chlapec div nespáchal sebevraždu kvůli tomu, cos mu provedla." Paula nehodlala ustoupit.

„Je mi to moc líto," fňukala. „Já ty peníze vrátím. Smažu všechny ty fotky a videa, slibuju."

„Videa?" Hlas Elsina otce zněl, jako by i on měl slzy na krajíčku.

„Takhle to nefunguje," řekla Paula. „Porušila jsi zákon. Můžeš zapomenout na to, že bys šla na univerzitu, a na pěknou kariéru. Budeš mít záznam v trestním rejstříku."

„Detektive seržante McIntyreová?" přerušila ji Stacey. „Na slovíčko venku?"

Paula za ní neochotně vyšla ven, vnímala, že se k sobě otec s dcerou naklánějí, potichu si vyměňují hořká slovíčka. Když se dveře zavřely, Stacey spustila: „Necháváš se moc unést, Paulo. Nemůžeme ji obvinit. Porušily jsme všechna pravidla policejního protokolu. Nemluvě o tom, že formální obvinění by obnášelo tahání Torina po soudech. A jak bystře podotkl pan Jackson, technicky vzato se provinil rozšiřováním pornografie. Navíc tě pan Jackson nebo jeho dcera někdy zahlédnou na rodičovském večeru nebo na veletrhu studijních příležitostí a uvědomí si, že patříš k Torinovi. A pak se všechno obrátí a nás postaví před nezávislou komisi pro stížnosti na policii."

Paula se opřela o stěnu, pevně stiskla víčka. „Nechala jsem se unést."

„To ano."

„Musí za to ale nějak zaplatit."

„Já vím. A myslím, že jsem vymyslela způsob, jak na to dohlédnout."

60

Když se Karim vrátil s formálním prohlášením Denise Chowdhryové, seděla už Stacey půl hodiny za svým stolem. Dost dlouho na to, aby začala zjišťovat, kdo je Tom Elton. Zajímalo ji ovšem, jestli jí Karim nemůže dodat něco, co by jí jakkoli usnadnilo práci.

Stál u multifunkční tiskárny, skenoval písemnou formu výpovědi. Zvedl hlavu. „Mám taky digitální nahrávku," dodal spěšně.

„Poslala jsem vám fotografii z Eltonova řidičáku. V kompletu spolu s dalšími pěti. Dostal jste to včas, stihl jste fotografie ukázat paní Chowdhryové?"

Přikývl. „Všechno je v té výpovědi. Natáhli jsme fotky do počítače u ní v kanceláři, aby je viděla pořádně. Okamžitě Eltona označila. Nezaváhala ani na okamžik. Ta ženská je teda sakra ukecaná. Bál jsem se, že se odtamtud vůbec nedostanu."

„Ale taky všímavá." Otočila se, chystala se vrátit ke své práci.

„Vrací se šéfka?"

„Je na cestě. Stejně jako zbytek týmu." Kromě Pauly, která touhle dobou vede zajímavý rozhovor s Torinem. Stacey se usadila před svými monitory a pokračovala ve zkoumání digitální stopy, kterou vyprodukoval Thomas Jonathan Elton. Už shromáždila zřejmé věci – řidičský průkaz, auta registrovaná na jeho firmu, současnou adresu (překvapivě neodpovídala té, kterou udal ve Freshku), údaje o jeho firmě a jejích financích a řadu novinových článků o společnosti, v nichž byla zmiňována jména Eltona a jeho obchodní partnerky Tricie Stoneové. Složka narůstala; až se Carol vrátí ze Severního Yorkshiru, budou mít co předložit týmu.

Kevin a Alvin nezůstali za Karimem moc pozadu. Kevin se napřed ujistil, že Elton není v kanceláři, a pak se vydával za majitele zahradního centra, který zvažuje zadání reklamy. Během hovoru posbíral několik informací o Eltonovi, které zpracoval do souboru. Alvin se vrátil ke kolegům Kathryn McCormickové. Téměř všech šest lidí, kteří tvrdili, že muže, jenž si říkal

David, viděli, ho ze souboru šesti fotografií určilo. Pomalu, ale jistě se skládaly nepřímé důkazy. Tony se loudavě procházel místností, nahlížel lidem při práci přes rameno, podchytával, co shromáždili.

Když do místnosti konečně vtrhla Carol, všichni až na Paulu byli připravení a čekali. „Skvělá práce, všichni. To, že známe jméno, je ohromný krok kupředu."

„Máme teď mnohem víc než jen jméno," opravil ji Kevin, překypující temperamentem jako vždycky, když hon nabral na intenzitě. „Máme muže, jehož podnikání poněkud hapruje od chvíle, kdy od něj před třemi měsíci odešla obchodní partnerka. Byla to zároveň jeho přítelkyně, žili spolu, takže jeho život v poslední době prošel převratnými změnami."

Tony při tomto odhalení ožil. „Dohadoval jsem se, koho chce ve skutečnosti zabít. Možná jste právě zodpověděl moji otázku."

Kevin nahlédl do poznámek. „Tom Elton řídí společnost, která vydává luxusní časopisy na křídovém papíře s velice přesným lokálním zaměřením. Jen tady v Bradfieldu je jich celá řada. *Harriestown Huddle, The Vale Voice. Chevin Chatterbox.* Dodávají je do schránky zadarmo. Přispívá do nich několik místních sloupkařů, najdete tam pár receptů, tipy pro zahrádkáře, recenze restaurací, podobné věci. U nás doma jdou rovnou do koše. Každopádně je zaplatí reklamy. A právě Tricia domlouvala inzerenty a také dávala čísla dohromady. Dokonce něco i sama psala. Do firmy vstoupila, když Elton před šesti lety začínal, a přibližně před čtyřmi lety se z nich stal pár." Vzhlédl s troufalým úsměvem ve tváři. „To děvče z reklamního nepotřebovalo moc povzbuzení, aby se rozpovídalo a přidalo klepy. Nikdo tady neví, k čemu došlo mezi Tricií a Eltonem. Jedno pondělí prostě zmizela. Přišla, když Elton odjel za nějakými klienty, a vyklidila kancelář. Svému týmu řekla, že nastal čas odebrat se na nové pastviny. A bylo to. Neudala žádnou novou adresu nebo tak něco. A změnila i číslo mobilu."

Stacey si udělala poznámku do tabletu. „Půjdu po tom," slíbila.

„Dobrá práce, Kevine. Co v té firmě dělá Elton?"

„Má na starosti design a grafickou úpravu pro tisk, jedná s tiskárnami a distributory. Dřív se staral také o některé z inzerentů, o ty, kteří s ním byli od samého počátku. Jenže teď musí dělat úplně všechno, navíc psát úvodník, takže je hodně zaneprázdněný."

„To člověka naštve, když si všechno zařídil tak, aby se mu dobře pracovalo," vypozoroval Tony. „Další důvod proč nenávidět Tricii."

„Nicméně." Kevin výstražně pozvedl prst. „V tomto týdnu měl zjevně schůzku s jednou místní podnikatelkou a pak byl velice veselý. Prý se situace brzo zlepší a o obsah časopisu se bude starat někdo jiný."

„Sakra, Kevine," ozval se Alvin. „Vždycky jsem si říkal, jak jste přiměl Stellu, aby si vás vzala, ale patrně v sobě máte nějaký skrytý rys, kterým byste vymámil i tele z jalové krávy."

Kevin se usmál. „Na vás bych časem neplýtval, Alvine."

„Skvělé," shrnula vše Carol. „Řekla bych, že si potřebujeme promluvit s Tricií Stoneovou. Pokud ji najdete, Stacey, možná by Paula…" Překvapeně se kolem sebe rozhlédla. „Kde je Paula?"

„Na cestě," hlásila Stacey. „Musela něco vybavit." Prsty jí lítaly po klávesnici, ale nikdo tomu nevěnoval pozornost. Stacey pořád něco datlovala. Teď stiskla tlačítko odeslání naléhavé zprávy Paule, upozorňovala ji, že musí okamžitě do kanceláře. Torin je samozřejmě důležitý. Ale vražda přetrumfne všechno z jejich soukromého života.

„Další věc, teď když máme jméno," ozval se Tony. „Jestli si pamatujete, řekl jsem, že když je forenzně uvědomělý, nepojede svým autem nikam poblíž místa, kde vraždí. Stacey, předpokládám, že máte údaje z jeho řidičského průkazu?" Přikývla.

Carol se toho chytila. „Karime, zkontrolujte všechny půjčovny aut v oblasti Bradfieldu. Známe data, kdy se setkal s těmi ženami. Spojte ho s půjčenými auty v ty dny a budeme zas o krok dál."

„Máme už pozitivní identifikaci ze šesti snímků, která ho spojuje s Claire Garrityovou, ženou, jejíž účet ukradl, aby si mohl pohrávat s oběťmi na RigMarolu. Věděl, že je mrtvá, takže mohl převzít její totožnost."

„A díky manželovi známe její heslo. Rozluštění by i malému dítěti trvalo pět minut," dodala Stacey.

„A já mám pět pozitivních identifikací od účastníků svatby, na které se vydával za Davida a sbalil Kathryn," doplnil Alvin.

Carol se usmála, oči se jí rozzářily jako už dlouho ne. „Tohle všechno jsou dobré zprávy," řekla. „Stacey, máte pro nás nějaký malý poklad?"

„Je mu čtyřiačtyřicet a je to Štír." Skupinkou proběhlo zachechtání.

„Narozen šestého listopadu. V Simpsonově křídle bradfieldské nemocnice Doris a Kennethovi Eltonovým. Ona zemřela před dvěma lety na rakovinu prsu a Kenneth teď žije v Eyamu v Derbyshiru."

„Morová vesnice," utrousil Tony.

„Cože?" Carol to vyrušilo, pohlédla na něj.

„Do té vesnice donesly mor blechy v balíku látky z Londýna. Vikář obyvatele přesvědčil, že se musí odstřihnout od vnějšího světa, aby zabránili jeho dalšímu rozšíření." Rozpačitě se usmál. „Omlouvám se."

Carol zasténala. „Stacey?"

„Elton vystudoval design na manchesterské umělecké škole. Práci si našel v Dundee, byl zaměstnaný v celé řadě redakcí časopisů, vrátil se sem a pracoval v *Daily Living* a taky pro časopis nějaké komunity v Leedsu, který se jmenoval *Chuffin's Heck*. Pak před něco víc než před šesti lety založil firmu Local Words. Vydává sedmnáct titulů v různých městech na severu. Zaměřuje se na prosperující oblasti, které si o sobě rády myslí, že mají ‚vesnickou atmosféru'." Všichni mohli vycítit uvozovky a pohrdání. Stacey se domnívala, že žít na vesnici, když si můžete vybrat město, není nic chytrého.

„Až donedávna bydlel v jednom z těch vysokých bloků s luxusními byty dole u kanálu." Pohlédla na Tonyho. „Nejspíš mohl z balkonu vidět vaši loď. Když Tricia odešla z firmy, musel se vystěhovat, protože byt byl pronajatý na její jméno a ona nájem zrušila."

„Proč byl na její jméno?" zajímala se Carol.

„Nejspíš nějaký daňový trik," zamručel Alvin. „Možná si ho od ní pronajímala firma nebo tak něco."

„Přestěhoval se na méně populární adresu. Pořád je to pěkný moderní byt, akorát za hlavním nádražím, bez výhledu na kanál. Smůla je, že dům má podzemní parkoviště, takže bude těžké ho sledovat. Pokud bychom tuhle variantu potřebovali použít."

Carol pokrčila rameny. „Musíme to brát tak, jak to je. Co dalšího?"

„Společnost má leasing na čtyři vozidla. Co vím, používá BMV. Mají také dva VW Passat a malou dodávku značky Peugeot. Všechny vozy jsou pojištěné na Eltona a pět jeho zaměstnanců. Má čistý řidičák, žádný záznam v trestním rejstříku a kredit 775, což je téměř vynikající. Jenže před třemi lety dal Tricii Stoneové třicet procent společnosti. Bude ty akcie chtít odkoupit zpátky nebo ji přimět, aby je prodala nějaké třetí straně, jinak jí bude muset odvádět značnou část svého zisku, aniž by měl cokoli na oplátku."

„Další olej do ohně," zamumlal Tony. „Ve své hlavě má všechny důvody na světě k tomu, aby ji nenáviděl. Kdo ty akcie získá v případě její smrti?"

„Nevím," připustila Stacey. „Všechno se zjistit nedá, to přece víte."

„Což tě pěkně štve," škádlil ji Kevin.

„V současné chvíli nejsou jeho dluhy kdovíjak znepokojivé, ale pokud zisk bude stále klesat, mohly by mu způsobit problémy. Podle několika krátkých článků o firmě mezi jeho koníčky patří sledování fotbalu a poslouchání jazzu."

„Ne jízda na kole?" ověřoval si Tony.

„Lidé, kteří rádi jezdí na kole, se nezahazují se skládacím," tvrdil Kevin.

„To možná ne, ale aby se člověk dostal zpátky k zaparkovanému autu, se na kole potřebuje cítit dobře, nemluvě o tom, že musí mít kondičku. Napadlo mě, že by to mohl být opravdový cyklista."

„Mnohem pravděpodobnější bude, že má doma v ložnici rotoped," soudila Carol. „Ještě něco, Stacey? Žádný majetek v Dales?"

„Nic takového jsem nenašla. Ale budu se dívat dál."

„Dobře." Carol se opřela. „Musíme si promluvit s Tricií Stoneovou. Možná bude schopná vnést do věci trochu světla." Opět se kolem sebe rozhlédla a zprudka se nadechla. „Kde je, sakra, Paula? Stacey, dokážete najít Tricii Stoneovou? Chci, aby si s ní Paula promluvila. Takže jsme o hodně dál než dřív. Ještě pořád nemáme potvrzenou totožnost Eileen Walshové, ale patologové si myslí, že by mohli extrahovat něco užitečné DNA. Známe totožnost našeho záhadného muže. Ale vše jsou pouze nepřímé důkazy. Musíme toho mít víc, než máme teď." Postavila se a přešla k tabuli, na níž byly rozvěšené všechny mlhavé stopy vyšetřování. „Myslím, že bychom se na to měli vyspat. Uvidíme, co Paula vytáhne z Tricie Stoneové. A pokud nedokážeme přijít s něčím novým, zítra ho sebereme. Zatřeseme stromem a uvidíme, co z něj spadne." Pohrdavě se uchechtla. „Při mé smůle to bude jedovatá stromová žába."

61

K dyž se Torin vrátil ze školy, čekala na něj u kuchyňského stolu Paula. „Vem si něco k pití a posaď se." Nebyla to prosba. Rukama objímala hrneček s kávou, a zatímco si Torin do skleničky vymačkával ovocnou šťávu, přehrávala si v hlavě všechno, co by mu měla říct. Torin byl tak nervózní, že kostky ledu brnkaly o sklo a cinkaly jako perkuse.

„Měl jsi dobrý den?" zeptala se Paula.

Pokrčil rameny. Jeho pohled se střetl s jejím, pak uhnul očima. Zahleděl se z kuchyňského okna do zahrady.

„Akorát že já jsem zrovna moc hezký den neměla. Nicméně díky Stacey víme, kdo tě napálil a kdo tě vydíral. Napřed jsme si myslely, že jde o běžný gang kyberpodvodníků, protože Stacey zprávy vystopovala k slepé IP adrese na Filipínách. Jenže Stacey se jen tak nevzdává. Posvítila si na tu platební kartu, na kterou jsi složil peníze. Očekávala další slepou uličku. Nějakou soukromou banku v daňovém ráji se zákony o mlčenlivosti, vedle níž Švýcarsko působí velice sdílně. Ale jak se ukázalo, kartu vydala banka přímo tady v Bradfieldu."

Torin stáhl obličej úžasem. „Tomu nerozumím. Chceš říct, že to udělal někdo zdejší?"

„Přesně tak. Někdo velice zdejší. Někdo, kdo bydlí o tři ulice dál."

Zjevně ho to zaskočilo. „Jak to? Teda proč? Kdo by udělal něco takového? Je to někdo, koho znám?"

„Je to někdo, koho jsi rozčílil, Torine. Teď ti řeknu jednu věc, která platí o teenagerech. Nemáte vždycky smysl pro přiměřenost. Že nápad někoho potrestat má odpovídat zločinu? V mozku dospívajícího to někdy probíhá jinak." Paula mluvila zahořkle. „Takže když raníš něčí city, bývá jeho reakce občas silně přehnaná."

Zavrtěl hlavou. „Nikoho jsem nerozčílil tolik, aby to ospravedlnilo něco takovýho," bránil se. „Chovám se slušně. Nikoho si nedobírám. Vážně, Paulo. Neříkám to jen tak. Nejsem takovej."

Paula se napila kávy, pozorovala ho přes okraj hrnečku. Vážně mu to nedošlo. Kolem rozpaků a pokoření Elsy Jacksonové proplul, aniž by si toho všiml. Odložila hrníček. „Elsa Jacksonová."

Vyvalil oči a pootevřel ústa úžasem. „Elsa? Co jsem jako udělal Else?"

„Ponížil jsi ji před jejími kamarády."

„Vážně?" Zamračil se. Nechala ho topit se v tichu. Nakonec sklonil hlavu a pomalu řekl: „To je o tom, jak se mě zeptala, jestli s ní nepůjdu na ples?"

Paula přikývla. „A ty jsi na to odpověděl: ‚V žádném případě,' Torine. Přede všemi. To nebylo moc pěkné, viď?"

Zavrtěl hlavou, ne lítostivě, ale odmítavě. „Tak to nebylo. Nenechala mě domluvit. Chystal jsem se říct: ‚V žádném případě, to budu radši mrtvej než jít na takovou pitomou akci.' Jenže ona se sebrala a hnala se pryč hned, co jsem se dostal k ‚v žádném případě'. Ztratila se jako pára nad hrncem. Elsa se mi líbí," pokračoval prosebně. „Kdybych už musel jít na takovej blbej večírek, jako je školní ples, nejspíš bych požádal právě ji. A ona mi provede tohle? Podělala mi život tak, že se mi chtělo umřít. Prodal jsem mámin medailonek kvůli tomu, že si nějaká stupidní holka posedlá vlastní osobou myslela, že jsem se k ní zachoval jako ke kusu hadru. Sakra, Paulo, doufám, že ji obviníš. To je naprosto iracionální. Páni! Jak se ke mně mohla zachovat takhle hnusně?"

„Protože jsi ji ranil a ona kolem sebe mlátila hlava nehlava. Souhlasím s tebou, že její reakce byla naprosto neadekvátní domnělému prohřešku, jenže ona si skutečně myslela, že jsi začal ty." Když viděla utrpení v jeho obličeji, natáhla se k jeho ruce a stiskla ji.

„Ale neprojde jí to, že ne? Zatkla jsi ji?"

„Vlastně jsem zatkla jejího otce, protože tu kartu koupil on." Usmála se. „Celé to bylo poněkud zmatené. Ale neobviním ji."

„Paulo!" zaprotestoval.

„Jen si mě poslechni. Kdybych ji zatkla a obvinila, nepochybně by to skončilo u soudu. Korunní prokuratura by rozhodně zahájila soudní stíhání. Musel bys jít k soudu a svědčit. A přestože by média nemohla uvést vaše jména, protože jste nezletilí, dokážeš si představit, že by se to po škole nerozšířilo jako stepní požár? Bylo by to horší než to, čím ti Elsa původně vyhrožovala. Mimochodem, trvá na tom, že to nechtěla udělat. Chtěla jen, aby ses potil a trpěl, a pak se chtěla stáhnout. Ale tys zaplatil příliš rychle. To je ironie, co?"

Povzdechl si. „To není fér."

„Je tu ještě jedna věc. Dobře, ona tě vydírala, ale tys jí doopravdy poslal fotky a videa. Tudíž ses technicky vzato provinil rozšiřováním pornografie nezletilého."

„Cože?" Odstrčil se i se židlí, celý užaslý. „Vždyť na těch fotkách jsem byl já sám!"

„Na tom nesejde. Podle litery zákona ses dopustil přestupku. Čehož si Elsin otec okamžitě všiml a skočil po tom. Kdybychom ji zatkli, obhajoba by argumentovala tím, že původní přestupek za tím vším byl tvůj, a je možné, že bys skončil před soudem. A já a Stacey nejsme ochotné tuhle možnost podstoupit."

Bouchl dlaněmi do stolu. „Takže jí to projde? Ona mě mučí, vydírá a nic se nestane?"

„Uklidni se. Copak mě neznáš? Tohle není žádné ‚nic se nestalo, všechno bude jako dřív'. S Jacksonovými jsme uzavřely dohodu. Bevin medailon je na tom webu pořád na prodej. Souhlasili s tím, že ho odkoupí, i když to bude za mnohem víc, než za kolik jsi ho prodal ty. Dostaneš ho zpátky. To je první věc."

Oči se mu zalily slzami. Bojoval, aby se nevyhrnuly ven. „Díky," vypravil ze sebe.

„A je toho víc. Stacey překvapilo, že se čtrnáctileté děvče dokáže pohybovat po webu a jeho systémech jako Elsa. Bavila se s ní o jejím zájmu o digitální svět a ukázalo se, že Elsa je předčasně vyspělá ajťačka. Stacey v Else tak trochu vidí samu sebe. Takže odteď bude Elsa trávit tři hodiny týdně se Stacey a bude rozvíjet svoje programátorské dovednosti."

Torin udělal obličej. „To se mi nezdá spravedlivý. Proč by z toho měla profitovat? To já jsem tady oběť."

Paula se zasmála. „Myslíš si, že to bude legrace? Máš tušení, jakým drábem je Stacey? Bude to trvat tak dlouho, dokud Elsa nevychodí školu. Mysli na to jako na tříleté poškoláctví, Torine. Ona ti život zkazila na několik týdnů. Stacey ji bude trápit celé roky. Ano, na konci z toho vyjde šikovnější, než je teď. Ale myslím, že i ty ses něco naučil."

„Nevěř internetu," zahučel.

„To taky. Ale doufám, že ses naučil přemýšlet o účinku svých slov dřív, než z tebe vyletí."

„Já nikdy…"

„Já vím, že ne. Jenže lidé si věci nevyloží vždycky tak, jak jsme je mysleli. Vyhýbej se nejednoznačnostem a napřed mysli a teprve pak mluv." Ať už chtěla Paula říct cokoli, přerušila ji esemeska, která jí přišla na mobil. „Ach, sakra, šéfka si všimla, že jsem na seznamu pohřešovaných." Povzdechla si, zvedla se a popadla tašku. „Elinor by se měla vrátit kolem sedmé, v lednici je boloňská omáčka z prodejny lahůdek. Buď tak hodný a nastrouhej parmezán i pro ni, zlato." Obešla stůl, aby ho mohla obejmout a políbit do vlasů. „Bude to v pořádku," konejšila ho. „Vyšli jsme z toho živí a zdraví, kluku."

„To nemůže říct každej," zamumlal. „Díky."

62

Paula to stihla do kanceláře právě včas, aby slyšela Carolina závěrečná slova na brífinku. „Omlouvám se, šéfko. Potřebovala jsem pár hodin osobního volna."

„Uprostřed vyšetřování vraždy?" Z Carolina obličeje čišel chlad, odpovídal tomu i její mrazivý hlas.

„Ano." Paula výtku ustála. Vždycky lehce ohrnovala nos nad ženami, které využívaly děti jako nástroje pro získání privilegií. Jenže co převzala odpovědnost za Torina, zjistila nepříjemnou pravdu, že krize někdy nepočká do doby, než se člověk vrátí domů. „Bylo to urgentní. Tady se nic nedělo a celou dobu jsem byla na telefonu."

„No, teď se tu něco děje." Carol lehce zjihla, ale pořád mluvila úsečně. „Máme k té tváři jméno. Toho muže poznalo několik hostů ze svatby, kde se seznámil s Kathryn McCormickovou. A s Claire Garrityovou se znal přes její práci. Všechny tyhle podrobnosti jsou v aktualizovaném souboru k případu, který dal dohromady Kevin. Chci si promluvit s jeho bývalou přítelkyní. Stacey po ní pátrá." Carol se odvrátila a zamířila do své kanceláře.

„To jsem to schytala," zamumlala Paula po straně ke Kevinovi.

„Špatné načasování. Nemělas zmizet bez povolení zrovna v době, kdy situace zhoustla."

„Toho průlomu jsme dosáhli díky mé práci ve Freshku."

„A ona to ví. Ale především teď není čas na rozmíšky, zejména pokud to s tím svým postupem myslíš vážně. Víš přece, že šéfka od chvíle, co sestavila a spustila regionální tým pro závažné zločiny, není zrovna nejlépe naložená."

Paula nasadila kajícný obličej. „Řekla bych, že se mi líbilo víc, když pila."

Kevinovi vylétlo obočí. „Ona nepije?"

„Ne. Tony mi řekl, že si promluvili pěkně od plic poté, co ji zavřeli, a od té doby se drží."

Kevin tiše hvízdl. „Není divu, že po tom případu tak jede. Povídej mi něco o potřebě prokázat své kvality."

Paula přikývla. „Byla jsem nesmírně protivná, když jsem vyměnila kouření za elektronickou cigaretu, takže tak trochu chápu, čím prochází. Každopádně se jdu radši kouknout, co pro mě Stacey má."

Díky zázrakům moderních technologií skutečnost, že se Tricia Stoneová přestěhovala do kopců nad Marbellou, neznamenala, že by se ocitla mimo dosah regionálního týmu pro závažné zločiny. Stacey ji objevila v redakčním oddělení anglicky psaného časopisu pro čtenáře, kteří pobývají v cizině. V rámci jediné hodiny se Paule podařilo domluvit hovor po skypu a Stacey nastavila jeho nahrávání.

Webová kamera laptopu nikomu nelichotí, ale Paula i při zkreslení obrazu zaregistrovala, že Tricia Stoneová patří k ženám, které ze svého vzhledu dokážou vytěžit maximum. Nebyla žádná kráska, ale make-up a účes zdůrazňovaly skřítkovský tvar obličeje a dodávaly jejím očím čarovný výraz. „Díky, že si spolu můžeme promluvit," začala Paula. „Nebude vám vadit, když rozhovor budeme nahrávat? Abychom se vyhnuly případným nepřesnostem?"

„Jak je libo. Nemám co skrývat. Ale o co jde? Co Tom udělal? Vaše zpráva byla taková neurčitá." Mluvila rázně a věcně, její yorkshirský přízvuk téměř vymizel.

„Domníváme se, že by Tom mohl pomoci našemu vyšetřování série zločinů. Omlouvám se, v tomto stadiu vám nemůžu prozradit víc."

„Nevím, jestli vám budu užitečná. Neviděla jsem se s ním ani jsem s ním nemluvila skoro celé tři měsíce."

„Chtěla jste okamžitý konec?"

Stáhla dolů koutky úst. „Nemá cenu se s tím babrat, jakmile se už jednou rozhodnete."

„Takže to vy jste vztah ukončila?"

Tricia se zatvářila ostražitě. „Proč vás to zajímá?"

„Snažím se udělat si obrázek. Jaký je Tom. V jakém stavu mysli by se mohl nacházet."

Ironicky se zasmála. „Naštvanost. Takový bude stav jeho mysli. Vztah jsem ukončila já a on z toho neměl radost."

„Nevadilo by vám sdělit mi důvod, proč jste odešla?"

„Nechápu, co to má s čímkoli společného." I na skypu byl jasně patrný vyzývavý pohled.

„To uznávám. Ale moc by nám pomohlo, kdybyste mi vyhověla." Paula se usmála. „Omlouvám se, často klademe otázky, které působí nesmyslně a dotěrně, ale občas nám velmi pomůžou, když se snažíme dodat smysl roztroušeným kouskům informací."

„A neřeknete mi, co udělal?"

„V tuhle chvíli ani nevíme, jestli něco udělal."

Náhlý úsměv. „Nepovíte mi to, že ne? Takže jde o to, jestli vám důvěřuju, nebo jestli tenhle hovor ukončím?"

Paula chápala, proč mohla být Tricia tak úspěšná v přesvědčování novinářů, aby psali články do jejích časopisů, a v reklamním byznysu. Měla v sobě přátelskou otevřenost. Nebo alespoň její zdání. „Je to tak. Ale z nulového kontaktu mezi vámi po rozchodu soudím, že nemáte pocit, že byste Tomu Eltonovi cokoli dlužila. Tak proč byste mi nepomohla?" Počítala vteřiny, zatímco Tricia přemýšlela. Osm, devět, deset, jedenáct…

„Proč ne? Dobře. Skončila jsem to, protože mi došlo, že se s tím smradem vážně nemusím dál zahazovat. Nechápejte mě špatně. Nikdy vůči mně nepoužil fyzické násilí. Házel věcmi, ale nikdy ne po mně. Jednu stěnu v bytě jsme museli třikrát přemalovat kvůli jeho vznětlivosti. Jednou se na ní ocitlo thajské jídlo, jednou lahev Baileys a naposledy to byl džbánek sangrie."

„Takže byl náladový?" Jemně na ně přitlačte, uvidíte, co z nich vyleze.

„Prchlivý, řekla bych. Rychle se rozčílil, ale bylo to jako blesková povodeň. Jakmile hněv pominul, okamžitě se uklidnil a začal pečlivě plánovat, jak zajistit, aby se to, co ho rozčílilo, už nikdy nestalo. V práci ho to úžasně pohánělo. Před zaměstnanci a klienty se nepřestal ovládat, vybuchl až později, v soukromí. A pak vymyslel, jak dotyčného skřípnout."

„Nemohlo být zrovna snadné s ním žít." Udržujte hovor v chodu, povzbuďte je k dalšímu odhalení.

„Ne, ale patrně jsem si na to zvykla. Tom dokáže být na druhou stranu velice okouzlující a pozorný. Zejména když má, co chce."

„Takže jste zvolila rázný odchod?"

Tricia se usmála. „Vy jste ale vytrvalá, co? Byla by z vás skvělá novinářka."

„Až na to, že bych to vůbec nedokázala. Co vás nakonec přimělo k odchodu?"

„Když to řeknu, bude to znít hloupě." Povzdechla si. „Šla jsem sama na svatbu přítelkyně, protože se Tom nechtěl obtěžovat ztrácením času s lidmi, které zrovna nemusí." Paule už se v hlavě rozezněl alarm, ale mlčela a nechala Tricii mluvit dál. „Každopádně jsem se tam dala do řeči s jedním milým chlápkem. Byl chytrý, zábavný a sám jedině proto, že se s ním přítelkyně odmítla přestěhovat do Španělska, když si tam koupil bar. Přijel jenom na tu svatbu, ale zůstali jsme v kontaktu přes net. A mně svitlo, že i když Gary – jmenuje se Gary – třeba není pan Pravý, Tom je zcela určitě pan Nepravý. Uvědomila jsem si, že musím vypadnout, že soužití s Tomem ze mě dělá někoho, kým nechci být. Polovinu doby jsem se musela hlídat, co dělám, dávat si pozor na jazyk, chovat se jako mírový vyjednavač Spojených národů. Tak jsem si začala hledat práci ve Španělsku. Ne abych byla s Garym. Nehodlala jsem skočit z pánve s olejem do něčeho, co by mohl být oheň. Chtěla jsem si dopřát druhou šanci. Když se objevila tahle práce, zhluboka jsem se nadechla a vypadla."

„Páni! To vážně chtělo nervy." Paula svůj obdiv nehrála. Sama nebývala vždycky takhle jasnozřivá. „Kdy to bylo?"

„Skoro před třemi měsíci. Zajeli jsme si na víkend do Peak Districtu. Tom měl zas jeden z těch svých výbuchů, protože v hotelu popletli rezervaci a skončili jsme v malém pokoji s dvěma oddělenými lůžky. A já si pomyslela, dost. Cestou domů plánoval, jak jim zničí pověst na TripAdvisoru a na Facebooku. V hlavě mi cvaklo a řekla jsem si, teď nebo nikdy. Přiměla jsem Toma, aby zastavil na nejbližším odpočívadle, a oznámila jsem mu, že je konec. Věděla jsem, že bych měla počkat až domů, ale abych byla upřímná, napadlo mě, že tentokrát by mohl místo na zeď hodit něco po mně."

„Jak reagoval?"

„Odmítal tomu uvěřit. Řekl mi, že nechápu, co je pro mě dobré, a že druhý den ráno to uvidím jinak. Protože přijdu k rozumu a uvědomím si, že bez něj nedokážu být šťastná. A pak nastartoval auto a jeli jsme domů." Zavrtěla hlavou, jako by tomu dodnes nedokázala uvěřit.

„Co bylo dál?"

„Následující den měl být na cestách za klienty. Tak jsem odešla brzy jako obvykle. Vzala jsem auto k obchodníkovi, který si u nás zadával inzeráty, a vyměnila jsem ho za dodávku. V papírnictví jsem nakoupila spoustu krabic. Když Tom odjel, vrátila jsem se do bytu a spakovala všechny svoje věci. Oblečení, knihy, cédéčka. Do brzkého odpoledne jsem s tím byla hotová a do pozdního večera na jižním pobřeží. Přespala jsem v motelu a ráno odjela trajektem do Santanderu."

„Promiňte, ale to je docela extrémní strategie. Bála jste se, co by mohl udělat, kdyby si uvědomil, že to s odchodem myslíte vážně?"

„Chcete slyšet pravdu? Ano. Myslela jsem si, že by se mě třeba pokusil zastavit."

„Bála jste se, že by mohl použít násilí? Přestože vám nikdy předtím neublížil?"

„Nedokázala bych pojmenovat, čeho jsem se bála. Věděla jsem jen, že musím vypadnout, a nechtěla jsem, aby mě zastavila Tomova reakce."

„Kontaktoval vás?"

Křivě se pousmála. „Zbavila jsem se svého starého mobilu a pořídila si nový, španělský. Natolik mě zaplavoval maily a zprávami na sociálních médiích, až jsem zrušila všechny svoje účty. Mimochodem, jak jste mě našli?"

„Moje kolegyně je mistryní kyberprostoru," odpověděla Paula, vždy vyhýbavá, když došlo na Staceyiny dovednosti.

Tricia úzkostlivě zatajila dech. „Ale když mě našla ona, mohl by mě najít i on."

Paula se na ni konejšivě usmála. „Nemyslím, že by to bylo pravděpodobné. Máme přístup do databází, do kterých se Tom nemůže nikdy dostat."

„Vážně? Neříkáte to jen tak?"

„Vážně. A když jste uzavřela veškeré svoje pravidelné komunikační kanály, jak jste komunikovala? Co pronájem bytu, vaše podíly ve firmě?"

„Postupovala jsem přes svého právníka. Je to dávný přítel, který by mě Tomovi nikdy neprozradil i přes veškerou Tomovu snahu ho přesvědčit. Tom má patologickou potřebu, aby bylo všechno po jeho, a když mu v tom svět nevyhoví, není to nic pěkného. Ale nechápejte mě špatně. Nejde o každodenní záležitost, protože zároveň moc dobře dokáže ohýbat svět

295

podle své vůle. To díky jeho okouzlující stránce, která je právě všechno, co většina lidí kdy vidí."

Teď, když Paula měla pocit, že pochopila základy charakteru Toma Eltona, dospěla k závěru, že nastal čas změnit směr. „Říkala jste, že jste ten víkend chodili po Peak Districtu. To jste tehdy dělali často?"

„Ne tak často, jak by se nám líbilo. Práce od nás vždycky vyžadovala hodně našeho času. Ale ano, milovali jsme Peak District. A samozřejmě v Eyamu žije Tomův otec, tak Tom mohl zabít dvě mouchy jednou ranou. Mohli jsme tam být tak jednou měsíčně."

„A co Dales? Tam jste taky jezdili?"

„Sotvakdy. Vzdušnou čarou je to sice blíž, ale díky síti dálnic se na Dark Peak a na okraj těch vřesovišť nahoře dostanete skutečně rychle." Povzdechla si. „Tahle část Španělska má jednu velkou výhodu. Dá se slušně chodit po kopcích za Marbellou."

„Takže Tom netrávil čas v Dales? Pěšky nebo na kole?"

„Vůbec ne. Co to pořád máte s Dales?"

To zjistí co nevidět, pokud byť jen elementárně ovládá internet. „Ne pořád, jen mě to zajímá. Doslechla jste se přes nějaké společné známé, jak Tom reagoval na váš odchod?"

Tricia si krátce odfrkla. „Spoustu věcí. Většinou, že je nakrknutý a spíš uražený než nešťastný. Taky ho pobouřilo, že jsem odešla bez jediného slova. Doufá, že prožívám mizerné časy v nějaké mrňavé garsonce nějakého ponurého severského města. Naštěstí těm několika lidem, kteří vědí, kde jsem, můžu důvěřovat, že nepromluví."

Paule došly otázky. Vzhledem k tomu, že tři měsíce nebyla s Tomem v kontaktu, nemělo cenu ptát se Tricie na změny v jeho chování nebo harmonogramu. A nasbírala toho o Tomově povaze dost, aby jí přišlo uvěřitelné, že by mohl být jejich vrahem. Tony by na věc mohl mít jiný názor, nicméně o tom Paula pochybuje. „Dík, že jste mi zodpověděla moje otázky, Tricie. Cením si vašeho času a omlouvám se, pokud to pro vás znamenalo návrat v bolestným vzpomínkám."

„Nebyly až tak bolestné. Ještě je příliš brzo, ale mezi mnou a Garym to vypadá dobře. A naprosto miluju svou novou práci. Mám za sebou dobrá rozhodnutí, detektive. O tom vůbec nepochybuju. Ani nelituju, že jsem s Tomem zůstala tak dlouho. I když to občas bylo děsivé. Při práci pro Local Words jsem se toho spoustu naučila. Tuhle práci bych bez té zkušenosti dělat nemohla. Každopádně vám přeju hodně štěstí ve vyšetřování, ať už vyšetřujete cokoli."

„Díky. Doufám, že se vám i nadále bude dařit." Paula se odhlásila a opřela se. Tricia ho nechala na odpočívadle poté, co se na svatbě seznámila s novým zajímavým mužem. Vážně by nemohla padnout na lepší shodu, i kdyby se sebevíc snažila. Zase další cihla do zdi.

63

Poté co Paula Tonymu načrtla odhalení Tricie Stoneové, uchýlil se Tony na loď. Potřeboval klid, aby mohl přemýšlet. To, co Paula zjistila, bylo skoro až příliš krásné, aby to mohla být pravda. Jenže občas je zřejmá věc taky autentická. Ne všechno se musí přeměnit a přeložit do odlišných formulací. Muž připravený o přímou cestu ke svému uspokojení – v tomto případě zabít ženu, která ho tak totálně odmrštila – může mít tendenci provést katarzi přinášející čin, který se co možná nejvíc blíží původnímu scénáři. Zejména když tyhle vraždy nejsou sexuálně motivované. Sexuálně motivovaní pachatelé často jednají podle složitých pravidel, které jejich činy staví daleko od událostí, jež je vyprovokovaly. Tohle je jiné. A proto Tony potřebuje čas a prostor, aby mohl přemýšlet o pachateli. O svatebním vrahovi, jak si ho pojmenoval.

Na lodi není moc místa na přecházení. Deset kroků, obrátka. Deset kroků, obrátka. Ale to stačí. Zejména když si dá načas. Začal s úvodními odstavci, které vždy předcházely jeho profilům, svižně nabral rytmus slov. „Následující psychologický portrét je míněn jako rámcový, v žádném případě ho nelze považovat za identikit pachatele. Nebude pravděpodobně odpovídat do detailu, ale jistou míru shody mezi skutečnou osobou pachatele a jeho chováním a povahovými rysy, jak jsou zde vylíčeny, lze předpokládat. Veškerá konstatování uvedená v psychologickém portrétu je třeba posuzovat výhradně jako možnosti, nikoli fakta.

Pro vraha, který páchá zločiny v sérii, bývá charakteristický rukopis. Veškeré jeho jednání se – vědomě či podvědomě – řídí určitými pravidly. Pokud se podaří tato pravidla odhalit, umožní vám to nahlédnout do pachatelova myšlení. Pozorovateli se jeho jednání nemusí zdát logické, ale pro něj jsou jeho vykonstruovaná pravidla závazná. Protože je jeho myšlení pokroucené, nelze spoléhat na běžnou logiku. Jelikož se jedná o výjimečnou individualitu, pak se ani dopadení, ani výslech a rekonstrukce činů neodvíjejí podle obvyklých pravidel."

No, tohle o svatebním vrahovi platí stejně jako o každém sexuálně motivovaném vrahovi. První otázka, kterou si musí položit, zní, jestli je rozlišení skutečné. Vzhledem k vlastní letité zkušenosti se domnívá, že ano. Sexuální vražda znamená sexuální uspokojení. Ať už si toho pachatel je vědom, nebo není, samotné zabití a rituál, který je obklopuje, má jediný cíl, uspokojit jeho touhu. Tato touha je obvykle perverzní a pokřivená pachatelovými zkušenostmi. Ale vražda a sex jsou neoddělitelně propojené jako twister; první se stalo duplikátem uvolnění, které to druhé nabízí lidem, jejichž životy nebyly nenapravitelně zpackané tím, co se jim dělo.

Tony věří, že tyhle tři vraždy nesvědčí o sexuálním uvolnění. Tlak, kterému ulevují, není sexuální, ale emocionální. Pokud vrah měl s oběťmi sex – a při bližší úvaze se Tony domnívá, že nejspíš ano –, nebyl jádrem toho, co dělal. „Je to další způsob, jak je okouzlit," usoudil. „Další krok na cestě, jak se do něj zamilovat."

Dokonce ještě předtím, než slyšel, co řekla Tricia, byl přesvědčený, že oběti nebyly sexuálními náhradnicemi. Muži, kteří zabíjejí ze sexuálních důvodů, hledají oběti, jež mají podobné rysy. Tyhle ženy – první dvě najisto, a pokud se tým nemýlí v totožnosti Eileen Walshové, ona také – mají víc rysů rozdílných než shodných. Vzhled, povolání, životní styl, zaměření; vše naprosto odlišné.

„Hledáš jiný druh náhradnictví," řekl Tony a zastavil se ve dveřích kabiny, v níž spal. „Tricia svým odchodem zmařila tvoje plány. Vzala ti domov. Ohrozila firmu, kterou jsi vybudoval. A předhodila tě lidem, kteří tě buď litujou, nebo mluví ve smyslu: ‚Říkal jsem ti, že pro něj byla moc dobrá.' Chtěl jsi ji zabít. Jenže jsi chytrý. I kdybys věděl, kde je, je ti jasné, že ji nemůžeš zabít. Ne teď. Byl bys hlavní podezřelý. Muž, kterého odkopla, muž, který se chce pomstít."

A tak vytvořil alternativní plán. Hrůzostrašný nácvik toho, co chce – ne, co *zamýšlí* – udělat Tricii, až nastane vhodný čas. A provádí ho s pedantskou péčí. Zjevně dlouhé hodiny studoval současné forenzní postupy, aby se naučil nezanechávat stopy, které by detektivové mohli sledovat. Zmapoval rozmístění kamer, kterým se musí vyhýbat. Pochopil, jak nepatrně a dočasně měnit vzhled. Myslí si, že je chytřejší než oni všichni dohromady. Myslí si, že může přechytračit ty nejlepší.

Jednou uklouzl, když ukradl totožnost Claire Garrityové. A byla to přesně taková chyba, jaké se čas od času dopustí samolibý arogantní člověk. Nedokázal odolat touze udělat ze sebe součást příběhu, byť v utajení. Dal si tu práci, dostatečně se ponořil do života mrtvé, aby zjistil její heslo. A v přestrojení vnikl do života obětí a podruhé se s nimi spřátelil.

Pokud to ovšem není součást plánu. Nebyla krádež Claiřiny totožnosti součástí většího plánu, jak nalézt Tricii? Nespřátelil se s jejími blízkými v podobě někoho jiného, protože doufal, že tím nějak zjistí, kde je jeho bývalá přítelkyně? Jenže možnost vloudit se do života svých obětí byla příliš lákavá na to, aby dokázal odolat.

Tenhle člověk touží po obdivu a lásce. Ve svém malém vesmíru se stal tak mocným, až uvěřil, že toho dosáhl. Tricia tuto iluzi rozbila a on si ji teď znovu buduje.

„Nedokážu vypracovat tvůj profil," řekl Tony a prudce se zastavil. Do profilu se mohl pustit včera nebo přede dvěma dny. Jenže teď, když mají podezřelého, se celý proces narušil. Jednou ze základních zásad tvorby profilu pachatele je vyhnout se jakékoli vědomosti o konkrétním podezřelém. Nebezpečí spočívá v pokušení přiklonit profil směrem k osobě v hledáčku. Pokud se nabízejí dvě nebo i více možností, těžko se odolává té straně výběru, který sedí na někoho, kdo už je v celkovém obraze. Všichni profileři si pamatují notoricky známý případ z počátku devadesátých let, kdy vrah zůstal na svobodě a zavraždil další ženy, protože policie a profiler příliš dychtivě sledovali svá prvotní podezření.

Takže žádný profil nebude. Ale to neznamená, že nemůže být užitečný. Může využít času k přemýšlení a přijít se strategickou radou, kterou by rád dal Carol předtím, než začne ráno vyslýchat Toma Eltona. Pokud to ještě pořád bude na programu dne, až se na to všichni vyspí.

Ve výslechové místnosti bude Paula s Carol, alespoň tím si může být jistý. Paula proto, že v záludném tanci vyslýchání nemají nikoho lepšího. Umí sondovat slabost a podlomit sílu. Ví, kdy vyprovokovat neobezřetný vztek a kdy vyslýchaného utišit do nečekané důvěrnosti. Svatební vrah – nebo Tom Elton, jak na něj teď musí myslet – by se jí mohl vyrovnat, ale o tom Tony pochybuje. A na druhé židli bude sedět Carol, protože je vždycky dobré ve výslechové místnosti posadit dvě ženy proti muži. Buď ho uráží, že ho neberou dostatečně vážně, nebo se uvolní, protože si proti takovým protivníkům připadá sebejistý. Jen velice zřídka se chová tak, jako kdyby šel do bitvy se sobě rovnými.

Dobrý a zlý policajt zůstávají klišé, které dosud někdy funguje. V tom případě si Tony myslí, že by Paula mohla výhodně sehrát, že podporuje Eltonovu představu o sobě samém, zatímco Carol by ji mohla při každé příležitosti podkopávat. Tam, kde Paula bude brát jako daný fakt, že Elton přitahuje ženy, by se Carol mohla tvářit skepticky, dokonce nevěřícně. Zatímco Paula by mohla vraha obdivovat pro jeho forenzní znalosti, Carol by tento názor mohla prohlásit za blbost, zdůraznit nekonečný proud forenzních odhalení v podcastech a televizních programech. A až bude Paula trpělivě procházet místa a časy, vyptávat se na jeho alibi, která pravděpodobně nebudou existovat, Carol by se mu mohla posmívat a poukazovat na skutečnost, že bude stačit jediný forenzní důkaz k tomu, aby ho dostali. A každý nakonec udělá chybu.

Posadil se ke stolu v kajutě a začal dávat dohromady poznámky pro Paulu a Carol. „A nakonec, až si bude myslet, že jste vystřílely veškerou munici, až se bude chystat vstát a odejít, mu Carol oznámí, že Paula mluvila s Tricií. Nebude vědět, o čem byla řeč, což bude součástí toho, jak pod ním podtrhnete koberec.“

A to je chvíle, kdy se lidé dopouštějí chyb, jak Tony dobře věděl.

Tony nebyl jediný, kdo přemítal o tom, co by mohlo přinést zítřejší ráno. Vysoko ve vřesovištích nad svým domovem i Carol doufala, že rytmus chůze vnese něco disciplíny do jejích myšlenek.

Vrátila se k policejní práci, protože se domnívala, že je to její skála v rozbouřeném moři. Ta práce pro ni vždycky byla nebem, místem, v němž se může ztratit a nechat zazářit své schopnosti. Když se rozhlížela po ženách, které znala ze školy a z univerzity, nic z jejich životů jim nezáviděla. Ani jejich muže, ani jejich manželství, ani jejich děti. Nikdy po něčem takovém netoužila. Její oddanost spravedlnosti byla vždycky to jediné, na čem jí záleželo. City k Tonymu, přátelství s kolegy, jako byla Paula a John Brandon, všechno bylo svázané s její identitou detektiva.

A teď má pocit, že se jí všechno vymyká z rukou. Je z ní stejný člověk jako lidi, které celý život pronásleduje. Byla alkoholička, a proto zahynuli nevinní lidé. Stala se součástí korupce z údajně bohulibých důvodů, ale čím se ve skutečnosti liší od jakéhokoli jiného zkorumpovaného poldy, který se snaží ospravedlnit svoji zločinnost? Její tým nenávidí Sama Evanse za relativně nezávažný přestupek, prozrazení informace tisku. Co by si mysleli o ní, kdyby věděli, jaká je doopravdy? A její vlastní sklouznutí k nedisciplinovanosti s sebou přináší to, že zavírá oči, když její tým používá nepovolené zkratky a ohýbá pravidla.

Snad – jenom snad – by s tím dokázala žít, kdyby pořád dělala to, co kdysi bývalo její druhou přirozeností. Ale ani to nezvládá. Tam někde venku je muž, který zjevně podle vlastní libosti zabíjí ženy. Sedm týdnů úmorné práce a nemají skoro nic. Jejich selhání ji uráží. Nedostala inspiraci, díky níž by mohla vyslat tým po linii vyšetřování, které by přineslo výsledek. A teď musí pohlédnout do tváře všem důsledkům.

Jediné slabounké vlákno, kterým můžou Toma Eltona spojit s těmi třemi vraždami, by za normálních okolností v Carol vyvolalo trochu optimismu. Jenže tentokrát v sobě vnímá jen čirou beznaděj. Nevěří, že toho muže dokážou zastavit. Nemají toho dost, aby mohli skřípnout někoho, kdo je zjevně tak sebevědomý a sebejistý. Nemají ovšem ani čas na to, aby zakutali hlouběji. Blake a jeho kamarádi jí supí na záda a to, co je pohání, nemá nic společného se spravedlností, ať už používají jakákoli slova.

Instinkty jí napovídají, že by měli počkat, než se prokopou k veškerým aspektům života Toma Eltona. Ale dobře ví, že kdyby těmto instinktům uvěřila, mohlo by taky být pro její lidi pozdě. Vletí na ně revizní jednotka, jejich nenechavé prsty převrátí všechno, co udělali, najdou chyby, kdekoli budou moct. Vytrhla lidi ze svého týmu z nejrůznějších pozic, kde odváděli dobrou práci, příslibem větší výzvy, většího naplnění, něčeho, co by mohlo změnit podobu celostátní policie. Nemůže se jen tak otřepat a odejít od tohoto závazku.

Ať teď udělá cokoli, musí je tím ochránit. Pokud to znamená padnout na vlastní meč, nechť se tak stane. Ráno půjde s Paulou do výslechové místnosti a pokusí se o co nejlepší výkon. A jestliže to nebude fungovat, čeká ji těžký výběr, co si počít dál.

64

Když Tom Elton vystoupil z výtahu ve čtvrtém patře, u dveří před kancelářemi Local Words čekali Alvin s Kevinem. Věnoval jim zvědavý pohled, ale nerušeně pokračoval dál v chůzi do kanceláře. Alvin vykročil vpřed a zastoupil mu cestu. Elton po něm nazlobeně koukl a chtěl obejít jeho rozložitou postavu. „Pan Elton?" Znělo to jako vrcholná zdvořilost.

Elton se zastavil, pořádně se na Alvina podíval, lehce se zamračil a značně nonšalantně se zeptal: „Kdo to chce vědět?"

„Detektiv seržant Ambrose z regionálního týmu pro závažné zločiny." Ukázal průkazku a Kevin se postavil vedle něj.

„A já jsem detektiv inspektor Matthews. Ze stejné jednotky."

Elton povytáhl obočí, chřípí se mu lehce zachvělo, jeho výraz hraničil s pohrdáním. Hlas zněl ovšem neutrálně. „Vážně? Co vás přivádí k mým dveřím?"

„Rádi bychom vám položili několik otázek k probíhajícímu vyšetřování," odpověděl Alvin. Za jeho slov se otevřely dveře výtahu a vystoupila z něj dvojice mladých mužů s kelímky kávy, přes těla zavěšené tašky na rameno, oba měli vzorově upravené vousy.

„Nazdar, šéfe," pozdravil jeden.

Elton na něj pohlédl a zamručel: „Dobré ráno. Hned tam budu," dodal, když jeden z těch dvou protáhl kartu čtečkou, otevřel dveře a vyčkávavě mu je podržel. Elton mávl rukou a oba muži zmizeli uvnitř. „Patrně budete chtít jít dál, předpokládám."

„Vlastně bychom byli rádi, kdybyste nás doprovodil na stanici," řekl Kevin. „Bude to po všech stránkách jednodušší. Ušetříte si trapné okamžiky v kanceláři. A všechno tam bude při ruce, kdybychom potřebovali, abyste se na něco podíval nebo poskytl nějaké vzorky." Brada vzhůru, s Eltonovýma očima se potkal chladný modrý pohled.

„Vzorky? O co vůbec jde?"

„Pokud vám to nebude vadit, raději bychom to neprobírali tady."

„A pokud mi to bude vadit?" První náznak výzvy ve slovech, i když hlas zněl vřele, téměř škádlivě.

„Můžeme to provést přátelsky, nenápadně, nebo taky ne. Je to na vás, pane." Kevin postoupil o krok vpřed.

„A jak by vypadal ten nepřátelský postup? Strhnete mě na zem, nasadíte mi pouta a odtáhnete mě z budovy?" Teď je přímo popichoval. Kevin zrudl.

Alvin ne. „Prostě vás zatkneme. To ostatní uděláme jedině tehdy, když budete natolik hloupý, abyste se zatčení bránil. Což by nám vůbec nevadilo, protože nám to dodá něco nesporného, z čeho vás obvinit." Usmál se. „Půjdeme?"

„Potřebuju právníka? Neříká se to tak v podobné chvíli? A nechoďte na mě s: ‚Pokud jste neudělal nic špatného, na co byste potřeboval právníka?'"

„To je na vás," odpověděl Kevin. „Můžete se rozhodnout cestou na Skenfrith Street." Pokynul směrem k výtahu. „Až po vás, pane."

Carol a Paula byly s Tonym v místnosti týmu. Vzduch vyplňovala výrazná vůně kávy. Carol už potřetí za stejný počet minut pohlédla na hodinky. „Myslela jsem si, že už tu touhle dobou budou."

„Provoz," nadhodila Paula.

Chvíli na to do místnosti vešel Kevin.

„Provoz," řekl a zatvářil se udiveně, když se všichni zasmáli, lehké uvolnění napětí.

„Jak to vzal?" zajímal se Tony.

„Snažil se trochu vtipkovat, ale když si uvědomil, že na to nehrajeme, zvážněl. Celou cestu vzadu v autě telefonoval na různá místa. Vybavoval se s právníkem, rušil schůzky."

„Koho si vzal?" chtěla vědět Carol.

„Koho myslíte?" Jízlivý tón v Kevinově hlase Carol napověděl, co nechtěla slyšet.

„Zatracená Bronwyn Scottová," zanaříkala Paula. Bronwyn Scottová měla v Bradfieldu ze všech nejblíž k právnické celebritě. Koloval oblíbený vtip, že pokud si najmete Bronwyn Scottovou, policie ví, že jste vinný, a porota věří, že jste nevinný. Pod tímto cynismem bylo něco pravdy. Scottová nejednou zkřížila meče s bradfieldským týmem pro závažné zločiny, ale stejně by ji zavolali pro jednoho ze svých. Bylo jí jedno, kdo platí pištci; najde tón, na který budou moct tančit všichni.

„Přesně ta," potvrdil Kevin. „Je u soudu, ale do hodiny tu bude. Eltona jsme usadili ve výslechové místnosti a společnost mu dělá uniformovaný policista. Alvin mu skočil do kantýny pro kávu." I když měl tým nejspíš nejlepší kávu ze všech policejních kanceláří ve Spojeném království, byla pro ty, kteří prosazovali zákon, ne pro ty, kdo ho nejspíš porušovali.

Carol skoro nedokázala unést pomyšlení na další hodinu čekání. Byla jako na trní, mozek jí ztěžkl. Střízlivost má mít za následek ostřejší smysly; Carol ovšem měla jedině pocit, že má dva drinky pod míru. Zachytila Tonyho pohled a vyměnili si lítostivý úsměv. „Vím, jak je těžké čekat. Všichni jsme z toho podráždění. Ale pro Eltona je to horší. My víme, co máme a kam směřujeme. On o tom nemá ani zdání."

„Jak Karim pokročil s těmi půjčovnami aut?" zeptal se Kevin.

„Vyšel naprázdno," hlásila Paula. „A ještě pořád čekáme na totožnost třetí oběti. U dentistů jsme zatím neuspěli, tak se spoléháme na to, že se laboratoři podaří extrahovat nějakou DNA."

„Vážně jsem doufal, že něco zjistíme z vypůjčení auta," konstatoval Tony. „Musí mít přístup k nějakému dalšímu vozu, o kterém nevíme."

Carol hleděla na nástěnku, oči měla potemnělé a těžké. „Bože, doufám, že jsme s tím nezačali příliš brzo."

Neuplynulo ani čtyřicet minut a Alvin jim přišel oznámit, že Scottová je v budově a radí se s klientem. „I když nevím, o čem by se v tomto stadiu mohli radit. Ale kdo ví?" zamumlala Paula, když šli chodbou k výslechové místnosti. Tony a Kevin se odpojili a vešli do pozorovací místnosti. Paula si upravila sluchátko, které skrývala pod vlasy, a na Carolino přikývnutí vstoupily dovnitř.

Scottová vypadala stejně tvrdě a nákladně jako vždycky, dobře padnoucí sako jí splývalo přes bílou sukni, dlouhé špičky límce připomínaly čepele nože. „Detektiv vrchní inspektorka Jordanová," prohlásila. „Je úžasné vidět vás opět ve službě."

„Paní Scottová. Vždycky příjemné překvapení." Carol si dávala načas s prvním ohodnocením Eltona. Vypadal spíš jako na fotce z řidičáku než jako na sestaveném portrétu, který vygeneroval Staceyin software, ale s brýlemi na tenkém kořeni nosu by byl rozhodně identifikovatelný. Působil klidně a nervozitu nesignalizoval ani žádný zjevný fyzický tik. To bylo dost neobvyklé. Většina lidí v jeho situaci bývá přinejmenším nervózní. Lidé, kteří nespáchali žádný zločin, se ve výslechové místnosti na policii děsí, nejspíš proto, že viděli příliš mnoho televizních dramat.

„A detektiv seržant McIntyreová. Pořád ještě seržant, Paulo?" Scottová byla zjevně nabroušená.

„Naštěstí ano. Podařilo se mi vyhnout tomu, aby mě degradovali."

Úsměv Scottové byl tak ostrý, že by dokázal překrojit propečený steak. „Proč jsme tady?" zněla logická první věta.

„Protože bychom vašemu klientovi rádi položili několik otázek." Řeč převzala Paula, jak se domluvili. Carol ráda souhlasila s tímto ústupkem; uznávala, že Paula je v tomhle lepší než ona.

„A smíme vědět kvůli čemu? Předpokládám, že když jste teď regionální tým pro závažné zločiny, nebavíme se o nezaplacené pokutě za parkování?"

„Vyšetřujeme sérii vražd." Elton při Pauliných slovech nepohnul jediným svalem. „Na různých místech v Dales byla nalezena spálená těla tří žen v jejich vlastních autech. Když byla auta zapálena, byly ty ženy už mrtvé. Posmrtná pitva indikovala pravděpodobné uškrcení."

„Fascinující. A mého klienta se to týká přesně jak?"

„Věříme, že by nám mohl pomoct s vyšetřováním. Pane Eltone, setkal jste se někdy se ženou, která se jmenovala Kathryn McCormicková?"

Zamračil se a zavrtěl hlavou. „Nic takového si nevybavuju."

„Nebo Amie McDonaldová?"

„Máte na mysli tu zpěvačku?" Téměř se ušklíbl. „Nepohybuju se v podobných kruzích."

„Ne tu zpěvačku. Zaměstnankyni magistrátu v Leedsu," vložila se do hovoru Carol.

„Rozhodně ne. Nikdy jsem nepotkal nikoho, kdo pracuje na magistrátu v Leedsu."

Paula k němu přisunula zvětšenou fotografii pořízenou v baru na svatbě, na níž se muž jménem David seznámil s Kathryn McCormickovou. „Jste na té fotografii vy, pane Eltone?"

Naklonil se dopředu, aby si mohl fotografii prohlédnout. „Nenosím brýle," prohlásil. „Takže to nejsem já."

„Ten muž je vám hodně podobný."

Pohlédl na Paulu s opovržením. „Účes je úplně jiný."

„Brýle, účes. To jsou velice povrchní znaky. Ale ta čelist. To ucho. Tvar vašich úst. Já bych řekla, že jste téměř identičtí."

Scottová zasáhla. „Ale prosím vás. Na zvětšenině fotografie, kterou zjevně někdo vyfotil z dálky mobilem? Nemyslím."

Paula vytáhla další fotografii, ze svatby, na níž se „Mark" setkal s Amií McDonaldovou. „A tohle? Ani tohle nejste vy?"

Tentokrát se podíval jen letmo. „Sotva. Opět, nenosím brýle. A tenhle účes je úplně směšný a vlasy mají špatnou barvu."

„To nic není," promluvila Carol. „Jako byste těchhle změn nemohl dosáhnout za pár minut."

„Nejsem to já." Elton ani nezvýšil hlas. Prostě svoje popření bral za samozřejmé.

„Kam tohle směřuje?" požadovala odpověď Scottová. „Kde jste získali tyhle fotografie?"

„Byly pořízeny na dvou svatbách, které od sebe dělily tři týdny. Tam se první dvě oběti setkaly s mužem, který je zabil."

„To víte, ano?" Scottová se obrátila rovnou na Paulu.

„Víme, že si obě vybral muž, který se tvářil jako svatební host, ale neznala ho ani nevěsta, ani ženich. Potom si s ním víc než jednou zašly na rande. A domluvili se, že společně stráví víkend. A pak už byly spatřeny jen v hořícím autě po straně silnice na vzdáleném místě. Takže ano, domníváme se, že můžeme bezpečně předpokládat, že muž, který se s nimi seznámil, měl od počátku v úmyslu je zavraždit."

Scottová se uchechtla. „To je tedy předpoklad. Nějaký důkaz? Dokázala bych vymyslet hned několik alternativních vysvětlení, pokud by je můj klient potřeboval."

Nešlo to zdaleka tak dobře, jak kterákoli z policistek doufala. Nikde sebemenší známka, že by Elton upadl do rozpaků, ani žádná vyhlídka, že by se Scottová dala odvést od toho, na co se zaměřila. Nastal čas vyrazit po cestě, o níž doufali, že bude natolik nečekaná, že Eltona vyvede z míry.

„Říkáte, že jste se nikdy nesetkal s Kathryn McCormickovou ani s Amií McDonaldovou. Ale s Claire Garrityovou jste se setkal."

Zazmatkoval. Otevřel ústa, aby promluvil, ale Scottová byla rychlejší. „To je vaše třetí oběť?"

„Ne. Totožnost třetí oběti ještě nemáme potvrzenou. Claire Garrityová se s panem Eltonem sešla profesně jako manažerka pekárny ve Freshku." Paula zmlkla.

Jako by čekal na narážku, vyplnil pauzu. „To je pravda. Vyřizovala mou stížnost." Lehce se zasmál smíchem falešným jako dno kufru pašeráka. „Našel jsem v bochníku chleba dětskou ponožku."

Paula před nimi rozprostřela ofocené obsahy dvou monitorů. Tentokrát si Elton poposedl, ale jeho obličej nedoznal změny. „Claire Garrityová poslala snímek Kathryn McCormickové ze svatby na svoji stránku Rig-Marolu a požádala Kathryn o přátelství." Odmlčela se. Výraz Scottové se změnil, odhalil lehkou nejistotu. „Jde o to, že ani Claire nebyla hostem na té svatbě. Přesně jako náš záhadný muž."

„Zjevně se na tu svatbu vetřeli," prohlásila Scottová ležérně.

Další ofocené monitory. „O tři týdny později poslala Claire Garrityová snímek i Amii McDonaldové ze svatby, na níž byla, na *její* stránku RigMarolu a požádala ji o přátelství. Je to jediná osoba, co se chtěla spřátelit s oběma ženami spojenými se svatbami, které navštívily."

Bronwyn Scottová se opřela v židli, tvářila se znuděně. „Popravdě řečeno se mi zdá, že byste teď měli vyslýchat Claire Garrityovou z pekárny ve Freshku."

Paula měla pocit, že zahlédla prchavý šok v Eltonových očích. „Je tu jen jeden problém," řekla mírně. „Claire Garrityová je už tři měsíce mrtvá. Což váš klient ví, protože mu to řekli na službách zákazníkům ve Freshku." Paula se odmlčela, ale Eltonův výraz se nezměnil.

„Takže?" Scottová se rychle vzpamatovala. „Není to zrovna státní tajemství, ne?"

„Ať už ty fotografie poslal kdokoli, ukradl Clařinu totožnost, aby to mohl udělat. Jediný člověk, který chápe závažnost těchto dvou žádostí o přátelství, je vrah. A zatímco se tu bavíme, hledáme IP adresy, odkud tato komunikace vyšla." Tentokrát v Eltonových očích zahlédla letmou změnu výrazu. A lehce uvolnil ramena.

Paula zaslechla v uchu Tonyho hlas. „Ohledně toho smazal všechny stopy." Ale na to už stačila přijít sama. Nepotřebovala Tonyho, aby jí řekl, že to má nechat plavat.

Teď nastala chvíle pro Carol. Založila si ruce na hrudi a pronikavě se zahleděla na Eltona. „Můžete si lhát, jak chcete, Tomíčku. Ale my vás s těmi ženami spojíme. Máme fotografie. Víme, že jste používal různá jména a snažil jste se maskovat. Jste jediným spojovacím článkem mezi Claire Garrityovou, těmi svatbami a těmi ženami. Přijdeme si pro vás a nedělejte si iluze, za ty zločiny vás dostaneme. Jen mi dál lžete, Tomíčku. Protože čím víc lžete, tím víc předvádíte, že nejste nic víc než lhář." Ruce na stole, nakláněla se dopředu, k jeho obličeji. Pak se na její paži objevila Paulina ruka, zadržela ji.

Bylo to samozřejmě nahrané. Scottová se napřímila a pomalu zatleskala. „Marníte tu čas, paní vrchní inspektorko. Vážně patříte na jeviště."

Carol ji ignorovala, natáhla se pro Paulinu složku a vyndala z ní další dva listy papíru. „Víme, že jste to udělal. Víme, že lžete. Tak nám poskytněte ještě další lži. Tady je seznam dat a časů. Vyplňte ho, Tomíčku." Uměla zdrobnělinu jeho jména vyplivnout tak, že zněla jako urážka. „Do poslední řádky."

„Jak si můžete myslet, že si budu pamatovat, kde jsem byl…" Přitáhl papír k sobě. „V úterý přede dvěma týdny?"

„Jste moderní muž," opáčila Carol. „Vyndejte mobil a začněte procházet diářem."

„Musím protestovat," ozvala se zase Scottová. „Lovíte v kalných vodách. Jdeme odsud."

„Nemyslím," odpověděla Paula. „Buď to uděláte dobrovolně, nebo vašeho klienta zatkneme a uzavřeme tím okamžitě vaše možnosti. A víte, jak snadno odsud unikají informace. Spolupracujte trochu. Dokažte mi, že je skutečně dotčený nevinný, na jakého si teď hraje. Pane Eltone, poskytneme vám trochu času, abyste si tím mohl projít tady s paní Scottovou." Paula se zvedla. „Máte tolik času, kolik budete potřebovat. Necháme vám sem poslat kávu a nějaké sendviče."

Scottová vzhlédla. „Vaši kávu, seržantko. Ne tu hroznou břečku, co podávají v kantýně."

„Nemyslím," řekla Carol. „Nezasloužíte si víc, než co pijí obyčejní poldové." Zvedla se. „A pište čitelně, Tomíčku."

„Teď," zaslechla Paula v uchu Tonyho. „Pusťte se do něj."

Posbírala papíry a pohlédla na Eltona pohledem odspodu. „Tricia říká, že máte násilnickou povahu."

Tentokrát se dočkala reakce. Elton se odtáhl, jako by viděl zjevení. „Cože?"

„Prý musela nechat třikrát znovu vymalovat zeď, protože jste na ni v afektu házel věci."

„To je lež." Snažil se udržet hlas pod kontrolou.

„Řekla mi, že na jedné svatbě, na kterou jste s ní nechtěl jít, potkala muže. Muže, díky němuž si přesně uvědomila, jak moc jí vaše společnost nesvědčí. A máme tu tak trochu vzor. Osamělá žena na svatbě pozná muže, který jí připomene, co je to milostný vztah."

Obličej mu potemněl, čelist ztuhla, svaly vystoupily.

Ve dveřích se Paula zastavila a otočila. „Jo, a taky mi řekla, kde vám dala kopačky. Vyhořel jste na odpočívadle, pane Eltone. Přesně jako vaše oběti."

65

Carol stála ve své kanceláři, žaluzie stažené, čelem se opírala o studené sklo okna. „Spustili jsme to moc brzo," zkonstatovala.

„Musela jsi něco udělat. I když toho zatím nemáš dost, otřásla jsi jím," tvrdil Tony.

„Viděl jsi ho. Připadal ti otřesený?"

„Na konci ano. Když mu Paula uštědřila tu ránu, vypadal zděšeně. Pak zuřil. Co jiného jsi mohla dělat?"

Poodstoupila od okna a obrátila se k němu tváří. „Ukázalo se, že jsem mohla počkat ještě půl hodiny a měla bych potvrzenou totožnost Eileen Walshové. Teď je u ní náš tým, Alvin, Kevin a Karim pročesávají její život, hledají v něm jeho stopy. A možná něco najdou."

„A pak ho budeš moct obvinit." Přistoupil ke Carol, aby ji poplácal po rameni, ale ucukla před ním.

„Včera v noci mě trápila noční můra," přiznala. „Michael a Lucy."

Nemusela dodávat nic dalšího. I Tonymu se občas vracela ta krví prosáklá hrůzostrašná scéna. Často se dohadoval, jestli bylo moudré vrátit se na místo činu, přestože Carolina mise spočívala v tom, že odrásala stodolu na holé kameny, aby odstranila veškeré stopy toho, co se tu stalo. Pod fasádou, kterou vytvořila, zůstala kostra místa vraždy, duch minulosti se stále držel ve vzduchu. Když tam pobýval, občas to cítil; nedokázal uvěřit, že by to nebylo součástí Carolina každodenního života. Považoval přímo za zázrak, že neměla noční můry častěji.

Nebo si je možná jen nepřipouštěla. Čas od času mu hlavou proběhla myšlenka na posttraumatickou stresovou poruchu. Carol zcela jistě viděla a zažila dost traumat jak osobních, tak profesních, jaká mnohé lidi postrčí přes hranici. Jenže on je profesionál. Něco takového by před ním přece nedokázala utajit, že ne?

„To je mi líto," řekl. „Stává se ti to často?"

Zavrtěla hlavou. „Čím dál tím míň." Roztřeseně se usmála. „Možná mi pomáhá, že jsi tady. Bůh ví, že musíš být dobrý i k něčemu jinému než jen k počítačovým hrám."

„Tentokrát jsem nebyl moc užitečný." Poodešel a opřel se o kartotéku.

„A ještě si na něj posvítíš podruhé kvůli alibi."

„Další nepřímé důkazy, nic víc. Potřebuju něco silnějšího, něco solidního a to se pořád neobjevuje. Viděl jsi, jak se zatvářil, když jsme mu oznámily, že jdeme po IP adrese vzkazů Claire Garrityové. Uvolnil se. O tohle se postaral. Našel si tu nejzapadlejší internetovou kavárnu v Bradfieldu a poslal to odtud. Nebo z knihovny. Nebo z kanceláře někoho jiného."

Tony si povzdechl. „Nejspíš. Vyzná se. Tak toho využij, postupuj po téhle linii. Naznač, že není zdaleka tak chytrý, jak si myslí."

„Podle mě je na něco takového moc tvrdý. To, že jsme zaútočili Tricií, ho znepokojilo, ale určitě ví, že na něj nemá nic z posledních tří měsíců." Carol zlostně nakopla koš na papír, odkutálel se po podlaze, cestou obloukem vytrousil svůj obsah. „Ale, do prdele!" zasténala, přičapla si a všechno posbírala.

Jako hodná holka, kterou vždycky byla, pomyslel si Tony. Pořád se snaží být nejlepší, to je kříž, který nosí. Neústupná ve spravedlnosti, ale také neústupná v tom, že je nejlepší osobou, která může dostát spravedlnosti. Nikdy si nic neusnadní.

Paula využila přestávky k rozhovoru s Elinor. Sešly se ve Starbucks proti nemocnici Bradfield Cross, na místě jejich pravidelných schůzek, kdykoli se oběma podařilo na dvacet minut zmizet.

Probraly výsledek Torinova katastrofálního výpadu do vztahů na netu ze včerejšího večera. Elinor souhlasila s Paulou a s křivým úsměvem kroutila hlavou nad vyhlídkou tří hodin týdně pod Staceyiným nekompromisním dohledem. „Elsa skončí jako softwarová milionářka," podotkla.

„Tak to bude moct Torina zahrnovat omluvnými dárky."

Jenže tohle se odehrálo včera a obě ženy byly zastánkyněmi politiky nezabývat se věcmi, které už jsou vyřešené. Nač znovu přežvykovat rozhodnutí, která už byla učiněna, znovu se probírat výsledky. Stačilo jim to v danou dobu. Teď nastal čas přestoupit do čerstvého pekla nového dne.

Paula seděla zhrouceně na židli, precizně míchala kávu flat white. „Nemáme na toho chlapa vůbec nic. Víme, že to byl on, ale máme pouhou slabounkou pavučinu důkazů."

„Velice poetické," poznamenala Elinor. „To tajně sepisuješ sonety, když se nedívám?"

V Paule to chtě nechtě vyvolalo úsměv. To je Elinořin permanentní dárek pro ni. „Každičkou chvíli, kdy mám volno. Ale ohledně tohoto případu si dělám vážné starosti. Je tak klidný a sebejistý. Ne drzý, jen si je jistý sám sebou. Pokud v případu třetí oběti nenajdeme žádný solidní důkaz, v pohodě si odejde a bude si připadat jako mistr světa." Povzdechla si. „A zemřou další ženy."

„Možná ho to zastraší. Přestane s tím, dokud je ještě na svobodě."

„To takoví muži nikdy neudělají. Začínají opatrně, ale velice brzy bez toho nedokážou být. Je to cesta krajní moci. Drogou pro ně není láska, ale moc. A není nic mocnějšího, než když někomu vezmeš život a projde ti to."

„Začínáš mluvit jako Tony." Elinor jí stiskla ruku.

„Poslouchám ho celá léta. Překvapilo by mě, kdyby se to nijak neprojevilo."

„Měli jste případy, které zůstaly nevyřešené. Víš přece, že pokaždé zločince nedostaneš."

„Já vím. Jenže ty neúspěchy přicházely spolu s mnohými úspěchy. Tohle je první oficiální případ regionálního týmu pro závažné zločiny, jsme ve světle reflektorů. Spousta lidí by byla ráda, kdybychom neuspěli. Nemyslíš, že si teď spokojeně mnou ruce?"

Elinor si povzdechla. „To je ubohé. Jací lidé dají přednost vlastním malicherným ambicím před záchranou životů? Vlastně, ne, počkej, zažila jsem chirurgy…" Usmála se. „Musíš se nad to povznést, Paulo. Musíš být lepší než oni. Musíš jít do té výslechové místnosti a odvést co možná nejlepší práci. A pokud neuspěješ? Jak se to říká? ‚Zkus to znovu a lépe.' Vím, že to bolí. Za svou kariéru jsem ztratila dost pacientů. Ale to tě neoslabí. Teď se vrať do té místnosti a snaž se, co můžeš. A ať se stane cokoli, pořád tě budu milovat."

Paula souhlasně uklonila hlavu. „Já vím. A mám štěstí. Mám tebe a můžu se k tobě vracet domů. Ať se Tony sebevíc snaží tvrdit něco jiného, Carol má jen to, co drží ve své hlavě."

Když se Carol s Paulou vrátily, Elton a Scottová působili uvolněně jako párek známých, kteří čekají na odpolední čaj. List papíru byl vyplněný úpravnými velkými písmeny. Scottová ho předala Carol. „Tady to máte. Jak vidíte, téměř ve všech případech můj klient nemá alibi, které by mu mohl někdo dosvědčit. Buď byl doma, nebo v nějakém hotelu v jiném městě."

„Pak je to bezcenné." Carol zkřivila rty v posměšku.

„Ne tak úplně," ozval se Elton. „Moje auto má palubní počítač. Ten vypovídá, kde auto dané večery bylo. Pokud to bude třeba, umožním vašim lidem přístup k tomu počítači a ten vám ukáže, že jsem o těch večerech nejezdil na žádné schůzky s cizími ženami."

„Ale protože proti mému klientovi nemáte žádné podstatné důkazy, neumožníme vám to jen tak. Musíte si sehnat soudní povolení. A přeju vám v tom ohledu hodně štěstí," prohlásila Scottová.

„A jak vidíte, minulou neděli jsem ve Sportman's Arms sledoval, jak Chelsea drtí Bradfield Vic. Spolu se skupinkou přátel." Nic na Eltonovi nepůsobilo vzdorovitě. Používal konverzační tón, jako by se bavil s kamarádem, s nímž si vyrazil na víkend.

„Měl jste spoustu času vrátit se do Dales a zavraždit Eileen Walshovou," opáčila Carol.

„Další žena, o níž jsem v životě neslyšel," prohlásil Elton nonšalantně.

„Takže pokud nemáte nic dalšího, paní vrchní inspektorko Jordanová, odcházíme." Scottová si posbírala blok a útlé pero značky Tiffany a uložila je do tenké kožené kabely přes rameno. „Celé to považuju za značnou ztrátu času. Když budete chtít znovu hovořit s mým klientem, doporučuju, abyste měli raději něco víc než obrázek vytvořený počítačem a reklamaci z Freshka. Jinak podám stížnost na obtěžování." Pohlédla na Eltona, vybízela ho k odchodu.

Ale on zůstal sedět. „Kdybych byl tím, kdo tohle spáchal, uchechtal bych se k smrti." Z hlasu mu odkapávalo pohrdání. „Nemáte vůbec žádné nápady ani důkazy, takže se chytáte těch nejnepatrnějších náhod a snažíte se vystavět případ proti nevinnému. Zatímco skutečný vrah je někde venku a nejspíš plánuje další vraždu, aniž by na jeho pověsti ulpěla sebemenší skvrna." Teď se zvedl.

„Měl jsem za to, že byste měli být elita. Pamatuju si články v novinách, když váš tým sestavovali. Špičky, říkali." Posmíval se. „Spíš špičkoví flákači. Kdybych byl ten váš člověk, tančil bych radostí po ulicích. Když pátrání vedete vy, komukoli klidně projde vražda."

66

Carol seděla na pohovce, lokty na kolenou, hlavu svěšenou. „Totálně se nám vysmál." Stejná slova opakovala v pravidelných intervalech celou minulou hodinu. Co Tony věděl, říkala si je sama pro sebe i v Land Roveru cestou domů.

„Ber to jako pobídku k akci." Byla to chabá reakce, ale jediná, na kterou se zmohl.

„Nepotřebuju ‚pobídku k akci'. Potřebuju nějakej zatracenej důkaz. Tým dneska odpoledne prověřil celý život Eileen Walshové a zatím máme velkou kulatou nulu. Několik poznámek na kalendáři na stěně s číslem na nefunkční mobil s předplacenou kartou. Tentokrát je to Richard. Zatím ani náznak jakékoli fotky. Nezačíná se chovat bezstarostně, Tony. Je čím dál tím lepší."

„Tak co hodláš dělat?"

„Co asi můžu dělat? Objednala jsem na Eltona plnou sledovačku. Týmy ho budou hlídat čtyřiadvacet hodin denně sedm dní v týdnu. Pokud je natolik hloupý, aby si myslel, že v tom může nerušeně pokračovat, šeredně se mýlí."

Řekl bych, že sledovačku očekává. Řekl bych, že vyčerpáš svůj rozpočet mnohem dřív, než on udělá chybný krok. Tonymu bylo jasné, že tyhle úvahy nemůže vyslovit nahlas. Jsou to přitom myšlenky klinického psychologa i přítele. Carol momentálně potřebuje věřit v kladný výsledek. Alternativu k tomu nechce Tony ani zvažovat.

Chvíli narušilo zazvonění zvonku u dveří. „Co teď?" zabručela Carol, zvedla se a unavenými kroky se dovlekla ke dveřím. Podívala se špehýrkou. „Zatracená Penny Burgessová." Obrátila se zády ke dveřím a opřela se o ně, jako by chtěla vytvořit barikádu proti vetřelci.

„Pokud si s ní nepromluvíš tady, přepadne tě někde jinde. Nejspíš na tom nejveřejnějším místě, které dokáže vymyslet." Tony vyskočil a spěchal ke dveřím. „Nech mluvit mě." Jemně odstrčil Carol a otevřel dveře, za nimi

316

připravenou nohu, aby se reportérka nemohla pořádně podívat dovnitř. „Penny," povzdechl si unaveně. Je třeba dát jí na vědomí, že je osina v zadku. Byť elegantní.

„Doktor Hill. Už jste zase tady. Velice milé. Je tu i Carol, nebo jste doma sám?"

Carol vstoupila do linie Pennyina pohledu. „Jsem tady. Bydlím tu. Jakou máte záminku pro svůj příchod?"

„Přišla jsem vám prokázat službu. Připravujeme článek a chtěla jsem vás na to upozornit. A samozřejmě získat nějakou citaci."

„Nemám vám co říct. Probíhající vyšetřování s tiskem nekonzultuju. Musíte se obrátit na tiskové oddělení."

„Není to o tom případu. I když tři vraždy jsou na to docela dost. A bez vyhlídky na zatčení, co jsem slyšela."

Tony i Carol mlčeli. Oba byli příliš zkušení na to, aby se nechali tak snadno nalákat na vějičku.

Penny se usmála. „Za pokus to stálo. Ne, jsem tady – a je mi líto, že pořád hraju na stejnou notu – kvůli tomu záhadnému stažení obvinění za řízení pod vlivem alkoholu, které neexistovalo. Od té doby, co jsme spolu mluvili naposledy, jsem věc dál prošetřovala. Když zbytečně zemře pět lidí, asi bychom na to neměli jen tak zapomenout a nechat to být. Nemyslíte?"

Opět ticho.

„Dobře, přejdu rovnou k jádru věci. Podle toho, co Korunní prokuratura sdělila soudu, byl alkoholtester, do něhož jste foukala vy a další čtyři motoristé a který určil protizákonné množství alkoholu, vadný. Je to tak?"

„Tak pravil soud, ano." Carol byla ostražitá, ale nenacházela důvod, proč odporovat všeobecně známým faktům.

„Mám s tím problém," přiznala Penny a shrábla si z obličeje pramen vlasů, který jí vítr odfoukl do očí. „Víte, dotyčný alkoholtester totiž nikdy nestáhli z oběhu. Nikdy ho neopravili. Dokonce ho ani neposlali na údržbu a znovu zkalibrovat. Při další směně byl zase zpátky na silnicích. Pořád ještě je. Dává to smysl?"

Carol si udržela kamennou tvář a nic na to neřekla. Tony ovšem cítil, jak se jí roztřásla ruka, kterou se dotýkala jeho zad. „To není starost vrchní inspektorky Jordanové."

„Ale moje ano," opáčila Penny. „Podle mých zdrojů ti policisté, kteří vás podrobili testu a zatkli vás a přivezli na policejní stanici v Halifaxu – a mimochodem vyvenčili vašeho psa…" Pohlédla dolů na Flash, která se opírala hlavou o Carolina stehna. „Tihle policisté byli dost rozladění z toho, co se dělo pak. Byli přesvědčení, že provedli oprávněné zatčení s přístrojem, který nebyl následně shledán vadným."

Čas vyrazit vpřed. „A co má být?" zeptal se Tony. „Policisté jsou z toho či onoho důvodu rozladění polovinu svého života. To není žádná novinka."

„Možná ne. A všichni bychom to museli spolknout jako podivnou anomálii až na to, že mám svědka, který říká, že paní vrchní inspektorka Jordanová celý večer pila víno. Že měla přinejmenším pět skleniček silného červeného vína a sklenku portského."

Ticho bylo tak absolutní, že slyšeli dýchat psa.

„Nepřijde mi, že by ten alkoholtester byl vadný." Penny mluvila zdánlivě lehce. Uštědřila zabijáckou ránu a byla si toho dobře vědoma. „Kdo to dal do pořádku, Carol? James Blake to být nemohl. Možná je šéfkonstáblem v Bradfieldu, ale takový vliv zase nemá. A navíc každý ví, že vás nenávidí. Tak kdo to byl, Carol? Přišlo to až seshora z ministerstva vnitra? Pracuje pro ně teď váš bývalý šéf John Brandon, viďte?"

„Jste úplně mimo, Penny," ozval se Tony. „Možná byste si měla posvítit na ty další řidiče, kteří z toho tu noc vyvázli. Možná nejde o žádné velké spiknutí, které mělo za účel zprostit Carol obvinění. Mohlo jít o místní korupci. Výše postavený polda prokázal službu příteli nebo něčí bokovce a neočekával, že se mu to vymstí. Teď se potí a čeká na nevyhnutelný příští krok. Nepomyslela jste na něco takového?"

Chvíli se tvářila znepokojeně. Pak se zasmála. „Pěkný pokus, doktore. Ale nevyšel vám. I kdyby to bylo tak, jak naznačujete, pořád mám svědka skutečnosti, že Carol ten večer vypila hodně přes limit a potom se posadila za volant. A to je vlastně všechno, co potřebuju. Ať si čtenáři sami vyplní prázdná místa."

„Proč tohle děláte?" zeptal se Tony. „Proč se tak umanutě snažíte zničit kariéru dobré policistky? Pusťte se do toho a lidé budou umírat, protože jste dostala z ulic nejlepšího detektiva v regionu."

Penny povytáhla obočí do dokonalého oblouku. „Za její služby už zemřela spousta lidí. Oba dva za sebou máte slušnou řádku mrtvol. Přesto se nesnažím o žádnou vendettu. Nejde o nic osobního. Jde o to, kdo hlídá hlídače. Je to o Césarově ženě, která stojí mimo jakékoli výtky. Jakmile začnete hrát hry tohoto typu, Carol, kde to skončí? Jakmile jste někdo, na kom záleží, co se stane se spravedlností? Kde je spravedlnost pro těch pět lidí, co zemřeli, když se Nicky Barrowclough opil a usedl za volant?" Hlas jí zesílil náruživotí. Flash z hloubi hrdla zavrčela.

„Bez komentáře," řekl Tony a zavřel dveře. Obrátil se a vzal Carol do náruče. Strpěla objetí, dokud se Penny Burgessová nepřestala opírat o dveře a neodešla. Pak se odtáhla a bouchla do dveří pěstí.

„A je to!" vykřikla. „Jsem odepsaná. Kvůli zatracený Penny Burgessový shořím v plamenech." Pevně stiskla víčka a rozzlobeně trhla hlavou. „Zničí mě. Až bude hotová, nezůstane z týmu zhola nic. Všechny to spojení poskvrní." Přešla celou místnost a vrhla se do křesla. „Je se mnou konec, Tony, je se mnou konec."

Zůstal stát u dveří, nebyl si jistý, jestli má jít za ní. „Nikdy to nespustí. Její šéfredaktor nebude mít dost odvahy zaútočit na policii, ministerstvo vnitra, kohokoli."

„Tak s tím půjde někam jinam. Má ohromný příběh a nepustí ho. Je třída, víš přece, že je to pravda. Jsem vážně v háji." Složila hlavu do dlaní, pohupovala se v křesle dopředu a dozadu. Flash se k ní připlazila, břicho táhla po zemi. Opatrně, jako kdyby hrál Cukr, káva, limonáda, čaj, rum, bum!, se k ní přiblížil i Tony. Když k ní došel, přičapl si před ni a položil jí ruku na koleno.

„Nikdo tomu neuvěří," řekl.

„Uvěří." Hlas jí tlumily ruce. „Šéfové ze mě udělali hvězdu. Mým týmem se vychloubali jako elitním. A lidi nic nemilujou víc než vidět takové, jako jsme my, jak padají dolů." Carol zvedla hlavu. „Kdyby šlo jen o mě, řeknu, čert to vem, a půjdu." Prudký nádech. „Ale nejsem to jenom já. Jsou tu i ostatní. Paulu čekají inspektorské zkoušky. Nebude mít šanci. Kevin, který se vrátil jen kvůli mně, přijde o výhody. Alvin přestěhoval celou rodinu do Bradfieldu kvůli tomu, co mu nabídl regionální tým pro závažné zločiny. Karim, nejlepší a nejchytřejší v nasávání vědomostí, teď navždycky uvízne na dně kriminálky. Stacey? Bez mojí ochrany buď skončí ve vězení, nebo taky odejde. Sbor ztratí nejlepšího digitálního analytika v zemi. A ty. I na tobě ulpí skvrna, na tobě a na tom, co děláš. Je to zatracená katastrofa."

Zase vyskočila a začala přecházet. „A ten šmejd Tom Elton? Už teď se nám směje. A kohokoli, kdo nás nahradí, snadno přechytračí. A bude v tom pokračovat dál. Dobrá, podle statistických zákonů ho nakonec zadrží nějaký prostoduchý dopravní policista, až poveze v kufru auta mrtvou ženu. Ale kolik jich ještě zemře, než k tomu dojde? A co Tricia? Kdo ji ve Španělsku ochrání? Tohle nedokážu přijmout, Tony. Nemůžu dopustit, aby se to stalo. Nesnesu víc krve na svých rukách…" Bila se pěstmi do hrudi.

Hroutí se mu před očima. Věděl by, co dělat, kdyby se to odehrávalo za vysokými zdmi nemocnice s ostrahou Bradfield Moor. Zklidnil by ji sedativy a s její bolestí by si poradil, až by byla méně akutní. Jenže je u ní doma. V domě, který před ním otevřela. Musí jí být přítelem, ne doktorem. Proto k ní znovu přistoupil a snažil se ji obejmout. Jenže ona se mu vytrhla a obrátila se k němu, supěla, ústa zkřivená, ruce sevřené v pěsti.

„Já to nehodlám strpět," zavrčela. „Nemám už co ztratit, Tony. Zastavím ho. Půjdu za ním na další zatracenou svatbu." Zhluboka se nadechla. „Půjdu za ním a pak ho zabiju."

67

Hádali se dlouho do noci. Přestali jen na chvíli, aby Carol mohla zkontrolovat sledovací týmy, které nasadila na Eltona. Ovšem nic z toho, co Tony řekl, nedokázalo ani v nejmenším nahlodat Carolino přesvědčení, že její řešení je jediná rozumná možnost. Nic ji nezastavilo. „Ať se teď stane cokoli, jsem minulostí. A proto cestou dolů udělám jednu dobrou věc."

„Nevíš najisto, že je Elton vinen," zkoušel Tony. „Myslíš si, že je, ale…"

„Ukazují na něj veškeré nepřímé důkazy. Po psychologické stránce to dává dokonalý smysl. Sám jsi to řekl, poté co sis poslechl Paulin rozhovor s Tricií. A viděl jsi, jak zareagoval, když Paula vyslovila její jméno."

„Nemuselo jít o nic víc než o šok, když slyšel, že se vám podařilo ji zkontaktovat, když on to nedokázal."

Carol podrážděně zavrtěla hlavou. „A co ty fotografie? Je to on. Přivedeme soudního znalce, který provede biometrické měření."

„Tak to udělej. Dokaž mu to."

Zavrtěla hlavou. „Nikdy se nedostaneme tak daleko. Korunní prokuratura nebude uvažovat o žalobě, když nebude mít alespoň padesátiprocentní naději na úspěch, to přece víš. A poroty podobné druhy důkazů nesnáší, mají pak pocit, že je zaslepuje věda."

Tony přecházel sem a tam po podlaze před Carol. „Nevěřím, že to uděláš. Nedokázala bys někoho chladnokrevně zabít. Nemáš to v sobě."

Věnovala mu chladný rafinovaný pohled. „Když to říkáš." Tón jejího hlasu ta slova popíral.

Jeho poslední hod kostkou byl, jak si dobře uvědomoval, vysoce riskantní strategií. „Vážně jsem se celý večer nesmírně snažil být tvým přítelem," řekl a s potížemi skrýval svoji podrážděnost. „Ale teď se musím zachovat jako doktor."

„Cože? Já potřebuju doktora? Myslíš si, že jsem nemocná?" Carolin hlas byl plný vyčerpání a ublíženosti.

„Myslím, že možná trpíš PTSD. Posttraumatickou stresovou poruchou."

„Vím sakra, co je PTSD. A nejsem její obětí."

„Není to nic, za co by bylo třeba se stydět, Carol. Nevypovídá to nic o tvé duchaplnosti, statečnosti nebo odpovědnosti. Je to stejně reálné jako zlomená kost a není se za co stydět."

Ušklíbla se. „Myslíš? To říkej všem těm vojákům, co se z nich v několika posledních letech stali invalidé. Není je vidět na těch nejvyšších pozicích, neřídí svět, co? Každopádně je to irelevantní. Netrpím žádnou posttraumatickou stresovou poruchou."

„Podle mého odborného názoru nejspíš ano. Měla by sis vzít nemocenskou, léčit se."

„Myslíš? A jaké mám symptomy, *pane doktore*?" vysmívala se mu.

„Sama jsi mi řekla, že tě trápí noční můry. To je klasický příznak."

„Pokud by tohle bylo kritérium pro odchod na nemocenskou, sotva bys měl v práci jediného člověka z pohotovostních složek. Všichni vidíme úděsné věci a po nocích se nám znovu zjevují před očima. Neopovažuj se mě poučovat o zlých snech a nespavosti. Sám připouštíš, že ses poslední roky sotva řádně vyspal. Byla to jedna z prvních věcí, které jsi mi řekl při našem prvním společném případu." Opět vyskočila a začala kroužit po místnosti. Flash vzhlédla a pak nechala hlavu zase klesnout na koberec. Už toho přecházení měla za jeden večer dost.

„Je rozdíl mezi obecnou nespavostí a nástupem nočních můr."

„To, že mám zlé sny, není nic neobvyklého, Tony. Zavolej Paule, zeptej se jí, jak spí. Jak spí Elinor po špatné službě na ambulanci. Je to ono? Na tomhle zakládáš svou diagnózu?"

„Mluvíš o tom, že někoho zabiješ, jako by to bylo normální, přijatelné řešení problému."

„Myslíš si, že je to snadné rozhodnutí? Něco, co beru na lehkou váhu? Tony, prosazování spravedlnosti jsem zasvětila celý život. Teď se mi ten život hroutí. Penny Burgessová a ostatní šakalové mi hodlají sebrat to, čeho si nejvíc cením. Propadnu se beze stopy. Pokud mám žít sama se sebou, musím udělat něco, co má význam. Záchrana životů druhých má význam. To nemůžeš popřít."

„Jenže udělat ze sebe chladnokrevného vraha není způsob, jak toho dosáhnout. Vím, co to je vzít život. Chtělo to celá léta terapií, než jsem se z toho zotavil, léta jsem sedával s Jacobem a nechával ho, aby mi pomohl s uzdravováním."

„To bylo něco jiného, Tony. Nechtěl jsi zabít. Bránil ses proti někomu, kdo se rozhodl zabít tebe. To, o čem mluvím já, je něco jiného. Znamená to spravedlnost. Zachraňování životů, ne jejich braní."

„To není spravedlnost, to je přebírání zákona do vlastních rukou." Zvýšil hlas, byla to prosba, která jde od srdce. „Poslouchej se, Carol."

„Neexistuje jiný způsob. Nemáme sakra žádné důkazy. Kolikrát ti to musím opakovat? Jak jinak ho zastavíme? Má volnou ruku k dalšímu vraždění nevinných žen, jejichž jediným zločinem bylo to, že přišly na svatbu. A moc dobře to ví. Viděl jsi ho včera. Ta sebejistota. Ta arogance. Pokud ho nezastavím, bude v tom pokračovat. Není co dodat. Tak jaké další symptomy podle tebe údajně mám?"

Bylo to jako mluvit do zdi. Ne, do barikády z gumových pneumatik, protože všechno, co řekl, se odrazilo zpátky. „Uděláš to, čemu jsi celý život zabraňovala. Bude z tebe vrah. Samozvaný ochránce spravedlnosti. Budou tebou pohrdat. Nikdo nepochopí, že to, co jsi udělala, bylo oprávněné."

Carol se odvrátila. „Další."

„Carol…"

„Už mám plné zuby tohohle takzvaného symptomu. Co ještě máš?"

„Rychle se rozzlobíš a jsi mnohem vznětlivější než dřív."

Rozesmála se. „A čí chyba to je? To tys mě umluvil, ať přestanu pít. Naráz. Celé moje tělo v jednom kuse volá po alkoholu, zejména když řeším takovýhle případ. Samozřejmě že jsem vznětlivá. Bylo by to zatraceně divné, kdybych nebyla."

Tony frustrovaně rozhodil rukama. „Byla jsi podrážděná dávno předtím, než jsem ti pomohl bojovat se závislostí na alkoholu. Myslím, že jsi byla klinicky deprimovaná od Michaelovy a Lucyiny smrti. Možná dokonce ještě předtím. Ale byl jsem tak blízko tebe, že jsem to nevnímal. Když jsi totiž se mnou, jsi skoro v pořádku. Se mnou se cítíš v bezpečí, protože ti vždycky umožním chovat se přesně tak, jak potřebuješ." Zvyšoval hlas. „Byl jsem tvůj spoluspiklenec, Carol. Umožňoval jsem ti to. Promazával jsem ti kolečka. Protože tě miluju, nebyl jsem ti moc ku prospěchu."

Slova, která mu vylétla ze rtů, oba umlčela. Porušil nepsanou dohodu, že mezi nimi jsou věci, které je lepší nechat nevyslovené; že existují mosty, které nepřešli ze strachu, že to, co za nimi leží, by možná znemožnilo ústup zpět. Odvrátil zrak jako první. Vždycky odvrátil zrak jako první. Protože ona potřebovala, aby to udělal.

„Myslím, že bys měl radši jít." Carolin hlas zněl chladně a tvrdě. „Není co dodat."

68

Dny se táhly a tým pro vraždu Eileen Walshové zopakoval stejné postupy jako v případě předchozích dvou vražd. Se stejně neúspěšnými výsledky. Carol trávila většinu času zabarikádovaná ve své kanceláři, zas a znovu pročítala zprávy, které přistály v systému. S každou uplynulou hodinou rostla Staceyina frustrace, protože všechny digitální cesty prověřované programy na pozadí skončily ve slepých uličkách. Když do její kanceláře přišel Alvin, koukal zase co nejrychleji zmizet. Karim začal vypadat uštvaně, oči měl prázdné a vlasy rozcuchané. Paula vyslýchala kolegy Eileen Walshové a tato úloha jí připadala nekonečná kvůli záhadnému systému směn v nemocnici. A nikdo nevěděl, kde je Tony. V kanceláři se objevil pouze jednou. Carol na něj pohlédla a okamžitě odešla. „Připomínají jeden ze způsobů předpovědi počasí," prohlásila Paula. „Ty malé dřevěné domečky s panáčkem a panenkou na opačných koncích tyčky. Když jeden jde dovnitř, druhý ven."

Kevin teoreticky dostal potencionálně nejproduktivnější úkol. Dohlížel na týmy, které sledovaly každý pohyb Toma Eltona. Dva dvoučlenné týmy střídající se po šestihodinových směnách. První den Elton odešel do práce, poobědval se ženou, kterou identifikovali jako Carrii McCrystalovou, majitelku řetězce kosmetických salonů, a pozdě odpoledne měl schůzku v Yorku, kde se zdržel na večeři a pak se ubytoval v místním hotelu. Druhý den odjel do Leedsu, kde si vypil kávu se dvěma muži v oblecích a potom se vrátil zpátky do Bradfieldu. Zbytek dne strávil v kanceláři a později si se dvěma kolegy zaskočil do hospody naproti. Jediná lahev předraženého exotického piva, pak domů. Žádný pohyb až do rána, kdy odjel do práce, poobědval s členem rady Bradfield Victorie. Po práci si se skupinkou spolupracovníků zašel na bowling. A víc se nedozvěděli, protože v pátek večer sledovačku stáhli.

Problémy začaly už ranním telefonátem Johna Brandona Carol. V těchto dnech se ani neobtěžovali vyměňovat si bezvýznamné zdvořilůstky, Brandon prostě přešel rovnou k věci. „Dosáhli jste nějakého konkrétního pokroku?"

Carol si stiskla kořen nosu v naději, že tím uleví od bolesti hlavy, která ji trápila už dva dny. „Je to složité," odpověděla. „Máme co do činění s člověkem, který má velmi dobré povědomí o forenzních vědách a je dost chytrý na to, aby zůstal skrytý pod radarem."

„Mám to tedy brát jako ne?"

„Jde to pomalu."

Slyšela ho, jak dýchá. Není to pro něj lehké. Bože, to ani pro ni. „Značnou míru opodstatnění vzniku regionálního týmu tvořily finanční úspory," řekl. „A vy máte plnou sledovačku – šestnáct lidských směn za den –, a to kvůli muži, na něhož, jak sami připouštíte, nemáte nic kromě směsice nepřímých důkazů a několika shod okolností."

„Elton na to sedí, pane. Vím, že ano."

Povzdech. „Přestože věřím ve váš instinkt, Carol, na záda mi dýchá šest šéfkonstáblů. Podílejí se na výdajích za vaše operace, to přece víte. A skřípou zubama nad tím, co provádíte s jejich rozpočtem."

„Neměli bychom stavět peníze nad životy," vyštěkla.

„To bychom samozřejmě neměli. Děláme to ovšem v jednom kuse. Je to nutné. Máme méně důstojníků v přední linii, musíme překlasifikovat určité zločiny tak, aby statistika zločinnosti vypadala dobře, redukujeme forenzní testy na holé minimum. Nikdo z nás nechce svou práci odvádět takhle, ale politici nás v jednom kuse zahánějí do kouta."

„Co tím chcete říct?"

„Šéfové na mě tlačí, abych ukončil vaši sledovačku na základě toho, že nejde o nic víc než o lovení v kalných vodách. Že se snažíte, aby vám podezřelý sedl ke zločinu, ne naopak. A všichni víme, jak špatně to může dopadnout."

„Tak to není," zaprotestovala Carol.

„Nicméně. Chtěli to zastavit s okamžitou platností, ale podařilo se mi získat pro vás trochu času. Možná dokonce i odklad. Dnes odpoledne přijde na Skenfrith Street vrchní žalobce z bradfieldské kanceláře Korunní prokuratury a projde s vámi důkazy, které máte. Dospěje k uváženému závěru, jestli celá věc pokračuje směrem, který pravděpodobně povede k obžalobě. A na tom základě…"

„Takže kolik času mám na to, abych něco našla? Čtyři hodiny?"

„Řekl bych. Je mi to líto, Carol. Je škoda, že zrovna váš první oficiální případ bylo tak těžké dotáhnout."

„Neměli jsme tu být právě proto? Kvůli těžkým případům, které se vzpírají řešení?"

„Myslel jsem si to. Nejsme pány svého osudu, Carol."

Ale ano, můžeme jimi být, pomyslela si, když ukončili hovor. Tři dny z nejrůznějších úhlů zkoumala svoje rozhodnutí, pořád přitom očekávala, že Penny Burgessová rozpoutá peklo a poštve na ni válečné psy. Dokonce zvažovala, jestli by neměla Brandonovi říct o Damoklově meči, který nad ní visí. Jenže on ji před tiskem stejně ochránit nemůže, a kdyby odhalila něco, k čemu možná ani nedojde, jedině by to šéfům dodalo důvod, aby urychlili její sesazení.

Nic se nezměnilo. Pokud v tom Eltonovi nezabrání, zemře další žena. Tím si je jistá. Muži jako on nepřestanou, dokud je někdo nezastaví. Bez dostatečného důkazu k obžalobě existuje jediná možnost.

Rozhodla se, že za zbraň zvolí nůž. Ostrý kuchyňský nůž, který snadno ukryje v tašce přes rameno. Bodne přímo pod žebry do srdce. Vytáhne ho, druhá rána půjde do břicha. Soudila, že pro ni nebude lehké vydat se za hranu zákona, ale čin samotný bude snadný. Konečný výsledek vídala příliš často na to, aby uvěřila, že jde o složitou věc.

A potom? Samozřejmě půjde do vězení. Možná, což by byla krajní ironie, se jí podaří získat za obhájce Bronwyn Scottovou. Hlavně aby nikdo nenaznačoval, že trpěla sníženou odpovědností za své činy, a aby Tony na svědecké lavici nevykládal o posttraumatické stresové poruše. Nechce umenšovat svou odpovědnost za to, k čemu se chystá. Postaví se důsledkům čelem.

Vězení. Jako policistka to bude mít těžké. Až na to, že zabití muže, který si za oběti vybíral ženy, by jí mohlo vynést něco respektu. Nicméně měla podezření, že ne dost. Bude v křídle zranitelných, napadnutelných vězňů, většinu času stráví zamčená v cele. Když to vezme kolem a kolem, nebude to tak hrozné. Bude moci číst, spát, poslouchat rádio. Bude pod střechou, oblečená, nakrmená. Bude na tom líp než šedesát procent světové populace, která nemá přístup k toaletám nebo čisté vodě.

Carol věřila, že to zvládne. Když před časem skončila s prací, víceméně výlučně sama strávila ve své společnosti půl roku. Zbavila stodolu všeho, co do ní nainstalovali Michael s Lucy, a interiér změnila od základů. Po tomhle, počítala, nezbývá moc, čím by nedokázala projít. S trochou štěstí a se soucitným soudcem bude venku za méně než deset let. Její život ještě zdaleka nebude na konci. Mohla by prodat stodolu, složit hotovost na zálohu a koupit si něco nového. A až vyjde ven, začít znovu od začátku.

Nicméně jí bude chybět pes. Ať ji vezme čert, jestli požádá Tonyho, aby si vzal Flash k sobě, ale dobře věděla, že jí to sám nabídne a ona neodmítne. A bude ji navštěvovat. Tím si může být jistá.

Vážně, nic z toho není nepřekonatelné.

Peter Trevithick, žalobce Korunní prokuratury, měl lehce uspěchané chování člověka, který toho v čase, jejž má k dispozici, musí stihnout skutečně hodně. Nacházel se v takovém životním období muže pod velkým tlakem, kdy vzezření nenabízí sebemenší vodítko, kde na stupnici mezi pětatřiceti a pětapadesáti hledat jeho věk. Oblek měl pytlovitý a pomačkaný, ale košili čistou a vyžehlenou, kravatu úhledně zavázanou nad horním knoflíčkem. Zůstaly mu slabé zbytky přízvuku západní země, ale v jeho duši nic venkovského nebylo. Carol s ním už několikrát spolupracovala a obdivovala jeho analytické schopnosti.

„Chtějí po mně, abych vám to vyšetřování dal přepracovat," řekl, jakmile se v kanceláři ocitli o samotě. „Ale to víte, že?"

Carol přikývla. „Vím, s jakou odpovědí se podle nich máte vrátit."

„Což je samozřejmě zcela odlišné od výsledku, jaký chcete vy." Sundal si sako a přehodil ho přes opěradlo židle. „Musím jednat poctivě, Carol."

„Já vím."

„Ale pokusím se přiklonit k vašemu směru. Vím, jak jste dobrá policistka. Nepoužíváte pohodlné nebo samozřejmé cesty. Na rozdíl od některých vašich kolegů. Tak mě celým případem provedete od začátku?"

Přesně to udělala. Pracně krok za krokem, jednou frustrující slepou uličkou po druhé. Dychtivě naslouchal a nerozluštitelným písmem si dělal poznámky do zápisníku Moleskine. Když si něčím nebyl jistý, kladl otázky. Tu a tam něco okomentoval, přesto Carol neměla nejmenší tušení, jak se rozhodne.

Když konečně uzavřela výčet posledního dne Eileen Walshové, soucitně přikyvoval. „Naprosto chápu, proč si myslíte to, co si myslíte," řekl. „Ale pro mé oddělení není sporu, jak si věci stojí. Není tu nic, na čem bychom mohli postavit žalobu. Je mi to líto, Carol. Víte, jak to v současné době chodí – padesátiprocentní šance na úspěch, nebo se nic nestane. Za dané situace bych tomu dal patnáct procent, a to by vás musela porota milovat." Vypadal upřímně ztrápeně. „Nejhorší na tom je, že si myslím, že se skutečně nemýlíte. S tímhle Eltonem to smrdí. Ale to není nic, co by vaši šéfové chtěli slyšet."

„Chystáte se doporučit, aby stáhli svoje lidi ze sledovačky, že?"

Trevithick přikývl. „Obávám se, že nic jiného nemůžu udělat." Vstal a zasunul ruce do rukávů saka. „Ale něco vám povím, Carol. Jsem si zatraceně jistý, že o Tomu Eltonovi neslyším naposledy."

Ani netušíte, jak moc velkou máte pravdu. „Díky, Petere. Jsem si jistá, že nás tenhle případ ještě svede dohromady. Tak či onak."

„Také doufám, Carol. Hodně štěstí s jeho uzavřením."

69

Zaparkovat v tiché ulici v Halifaxu, v níž se rozhodla žít Vanessa Hillová, nebylo nikdy snadné. Tvořila ji směsice domů z třicátých let, poválečných dvojdomků a jediná řada terasovitých domků z těžko určitelné doby. Jen minimum objektů mělo příjezdové cesty dostatečně široké pro moderní auta, takže s parkováním návštěvníci docela zápolili. Tony na tento problém moc často nenarazil. Matku navštěvoval zřídkakdy; ona jeho nikdy.

Ale pro jednou ho napadlo, že by mohlo být užitečné si s ní promluvit, a tak odložil stranou hlubokou nechuť k ženě, která ho porodila, ale rozhodla se vyhnout mateřským povinnostem. Tonyho – ‚ty mrňavej parchante' – většinou vychovávala autokratická a často násilnická babička, zatímco se Vanessa prosazovala ve světě. Skutečnost, že má vůbec dítě, jejím kolegům a později zaměstnancům často způsobila šok.

Co bylo ještě horší, odmítala mu říct cokoli o jeho otci. Tony neměl nejmenší tušení, kdo je jeho otec, dokud Edmund Arthur Blythe nezemřel a neodkázal mu veškerý svůj majetek. Velký dům, značnou sumu v hotovosti a loď, která se pro něj teď stala domovem. I tehdy se ho Vanessa úskokem pokusila o dědictví připravit.

Říct, že se ti dva odcizili, by naznačovalo větší emocionální vazbu, než jaká mezi nimi ve skutečnosti existovala. Terapie, kterou Tony prošel, aby mohl léčit ostatní, mu umožnila matku pochopit, ale nevzbudila v něm touhu zahrnout ji do svého života. Propracoval se k záměrně vybudované lhostejnosti a tu si chtěl udržet.

Na větší část loňského roku je ovšem vedle sebe postavily události, které nemohl žádný z nich ovlivnit. Vrah, který se chtěl Tonymu pomstít, se mylně domníval, že by mohl syna ranit přes matku. Spletl se hned dvakrát. Vanessa předvedla, že dokáže způsobit větší škodu než on; a i kdyby uspěl, Tonyho utrpení by bylo zcela snesitelné.

Toto setkání je nikterak nesblížilo, ale to, co Tony o matce věděl, ho dnes večer přivedlo k jejím dveřím. Vanessa jednala technicky vzato v sebe-obraně. Byla ovšem připravená na to, co by se mohlo stát; předvídala, že bude muset vzít zákon do vlastních rukou. Tony se dohadoval, jak to asi proběhlo, co při tom cítila. To, co by se mohl dozvědět, by pomohlo Carol.

Seděl v zaparkovaném autě, díval se před sebe na prázdnou ulici, snažil se ještě jednou dodat smysl tomu, pro co se Carol, jak se zdá, pevně rozhodla. Myslí to skutečně vážně? Nemůže si tím být jistý. V tom, co říkala, byla pokroucená logika. Vždycky ji pohánělo nutkání prosazovat spravedlnost. V minulosti z toho sám profitoval. A Carol se nemýlí v domněnce, že pokud Penny Burgessová zveřejní svůj příběh, má po kariéře. Dokonce by mohla čelit obvinění ze spiknutí.

Ale zvažovat vraždu jako logický důsledek zostuzení? Tenhle krok nedokázal pochopit. Buď mluvila do větru, bez skutečného záměru to udělat, nebo musí být šílená. To je jediná odpověď, jíž se Tony dokáže dobrat. Byl slepý vůči všem příznakům, ale čím víc o tom přemýšlel, tím víc docházel k přesvědčení, že Carol trpí posttraumatickou stresovou poruchou. Není to nic překvapivého po tom všem, čím si sama prošla, nemluvě o tom, čeho byla svědkem.

Nicméně to nebude žádná útěcha, když s tímhle argumentem vyjde po činu. I kdyby horda odborníků zpívala podle stejné partitury, dokonce i kdyby přesvědčili soud, že Carol měla narušenou duševní rovnováhu, pořád ji označí za vraha.

Ať si Carol tvrdí opak, Tony si nemyslí, že by s tím dokázala žít.

Musí ji zastavit. Schválně se od něj drží co nejdál, aby mu zabránila přesně tohle udělat. Jenže on nesmí dopustit, aby to pokračovalo dál. Musí se dostat na pozici, z níž dokáže zabránit tomu, co si vzala do hlavy. Ať to stojí, co to stojí, musí zachránit Carol před sebou samou.

Vzhlédl k matčinu domu. Závěsy byly zatažené, ale skrz štěrbinu viděl blikající světlo televize. Vanessa bude rozvalená na své luxusní pohovce, se skleničkou v ruce bude sledovat nějaké televizní drama, sama v místnosti zařízené pro jednu osobu. Přijel sem dnes večer, aby porušil celoživotní zvyk a o něco ji požádal. Chtěl se něčemu přiučit z její zkušenosti, zeptat se, jaké to bylo někoho zabít. Zarazit nůž do těla a cítit, jak z druhé lidské bytosti uniká život.

Dokonce víc než jen to, chtěl znát její pocity, poté co to udělala. Sám držel v ruce nůž, kterým někoho probodl, a věděl, jaké měl potíže zvládat emocionální dopad situace, přestože šlo o případ zabij, nebo budeš zabit. Ale je vědec. Chce víc než jeden vzorek. A na podobnou věc se skutečně nemůže vyptávat svých pacientů, ne z tohoto důvodu.

Ale teď tady, na pokraji toho objevu zjistil, že už to vědět nechce. Co by mu Vanessa mohla říct relevantního? Ona je jediná svého druhu, a ať už po té sebeobraně cítila cokoli, nemůže to pro něj představovat žádnou paralelu.

Chystal se nastartovat auto a odjet, ale zazvonil mu mobil. Paula, jak viděl na displeji. Připomněl si, že je to jeho přítelkyně. A proto hovor přijal.

„Nazdar, Paulo."

„Tony, odvolali sledovačku."

„To nemyslíte vážně." Sevřelo se mu srdce. Dokud měl Elton za zády policisty, věděla Carol, že není třeba vystoupit z řady; ať by udělal cokoli, vrhli by se na něj a sebrali by ho. Existovala dost velká šance, že nebude muset jednat.

„Myslím. Přišel sem Peter Trevithick z Korunní prokuratury, zrevidoval případ a řekl Brandonovi, že sledovačka není opodstatněná. Po dnešní večerní směně končí. Je to hotový zlý sen."

„Co říká Carol?"

„To je právě ono. Je přesvědčená, že zítra půjde na nějakou svatbu. Podle toho vzorce, víte."

„Jo. V sobotu, poté co zabil, si jde pro další oběť. Tak co má Carol v plánu?"

„Chce ho sledovat, a jakmile se přiblíží k další ženě, zatkneme ho."

„My?"

Paula si povzdechla. „Jo, chce, abych šla s ní. Dvě auta, aby si nevšiml, že ho pronásledujeme. A abych tam s ní byla při zatýkání."

Ne. Chce, abys ji zatkla, až ho zabije. „Musím tam být s vámi, Paulo."

„Jak to, že vám o tom neřekla? Vy dva spolu nemluvíte, nebo co?"

Nehodlal Paulu zatěžovat pravdou. „Pohádali jsme se. Víte přece, jaká je podrážděná od té doby, co přestala pít."

„Jasně. Každopádně jsem vám zavolala proto, že s vámi naprosto souhlasím. Měl byste u toho být. Budeme potřebovat vaši radu, aby se to celé nezvrtlo."

„Jak jste se domluvily?"

„V šest ráno, před střeženým objektem. Ona bude ve vedoucím autě, já o pár ulic dál připravená zařadit se za ni. Říkala jsem si, že byste mohl jet se mnou. Na zadním sedadle, aby to nebylo tak nápadné?"

„Samozřejmě. Ale je to bláznivý nápad."

„Já vím, jenže Carol je odhodlaná zabránit mu v další vraždě. Tak mohl byste k nám přijet v půl šesté? Budu s sebou mít kávu."

Nemusel se rozmýšlet dvakrát. Tohle je patrně jediná šance, kterou bude mít k záchraně Carol před sebou samou. Nedokázal by si odpustit, kdyby jen tak stál stranou, zatímco se Carol ničí. „Budu tam. Mimochodem, jak je na tom Torin?"

„Lepší se to. Dík za všechno, co jste udělal. Jsem vám zavázaná. Vlastně my všichni. Jste hvězda, Tony. Carol ani neví, jaké má štěstí, že za ní stojíte."

Tony nastartoval a naposledy se ohlédl po matčině domě, pak se rozjel. Měl hrozný pocit, že se na něj valí ohromná katastrofa. Něco, čemu se nebude moct vyhnout, i kdyby chtěl.

70

Tony se krčil na zadním sedadle Elinořina auta. Paula si tenhle vůz zvolila, protože byl méně nápadný než její vlastní auto. „Jak se sem pro všechno na světě složí Torin?" zamumlal, když se snažil najít polohu, která by pro něj byla pohodlná. Pokaždé když se obrátil, se mu do těla zaryl obsah té či oné kapsy fialové bundy.

„S obtížemi." Paula si na blonďaté vlasy narazila tmavě modrou baretku a nasadila si brýle na řízení. Fungovalo to u Eltona, pomyslel si Tony, mohlo by to pracovat i pro ně, kdyby jejich cíl Paulu zahlédl. „Dobře, takže Carol si půjčila auto Kevinovy Stelly, což je stříbrná Toyota Prius…"

„Půjčené!" vykřikl Tony. „Ne pronajaté auto, Paulo, půjčené. Eltona živí reklamní smlouvy. Určitě má ve svých účetních knihách dealery aut. Lidi, s nimiž ho pojí dlouhodobý vztah. Muže, kteří mu s pouhým významným mrknutím oka půjčí vůz. Proto Karim nemohl najít žádnou půjčovnu, která mu pronajala vozidlo. Pokaždé si půjčí jiné auto, takhle to dělá."

Paula zasténala. „Samozřejmě. Je přesně takový typ člověka, co má svou síť kamarádů. Vsadím se, že máte pravdu. Každopádně v jeho bloku jsou podzemní garáže a Carol čeká na ulici kousek od nich. My budeme v šest o jednu ulici dál, jen tak pro jistotu. Ale budete muset být zticha, protože budeme mít na reproduktoru otevřenou telefonní linku. Nemáme v autech vysílačky."

„Nebudete vědět, že jsem tady."

„Nejsem to já, s kým si máte dělat starosti."

Pár minut před šestou byli na pozici, popíjeli silnou kávu a jedli sendviče se slaninou. Na práci s policisty je pozitivní, že vám nikdy nechybí dobré jídlo a pití, pomyslel si Tony. Už přestal počítat, kolikrát se s Carol hrbili nad kari ve své oblíbené indické restauraci v Temple Fields, probírali případy a kolegy. Napadlo ho, jestli k tomu ještě někdy dojde.

Telefon zazvonil a Paula ho přijala na reproduktoru. „Dobré ráno, šéfko. Připravená?"

„Ano. Ještě nic nevidím. Můžete klidně zavěsit, poslouchat rádio nebo cokoli. Zavolám vám, až se pohne."

Paula ukončila hovor. „Tak kvůli čemu jste se vy dva pohádali?"

„Kvůli ničemu významnému," odpověděl. „Oba jsme příliš zvyklí na samotu. V poslední době jsem se hodně zdržoval ve stodole, abych Carol poskytl trochu morální podpory při startu týmu."

„A abstinování," doplnila Paula.

„A abstinování. Každopádně si oba vždycky myslíme, že je nám s někým lépe, než je tomu ve skutečnosti. Potřebujeme svůj vlastní prostor a život pod jednou střechou… No řekněme, že to ani pro jednoho z nás není vždycky snadné."

„Takže si vzájemně poskytujete víc prostoru?"

Povzdechl si a znovu změnil polohu. „Jo. Něco takového."

„Takže jste se přímo nepohádali?"

„Není divu, že máte ve výslechové místnosti výsledky," škádlil Paulu Tony. „Ne, nepohádali jsme se. Máme jen na věci rozdílný názor, to je všechno." Nemůže Paule říct pravdu, přestože by moc chtěl. Nebylo by fér ji tou informací zatížit. A koneckonců mohla Carol jen tak mluvit do větru. Nebo mohla po dalších úvahách změnit názor. Každý rozumný člověk by to udělal.

Jenže Carol už možná není tak úplně rozumná. „Nikdy jste mi neřekla plnou verzi toho, kdo stál za vydíráním Torina," řekl, snažil se rychle změnit téma.

A tak mu to vylíčila. Pak se bavili o Elinořiných pracovních vyhlídkách a o inspektorských zkouškách, které Carol po Paule tak moc vyžaduje. „Já nevím," shrnula to. „Nejsem si jistá, jestli tu hodnost chci."

„Nemyslím, že by to představovalo velký rozdíl ve vaší práci, pokud zůstanete v regionálním týmu pro závažné zločiny. Znamenalo by to víc peněz, lepší penzi. A to není nic, nad čím by se člověk ošklíbal."

Povzdechla si. Než ovšem stačila říct víc, mobil jí zatrylkoval esemeskou. „To je zajímavé," podotkla, když ji přečetla. „Přišlo to od Eltonovy bývalé přítelkyně Tricie. Chce, abych jí zavolala. Prý nic, co by spěchalo." Ve zpětném zrcátku viděl Paulinu grimasu. „Zavolám jí později, nechci se s ní pouštět do hovoru a propást šéfčino hlášení, že je čas vyrazit."

„Použijte můj telefon," nabídl jí Tony.

„Dobrý nápad." Paula se natáhla dozadu a Tony jí vložil do ruky svůj mobil. Vyťukala číslo a oba naslouchali dlouhému přerušovanému tónu vyzvánění čísla do zahraničí. Pak naskočila hlasová schránka.

„Nazdar, tady Tricia. Nechte mi zprávu a já se vám ozvu, až budu mít dobrý příjem."

„Nazdar, Tricie, tady detektiv seržant McIntyreová. Dostala jsem vaši textovku. Je mi líto, že jsme se minuly. Zkusím to znovu později." Zavěsila. „Sakra."

„Říkala, že to nespěchá."

„Doufejme, že se nemýlila."

Po několika únavných hodinách, třech dalších pokusech kontaktovat Tricii a dvou tlustých sobotních novinách se Carol krátce po třetí ozvala. „Právě vyšel z předního vchodu svého bloku," hlásila. „Rozhlíží se po ulici, jako by na někoho čekal… Ano, přijíždí taxík. Černá škodovka s logem City Cabs… Elton nastupuje… Míří na jih směrem ke Kempton Road."

Paula si počkala na mezeru v dopravě a pak s autem zabočila na hlavní ulici. „Musím se dostat hned za vás, tahle ulice není zrovna dlouhá." Udělala, co slíbila, a ocitli se čtyři auta za Carol. „Vidím vás, šéfko."

„Na křižovatce odbočil vlevo," pokračovala Carol.

Brzy byli na silnici vnitřního okruhu, mířili směrem k dálnici. Nedaleko nájezdu na dálnici se nacházel řetězec autosalonů a Eltonovo taxi zamířilo na smyčku, která se točila kolem nich. Tony si užil chvíli tichého uspokojení, když Elton vystoupil u vchodu do prodejny specializující se téměř výlučně na nová luxusní auta. „Co tu chce?" dohadovala se Carol.

„Třeba si auta půjčuje od klientů, ne z půjčovny," odpověděla Paula váhavě, obrátila se na Tonyho a vyplázla na něj jazyk.

Carol zamlaskala. „Skvělé. Proč nás to nenapadlo? Samozřejmě, má kontakty v nejrůznějších oblastech. Dobrý nápad, Paulo."

Elton se vynořil o několik minut později a zamířil k zádi parcely. Odjížděl v tmavě modrém dvousedadlovém mercedesu. „Teď si ho převezměte vy," zavelela Carol. „Já se napojím po pár autech."

Najeli na dálnici a brzy spěchali směrem k M62. Mercedes hladce klouzal v rychlém pruhu a Paula měla co dělat, aby mu stačila, přesouvala se mezi středním a rychlým pruhem a občas, když bylo kolem málo dopravy, zajela dokonce do vyhrazeného pruhu. „Vypadá to na Manchester nebo Liverpool," nadhodila Paula.

„Hádala bych Liverpool," soudila Carol. „V Manchesteru se angažoval minule, nebude chtít riskovat, že ho zahlédnou ve stejném městě tak brzo po Eileen Walshové."

A měla pravdu. Opět vyměnily vedoucí vozidlo a Carol jela za Eltonem k pobřeží, kde zabočil do vícepodlažního parkoviště vedle Philharmoniku, nového hotelu uprostřed zrekonstruovaných doků. V tmavě červené cihlové budově kdysi sídlilo ohromné skladiště tabáku, ale jedině fasáda zůstala stejná jako dřív. „Vsadím se, že tam bude svatba, na kterou míří," dohadovala se Carol. „Zaparkujte na ulici a buďte připravená vyrazit pěšky, jakmile vyjde ven z garáží. Já zaparkuju uvnitř. Pokud použije výtah, půjdu po schodech. A naopak. Buďte připravená." Hovor náhle skončil.

„Sakra, kde tu jako mám zaparkovat?" bručela Paula.

„Kousek zpátky jsem zahlédl pár volných metrů." Tony ukázal přes rameno. „Jděte, já to auto zaparkuju a doženu vás."

„Já nemůžu…"

„Prostě to udělejte."

Paula se s obavami ohlédla a poslechla. Tony zápolil s neznámým autem, ale podařilo se mu ho na třetí pokus dostat na místo, aniž by podráždil příliš mnoho dalších řidičů. Když zaparkoval a spěchal zpátky ulicí, uviděl Eltona, jak vstupuje do hotelového vchodu. Paula byla několik metrů za ním, držela se zpátky, dokud si nebyla jistá, že je uvnitř. Pak se z parkoviště vynořila Carol.

Nemohl uniknout její pozornosti. Ne v té fialové bundě. „Co tu sakra děláš?" chtěla vědět, jakmile se ocitl v její blízkosti.

„Jestli máš ještě pořád hlavu plnou bláznivých nápadů, co tu sakra dělá Paula?" oplatil jí útok. „Děláš z ní spolupachatele, zničíš ji stejně jako sebe."

„Nebuď hloupý. Není spolupachatel. Až ho zastavím, zatkne mě."

„To nemůžeš udělat, Carol."

„Udělám to, Tony. Nemůžeš mi v tom zabránit." Protáhla se kolem něj a ve dveřích hotelu se připojila k Paule. Spolu vešly dovnitř.

Napadlo ho zavolat na polici. Ale co by jim řekl? Že se šéfka regionálního týmu pro závažné zločiny chystá spáchat vraždu? Dokázal si představit ten výbuch smíchu na dispečinku. Nemůže nic říct Paule, protože by z ní udělal spolupachatele, pokud by se jim společně nepodařilo Carol zastavit.

Jiná možnost neexistuje. Jediný, kdo může zabránit Carol v tom, aby si zničila život, je on.

Nikdy si nepřipadal méně hrdinsky.

71

Tony se srdcem v krku vystoupal po schodech za oběma ženami a vešel do foyeru. Ústředními materiály tu bylo světlé dřevo a šedá žula, protiklad recepčních oblečených do ponurých tmavě šedých unisex sak ve stylu Nehrú. Barevné skvrny tu vytvářely šaty, boty a ozdoby ve vlasech mladých žen, které tudy procházely cestou do jiných částí hotelu. Muži sem zapadali lépe, až na občasnou překvapivou kravatu.

Velká plazmová televize na jedné straně foyeru upozorňovala na události dne a jejich rozmístění. Jediná svatba se odehrávala v prvním patře v sále Lennona a McCartneyho. Carol s Paulou se zastavily po straně obrazovky, daly hlavy dohromady, radily se. Nezbývalo než se k nim připojit.

„Jaký je tedy plán?" zeptal se vlídně, když k nim přistoupil.

„Takový, do kterého nepatříš," odpověděla Carol.

„Jsem jediný, koho ještě neviděl," namítl rozumně.

„Nejsi policista." Carol se odvrátila, obličej ztuhlý zlostí.

„Ale můžu ho pozorovat. Můžu vám dát echo, až vyrazí."

„Má pravdu," přiznala mu Paula.

„Jdi pryč, Tony," odháněla ho Carol.

„Dobře. Uvidíme se později." Usmál se a odešel po schodišti ze dřeva a kovu do prvního patra.

Carol s narůstající hrůzou sledovala, jak Tony stoupá po schodech. Co si to myslí, na co si to hraje? Tohle je dost těžká situace i bez narušení jakýmkoli plánem, který vymyslel. Protože Tonyho zná moc dobře na to, aby jí bylo jasné, že nějaký plán má. Už takhle se jí vaří krev v žilách, ruce má vlhké. „Nemůžeme mu dovolit, aby do toho vstoupil," řekla. „Jdeme."

Když ženy vyšly po schodišti, Tony už odevzdával fialovou bundu v šatně. Pod ní měl svůj nejlepší oblek. Většina lidí by si takhle oblek na svatbu nepředstavovala; byl v módě krátkou dobu tak před deseti lety. Ale byl to oblek a Tonyho kravata se netloukla s košilí. Pro tuto příležitost si vyleštil boty. Dokonce se nechal i ostříhat. Carol si nepamatovala, že by mu to někdy slušelo víc. Bodlo ji u srdce. Uvědomovala si, že to, co hodlá udělat, ho zasáhne hlouběji, než bude kdy ochotný připustit. Navždycky mezi nimi vybuduje hranici. Ale přestože je cena tak vysoká, pořád zůstává cenou, kterou je odhodlaná zaplatit za to, že nebude mít na svědomí další smrt. Není už cesty zpátky. Carol se prudce nadechla a přistoupila k Tonymu.

Opět se usmál. „Myslím, že nejste s Paulou na takovou událost úplně vhodně ustrojené." Ukázal na jejich elegantní, ale neformální oblečení. „Je to svatba, víte? Poslyšte, co kdybych tam vklouzl a dával na Eltona pozor? Už víme, jak postupuje. Počkejme chvíli, než se přiblíží k další oběti a vyvede ji z hostiny, aby si mohli v soukromí promluvit u baru. Pak můžete začít jednat. Protože do té doby už jí udá nějaké falešné jméno a navykládá jí spoustu lží, jak to udělal u těch druhých. Zesnulá žena, linie ‚pojďme na to pozvolna'."

„Dává to smysl, šéfko," přidala se Paula. „Bude mnohem snazší zatknout ho v klidném baru než uprostřed svatební hostiny. Nechceme přece nějakému nic netušícímu páru zkazit svatbu, že ne?"

Carol se podívala z jednoho na druhého. Těžko se s nimi mohla přít, protože přesně takovou strategii by zvolila, kdyby měla v úmyslu provést zatčení, a ne druhou alternativu. Vyčkávavě na ni hleděli a ona se rozhodla. Přesně tytéž okolnosti, které by usnadnily zatčení, zjednoduší i čin, který má na mysli.

„Dobře," povzdechla si. „Ale drž se od něj dál. Nedělej nic, co by v něm vzbudilo podezření. A zavolej mi, jakmile se přiblíží k nějaké ženě. Nejsi policista, Tony. Nesnaž se chovat jako policista. My si prozatím najdeme nějaký tichý koutek stranou." Sledovala ho, jak míří k tanečnímu sálu. „Počkejte tady," přikázala Paule a vyrazila za Tonym.

Když se přiblížila k dvoukřídlým dveřím sálu, zpomalila. Byly doširoka otevřené a podle zbytků na stole viděla, že je po svatebním obědě. Okna zakrývaly dlouhé závěsy a dýdžej rozehříval místnost remixem Congratulations od Briana Ena. Pokračovala dál a na konci chodby našla dámské záchody.

Zavřela se do kabinky a sáhla do kabely. Rukojeť nože byla dosud perfektně nasměrovaná tak, aby ji snadno uchopila do ruky. Byl to patnáct centimetrů dlouhý vykosťovací nůž ze sady, kterou si koupila jako vybavení nové kuchyně ve stodole. Vlastně ho nikdy nepoužila. Nevařila zrovna často, a pokud ano, nikdy nepotřebovala filetovat maso. Ale ta sada se moc pěkně vyjímala v naleštěném ocelovém bloku, a jak se ukázalo, byla mnohem praktičtější, než by si kdy dokázala představit.

V ústech měla vyprahlo, žaludek celý rozechvělý. Už od včerejšího dne v sobě nedokázala udržet žádné jídlo a v temeni hlavy cítila tupou bolest. Ale dokážu to, říkala si. Nerozmýšlela by se dvakrát, kdyby měla ochránit někoho, na kom jí záleží. Řekněme Paulu. Nebo Tonyho. Proč by to mělo být v případě cizích lidí jinak? Copak si nezaslouží život stejně jako ti, kteří jsou jí shodou okolností blízcí?

Carol si opřela čelo o chladnou mramorovou stěnu kabinky. Už je příliš pozdě na to, aby ztratila kuráž. Je jen otázkou času, kdy Penny Burgessová spustí její život do propasti, ta jí jen prosviští kolem uší a nebude mít další příležitost. Nikdy už se nedostane do Eltonovy blízkosti a on bude zas a znovu zabíjet. Kolik žen ještě zabije, než ho konečně dostanou? To nesmí dopustit.

Už toho má na svědomí dost. Konec s tím. Nastal čas pro smysluplnou smrt.

Tony bloumal po tanečním sále, tu se upřímně usmál, tam pokynul údajnému známému, krátce zamával překvapenému dítěti. Opřel se o bar a poručil si pintu hořkého piva. Pohledem pozvolna přejížděl po baru. Přibližně v jeho polovině stál Elton, sako přehozené přes rameno, kravatu povolenou, drink v ruce. Bavil se s mužem, který stál vedle něj. Nejspíš z něj tahal nějaké podrobnosti o nevěstě nebo ženichovi, které by mu pomohly v jeho misi.

Není tu jediný, kdo má poslání. Tonymu se dělalo lehce zle z pomyšlení, co se chystá. Nicméně je tady a musí Carol zabránit, aby toho muže zabila. Ten okamžik pro ni bude k nepřežití, o tom je přesvědčený. Vyvinula neobyčejné množství energie, aby se všechny ty roky udržela pohromadě, ale i Carol Jordanové jednou musí dojít čiré odhodlání. A tohle je nejspíš ten čas a místo, pomyslel si.

Dýdžej nasadil repertoár chytlavých tanečních skladeb. ABBA, Madonna, Rod Stewart a stejně tak modernější věci, které Tony nedokázal pojmenovat. Parket se zaplnil. Nicméně netančili všichni. Někteří starší lidé se k sobě naklánĕli, aby mohli konverzovat v menších hloučcích. Rodiče malých dětí své ratolesti honili, výskali a smáli se. Muži, kteří nechtěli tancovat, se většinou shromáždili kolem baru. A několik žen sedělo osaměle, intenzivně si prohlížely mobily, předstíraly, že jim samota nevadí.

A pak Elton vyrazil. Přiblížil se k jedné z těch žen, přitáhl si židli, aby si k ní přisedl. I na dálku Tony vnímal, že vyzařuje velkou dávku šarmu a grácie. Vytáhl mobil a zavolal Paule. Ne Carol. „Našel svůj cíl,“ nahlásil. „Něco přes třicet. Dlouhé světlé vlasy, červené šaty. Ozvu se zas, až budou odcházet.“

Netrvalo to ani patnáct minut. Elton vyskočil, a když žena vstávala, pozorně jí odsunul židli. Zamířili ke dveřím, hlavy u sebe, zabráni do konverzace, jeho ruka na jejím lokti. Tony znovu zavolal Paule. „Jdou směrem k vám.“

Opustil nedotčené pivo a spěchal za svatebním vrahem a jeho nejnovější obětí.

Na zadním konci chodby se nacházel spoře osvětlený koktejlový bar. Jeho okna z kouřového skla nabízela výhled na Albertovy doky, odsud působily takřka půvabně. Paula a Carol si zvolily stůl co nejdále od dveří, schovaný za rohem baru. Viděly hlavy a ramena lidí, kteří vcházeli dovnitř. A jako na zavolanou, chvíli po Tonyho druhém telefonátu vstoupil do baru Tom Elton s nějakou ženou. Věnoval plnou pozornost jí, ne svému okolí, a manévroval s ní k volnému stolu pouhých dvanáct metrů od Carol a Pauly.

Starostlivě ženě přistavil židli a zrovna se chystal usednout, když pohlédl před sebe a uviděl obě ženy. Přes obličej mu přelétl šokovaný výraz, ale jak se vzpamatovával, Carol se zvedla a zamířila k němu, rukou hmátla do tašky přes rameno.

Paula se hnala hned za ní.

Čas se zpomalil. Carol povytáhla ruku z tašky. Zableskl se kov. Pak Tonyho hlas, naléhavý, hlasitý. „Pane Eltone.“

Elton se obrátil. Vypadalo to, jako by ho Tony objal, vklouzlo mezi ně cosi černého.

Paulina ruka na Carolině zápěstí, zkroutila ho tak silně, že čepel zapadla zpátky do kabely.

Pak se Elton ocitl na zemi, lapal po dechu jako na břeh vyvržený žralok, po předku jeho košile se rozšiřovala šarlatově rudá skvrna. Nějaká žena se rozječela.

A Tony tam stál, ruce mu volně visely podél boků, z černého ostří kapala krev.

Epilog

Jeden telefonický hovor. Jen tohle by stačilo. Jeden krátký telefonát by změnil tolik životů. Tom Elton by dosud žil. Vrchní inspektorka Carol Jordanová by už nebyla vysoce postaveným policejním důstojníkem. A doktor Tony Hill by neseděl v místnosti pod liverpoolským trestním soudem a nečekal by na rozsudek.

Neminul jediný den, kdy by čerstvě povýšená inspektorka Paula McIntyreová neproklínala zpoždění v reakci na zavolání Tricie Stoneové. Kdyby se jí byla dovolala, dozvěděla by se o chatě v Dales, k níž měl Tom Elton přístup a o níž se Tricia Stoneová zapomněla zmínit při jejich předchozím rozhovoru. Tato informace by určitě postačila k tomu, aby zastavila Carolinu ruku.

Když se Paula o dva dny později konečně s Tricií spojila, ta už věděla o Eltonově smrti a moc se omlouvala, že si na chalupu v Dales nevzpomněla dřív. „Nikdy jsem tam nebyla," vysvětlovala. „Když jsem odcházela ze své poslední společnosti, vyměnila jsem ji za svoje akcie. O všechno se postaral můj právník. Zůstala tam stávající nájemnice, nějaká akademička. Že se odstěhovala, jsem si uvědomila až před několika dny, když volala kvůli nějakým krabicím, které nechala na půdě. A vzpomněla jsem si, že jste se vyptávala na Dales." Příliš pozdě, pomyslela si Paula zahořkle, když ji poslouchala. Zatraceně příliš pozdě.

Triciina informace otevřela hotovou Aladinovu jeskyni forenzních důkazů. DNA všech tří Eltonových obětí. Skládací kolo, na němž odjížděl ze všech míst činu. Skrýš telefonů s předplacenou kartou. Tři krabice balíčků chipsů. Všechny důkazy, které potřebovali, aby Eltona dostali do vězení za tři vraždy.

A jejího přítele Tonyho by nečekalo doživotní vězení.

Po bodnutí nožem kupodivu nevypukl chaos. Paula to nějak udržela pohromadě. Zatkla Tonyho, který trpělivě seděl na židli, dokud nedorazili další policisté. Přikázala barmanovi, aby zavřel bar. Tiše řekla Carol – která byla zjevně paralyzovaná šokem –, aby sakra pomlčela o noži ve své kabele. „Nikdo ho neviděl," zasyčela. „Pokud si někdo bude pamatovat, že jste sahala do kabely, bylo to pro soudní povolení." Carol tehdy přikývla. Oněmělá ohromením.

Pak všechno převzala běžná rutina. Svůj nárok na událost si vyžádali zdravotníci, policisté, technici ohledání místa činu. Paula podala svědeckou výpověď a konečně volná byla až v brzkých nedělních hodinách. Nikdo jí neřekl, co se děje, ani kde je Carol, tak neochotně odjela domů. Na jízdu zpátky do Bradfieldu se nepamatuje. Elinor ji našla později druhého dne ráno spát u kuchyňského stolu, vedle ní sklenice napůl vypité whisky.

Když si znovu zapnula mobil, našla záplavu zpráv od týmu. Nikomu z nich by nedokázala pohlédnout do tváře. Byla tu i hlasová zpráva od Carol, kterou si vyslechla. „Je mi to moc líto," stálo v ní pouze.

Tonyho obvinili z vraždy. Samozřejmě. Carol odmítla s Paulou probrat, co se stalo. Otupělý a šokovaný tým dával dohromady důkazy proti Eltonovi, které se hodily týmu Tonyho obhájců. Ale skutečnost, že oběť sama zabila další tři lidi a chystala se zabít čtvrtého člověka, není obhajoba vraždy. Není to nic víc než závěrečná řeč ke zmírnění trestu. Tým obhájců a skupina Korunní prokuratury se mezi sebou nějak dohodly, že obvinění zmírní na úmyslné zabití. Přesto půjde o tvrdý trest. To způsobilo použití nože.

Během osmi měsíců, které Tony strávil ve vyšetřovací vazbě, ho Paula několikrát navštívila. Poprvé se ho zeptala, proč to udělal. Věnoval jí svůj nejsmutnější úsměv a řekl: „Aby to nemusela udělat ona." Odmítal sdělit cokoli dalšího, poukázal pouze na ironii, že černý vojenský nůž byl žertovným dárkem na rozloučenou, který dostal od jednotky pro zvláštní úkoly ministerstva vnitra za profilování pachatelů, již vedl před lety. „Jaká matka, takový syn," řekl. Jako by potřebovala připomínat Vanessin záznam.

Když se otevřely dveře, zvedl Tony hlavu. Očekával svou právní zástupkyni s finální záplavou optimistických, ale zcela nerealistických ujištění. Místo toho dovnitř vešla Carol, její obličej vypadal jako ztrhaná maska utrpení. Bylo to poprvé, co ji od svého zatčení viděl, a nebyl ani v nejmenším překvapený, že se mu srdce při pohledu na ni sevřelo radostí. Absurdní, ale nepopiratelné.

Vyskočil a zamířil k ní, zastavil se tak metr od ní. „Je úžasné tě zase vidět.“

„Nemyslela jsem si, že bys mě ještě někdy chtěl vidět, ale Bronwyn říkala…“

„Chyběla jsi mi. Chtěl jsem ti napsat, ale nechtěl jsem tě kompromitovat.“

Přikývla a posadila se na lavici, která se táhla podél stěny cely. „Moc jsem se na tebe zlobila. Žes to udělal sám. Žes to udělal kvůli mně.“

Křivý úsměv a polovičaté pokrčení rameny. „Bylo mi jasné, že by sis to nedokázala odsedět. Tak jsem tě zastavil tím, že jsem ten čin spáchal sám.“

„Zničil sis život. Svoji kariéru. Všechno.“

Posadil se vedle ní, otočil se tak, aby se mohl dívat na obličej, který vídal vždycky, když v noci zavřel oči. „Budu v pořádku. Protože jsem se přiznal k vyprovokovanému úmyslnému zabití, dostanu prý něco mezi pěti a deseti lety. Nebudu ve věznici s maximální ostrahou. Dokážu si to odsedět, Carol. Konečně se dostanu k té své knize o profilování pachatelů a o svých zkušenostech z terénu, co už léta údajně píšu. Můžu pomoct ostatním vězňům, kterým se v systému nedostává dost terapie.“

„Přestaň být tak zatraceně ušlechtilý. Dobře víš, žes to neměl dělat.“

„Nemá cenu to pojímat takhle. Paula říká, že máš pořád regionální tým pro závažné zločiny, který tě plně zaměstnává.“ Obočí se mu stáhlo zamračením. „Mimochodem, co se stalo s tím článkem Penny Burgessové? Nikdy ho nezveřejnila.“

Carol si povzdechla a zavrtěla hlavou. „Nakonec to nepoužila. Po Eltonovi udělaly noviny z regionálního týmu pro závažné zločiny hrdiny. Víš, jak *Daily Mail* miluje odhodlání prosadit spravedlnost. Pokus udělat z nás ty zlé by nepřinesl žádný užitek. Takže mám všechno, Tony. Svobodu, respekt, potlesk.“ Do jejího pokusu o lehký tón pronikla hořkost.

„Dobře. Tak toho maximálně využij. Jinak to všechno bylo k ničemu.“

Zhluboka se nadechla. „Měl jsi pravdu. S tou posttraumatickou stresovou poruchou. Měla jsem ti naslouchat.“

Nic neřekl. Nebylo co říct.

„S někým se vídám.“

Tonyho obličej jako by dostal ránu, oči se mu rozšířily ublížeností.

Suše se zasmála. „Kvůli terapii, ty pitomče. Vlastně chodím k Jacobu Goldovi."

„K Jacobovi?" Tonyho to překvapilo. „K mému Jacobovi?"

„Ano. Nezapomněla jsem, že jsi mi vykládal, jak moc ti za celá léta pomohl. Tak jsem za ním zašla. Nechtěla jsem postupovat oficiálními kanály. Ze zřejmých důvodů."

„Je moc dobrý."

„To doufám. Protože je to ta nejtěžší věc, jakou jsem kdy dělala."

„Funguje to." Zvedl se. „Měla bys už jít. Za chvíli mě odvedou kvůli vynesení rozsudku." Odmlčel se, snažil se v sobě zafixovat pohled na ni, jak k němu vzhlíží. „Přijdeš mě navštívit?"

Postavila se a dotkla se jeho paže. „Budu chodit tak často, jak mi to dovolí."

„A dohlídni mi na *Steeler*. Budu muset někde žít, až mě pustí." Z koutku oka jí unikla jediná slza. Zvedl ruku k jejímu obličeji a jemně ji setřel. „Víš, jak jsem ti řekl, že tě miluju?"

Přikývla, těžce polkla.

„Myslel jsem to vážně."

„Já vím. Taky tě miluju, Tony." Pak se odvrátila a odešla.

347

Milí čtenáři,

chystám se apelovat na vaši dobrou vůli. Teď, když jste se dostali na konec *Náhradního řešení*, věřím, že chápete, o jakou službu vás žádám. Doufám, že vás konec desátého románu o Tonym Hillovi a Carol Jordanové překvapil. Ráda bych věřila, že přestože vám mohl způsobit šok, dává strašlivým způsobem smysl v tom, co víme o jejich charakterech a zkušenostech, kterými si oba v mých rukách prošli.

Nicméně věřím, že nešlo o předvídatelné zakončení. A proto vás žádám, abyste tento konec nikde neuváděli jako spoiler, ať už písemně nebo ústně. Vážně bych byla ráda, aby i ostatní čtenáři zažili tu chvilku, kdy se jim zatají dech. Vzpomínáte si na nesouhlasné reakce, které se sesypaly na hlavy lidí, kteří odhalili fintu v *Šestém smyslu* a zkazili překvapení nám ostatním? Nechtěla bych, aby k tomu došlo také tady.

Je mi líto, pokud to zní sebestředně, ale už dvacet let mi čtenáři říkají, jak moc žijí těmito postavami, a chtěla bych, aby si tuhle knihu užili stejně, jako jste si ji, jak doufám, užili i vy.

Díky za váš čas a neutuchající podporu.

Všechno nejlepší

All the best

Poděkování

Stejně jako novináři jsou i autoři beletrie jen tak dobří, jak dobré jsou jejich zdroje. A já jsem měla velké štěstí se svými. Profesorka Niamh Nic Daiedová mi poskytla cenné konzultace o ohni a balíčcích smažených bramborových lupínků. Profesorka Dame Sue Blacková mi předvedla, nakolik je snadné zlomit jazylku. Profesorka Jo Sharpová mi pomohla a podporovala mě nejrůznějšími způsoby.

Jako vždycky mi za zády stál můj skvělý tým, který se mnou spolupracuje, aby moje knihy byly co možná nejlepší. Můj nakladatel David Shelley, moje redaktorka Lucy Malagoniová, americká redaktorka Amy Hundleyová, agentka Jane Gregoryová a redakční expertka Stephanie Glencrossová jsou mými prvními čtenáři a všichni mi dokážou nabídnout svou moudrost. Moje korektorka Anne O'Brienová zná Tonyho a Carol lépe než já a nikdo se nedokáže efektivněji vypořádat s detaily, ve kterých je zakopaný pes. Laura Sherlocková s úsměvem veze show dál (i přes to své auto) a obchodní a marketingové týmy Little, Brown jsou vytrvalé a mají dobrý čich na to, jak dostat mé knihy ke čtenářům.

Sláva Kathryn McCormickové, Amii McDonaldové, Eileen Walshové a Lorně Meikleové, které nešetřily na dobročinných darech, aby viděly svoje jména v knize. Dámy mají s postavami společná pouze jména!

A pak je tu moje rodina. Nemohla bych svou práci dělat bez jejich lásky, trpělivosti, humoru a podpory. Jo a Came, jste mými skálami v rozbouřeném moři.

Od vydání mého debutu *Report for Murder* uplynulo už třicet let. Nikdy mě nenapadlo, že bych v sobě měla tolik knih. Ráda bych této příležitosti využila, abych poděkovala všem svým čtenářům, knihkupcům, organizátorům festivalů a kritikům, kteří mi pomohli, aby z toho byl takový úspěch a taková zábava. Doufejme, že nás čekají mnohá další léta a že se budeme moct podělit o mnohé další knihy.

A teď otočte stránku a jako bonus
si přečtěte krátkou povídku
Val
McDermidové!

Návrat domů

B ez ohledu na jakékoli ohlasy filmové či literární Mirada Bryantová prohlásila, že květiny obstará sama.

Peter se nabídl upřímně, byl ochotný převzít část břímě organizování jejich první večeře v novém městě na svá bedra. Ulevilo se mu ovšem, že ho nebude nic vyrušovat v den, jejž tráví se ženami, které mu platí ohromné sumy peněz, aby změnil to, na co se dívají v zrcadle. Dobře věděl, že nejlepší práci odvádí, když ho nerozptyluje nic zvenčí.

Věděla to i Miranda. Líbily se jí odměny, které jeho práce přinášela, a tak spokojeně odložila stranou vlastní ctižádost. V jejich manželství nebylo místo pro dvě ambiciózní lékařské kariéry. Místo neurochirurgie, o níž kdysi snila, se specializovala na dermatologii. Nabízela spoustu možností pro zaměstnání na částečný úvazek a žádné pohotovosti o víkendech a večerech. A spoustu příležitostí zajistit, aby Peterův život běžel hladce.

Stála ve své dokonalé kuchyni a začala rovnat nákup. Nejjemnější italské artyčoky, grilované na dřevěném uhlí a marinované v olivovém oleji prokládaném větývkami koření; tmavě červené organické steaky z aberdeenského býka, mramorované, jemně prorostlé tukem; průsvitné plátky pancetty; široké lístky šalvěje s podivnou texturou; baculaté mušle se sytě oranžovými korály, zakroucenými jako ocásky kolem šťavnatého bílého masíčka. Krásné, smyslné, připravené vyplnit prázdnotu.

Natáhla se pro ostrý silný nožík a rozřízla igelitový pytel, lastury se vyvalily na pracovní plochu. Zvedla jednu a přejela palcem po vrstevnaté ulitě. Tak ošklivé zvenčí a tak dokonalé uvnitř, připomínaly jí, o co se Peter pokouší se svými pacientkami. To pomyšlení ji podráždilo a nahnula se k rádiu. *„A dnes je naším hostem v Castawayi mezinárodně uznávaná spisovatelka thrillerů. Vydala dvacet tři románů, přeložených do více než třiceti jazyků. Za svou práci získala ceny na třech kontinentech a soudě podle citátů*

*na záložkách jejích knih je spisovatelkou thrillerů na druhou. Jane Carsonová,
vítáme vás v Radiu Dunedin. "*

„Díky, Simone. Těší mě, že jsem tady. "

Nůž se svezl po nerovném hřebenu ulity, sjel hluboko do kořene Miran-
dina palce. Na okamžik ztuhla šokem. Z řezu se vyvalila krev a rozšiřovala
se, stékala dolů k tenké bílé jizvě na zápěstí. „Sakra práce," zanadávala,
otočila se na podpatku a spěchala do šatny, kde měla uložený nejbližší balí-
ček první pomoci. Nemohla tomu uvěřit. Ještěže se k chirurgii otočila zády,
když ani nedokáže vyloupnout mušli, aniž by zakrvácela celou kuchyň.

Miranda ošetřila ránu antiseptickým roztokem a pak ji efektivně uzavřela
mikroporézní náplastí. Vrátila se do kuchyně, náplast pečlivě uhladila. „Vypni
to rádio," řekla nahlas. Ale ruka se jí zastavila na půli cesty k tlačítku.

„…vrací mě pětadvacet let zpátky do doby, kdy jsem studovala na Girtonu. "

„A co je na té písni tak zvláštního, Jane?"

(hluboké vřelé zasmání) *„Připomíná mi moji první velkou lásku. "*

„Tehdy jste si uvědomila, že jste lesbička?"

*„Uvědomila jsem si to už nějakou dobu předtím, Simone. Ale tohle bylo
poprvé, co jsem se zamilovala do ženy, která mě také milovala. Ta nahrávka
mi připomíná, jaké to bylo. Tu intenzitu, vzrušení, pocit, že je to možné.
A samozřejmě zoufalství a prázdnotu, když to celé velice špatně dopadlo. "*

„Ráda si připomínáte, jak to celé špatně dopadlo?"

„Jsem spisovatelka, Simone. Všechno je materiál. "

„No, hrozím se pomyšlení na to, co uděláte ze mě, Jane!"

„Nejspíš mrtvolu, Simone. "

(neklidný smích) *„Teď mě doopravdy děsíte. Ale pusťme si vaši první
nahrávku. Je to Láska a náklonnost od Joan Armatradingové. "*

Kuchyň vyplnily úvodní tóny skladby, přemístily Mirandu zpátky do
mládí. Snažila se proti tomu bojovat, připomínala si ironický výrok Noëla
Cowarda o síle laciné hudby. Jenže teď ji neodvratně ovládly vzpomínky.
Cítila mírné teplo jarního slunce, lehkou vlhkost trávy, která jí pronikala
oblečením, horkost kůže připomínající horečku. Proti bleděžluté barvě
oblohy se rýsoval temný profil, nakláněl se nad ní, pootevřené rty, napjatá
čelist. Pak slunce vymazal první polibek. Myslela si předtím, že rozumí
touze, ale okamžitě pochopila svůj omyl.

Nic ji nepřipravilo na tu chvíli nebo na to, co následovalo. Všechno, co bylo dřív, jí připadalo malé, klidné, bezbarvé. Láska na ni zaútočila zostřením smyslů, které ji zanechaly s pocitem neodemčení. Zatímco milovaná osoba se z toho probuzení radovala, Miranda se trápila tím, co to může znamenat.

Ač mezi nimi o té věci nepadlo jediné slovo, bylo jasné, že se o to, co se mezi nimi děje, nechtějí podělit se zbytkem světa. Vyžadovalo to diskrétnost. Schůzky se odehrávaly za zavřenými dveřmi jejich pokojů nebo jinak privátně na veřejných místech. V předem dohodnutých časech v knihovnách, na pohled náhodou při procházce podél řeky, zdánlivě shodou okolností při návštěvě stejných večírků, úzkostlivě opouštěných jednotlivě. Jejich soukromé přezdívky odrážely podstatu tajné lásky. Miranda si říkala Orlando – Virginia Woolfová byla tehdy ikonou – a její láska Kid z důvodů zřejmých spíš lidem, kteří byli o dvacet nebo třicet let starší než jejich vrstevníci. Nejenže jim to dodávalo pocit nového stvoření, znamenalo to i, že kdyby jakýkoli zvědavec vzal do ruky pohled nebo vzkaz, nebyl by o nic moudřejší.

Miranda milovala společné návštěvy kin a divadel. Ne že by se kdovíjak zajímala o film nebo divadelní hry; už tehdy dávala přednost jasným hranám vědy a filozofie. Milovala postupné padání do tmy, když se Kidova ruka vyšplhala přes její stehno a sevřela její prsty. A co víc, milovala příležitost tajně si prohlížet Kida, příliš ponořeného do toho, co se před ním odehrávalo, než aby vnímal Mirandino zkoumání. I teď, když v rádiu doznívaly poslední tóny hlasu Joan Armatradingové, si Miranda dokázala vybavit ten soustředěný profil, lehce pootevřené rty, jakoby připravené k příštímu polibku. Sledovat Kida v proměnlivé tmě, to byl zážitek.

„Takováhle hudba, to je stroj času.“

„Máte naprostou pravdu, Jane. Probouzí to ve mně myšlenky, které by si s sebou každý trosečník rád vzal na opuštěný ostrov. Takže po Cambridgi jste odjela do Ameriky na postgraduální studium kreativního psaní, že? Proč Amerika?“

„Tou dobou jsme v Anglii neměli moc kurzů kreativního psaní. A také jsem chtěla, aby vzdálenost od Cambridge byla co možná největší.“

Miranda náhle také zatoužila po co největší vzdálenosti. Spěchala z kuchyně k francouzským dveřím, vedoucím na zahrádku na dvorku. Potřebovala čerstvé bylinky. Ostrou temnotu rozmarýnu, jasnou vůni bazalky, plíživou neústupnost tymiánu. Koření jejího manželského života.

Skoro dvacet let se Miranda s Peterem vyhřívali na slunci Kapského Města, jejich život krášlil úspěch a pocit bezpečí. Jenže později začalo oba přitahovat chladnější klima jejich mládí. Žít v exilu bylo v pořádku, ale duše nakonec zatoužila po známějších chutích a vůních. Mirandě bylo jasné, že ji něco k něčemu pojí, a domnívala se, že je to domov. Edinburgh jí připadal jako odpověď.

První dva měsíce byli příliš zaneprázdnění, aby tuto hypotézu otestovala. Nastěhovali se do nového domu, nakupovali nábytek a umělecké předměty, objevovali nejlepší restaurace, snažili se sžít s dvaceti lety promeškaného kulturního života, vyrovnávali se s domácností bez služebnictva; pro Mirandu to byla výzva a osvěžení, ale nezbýval jí čas na přemýšlení.

A teď ji to dostihlo, neústupnosti paměti není tak snadné se vzpírat. Na jejich lásce nebylo, nemohlo být nic předvídatelného nebo předpokládaného. Bylo na nich, jak si to za pochodu zařídí, a Kidovi nikdy nechyběly nápady. Miloval nejrůznější hry. Jeden týden se rozhodli, že nebudou jíst nic jiného než bílé jídlo. Cílem bylo vyvolat vzrušení. Začali tím nejsamozřejmějším; bílým chlebem, tvarohem, přírodním jogurtem. Miranda se domnívala, že dostala výborný nápad s vanilkovou zmrzlinou, dokud Kid nezdůraznil, že kuchyně na koleji nemají ledničky a že ji musí sníst naráz. A pak s širokým úsměvem prohlásil, že by s ní mohli dělat něco zajímavějšího… Miranda při té vzpomínce zrudla, zaštípalo ji chladem na kůži. Kid tu soutěž vyhrál jídlem, které bylo v roce 1978 nepředstavitelně exotické – krabími lupínky, bílým chřestem a francouzským krémovým tvarohovým sýrem. Mnohem větší exotikou, než by kdy dokázalo spolknout Mirandino silně konformní prostředí, které ji utvářelo. Není divu, že matka Kida od první chvíle nenáviděla.

Miranda stříhala bylinky, zvedala je k obličeji a zhluboka vdechovala. Chtěla zahnat vzdálenou minulost, nahradit ji vzpomínkami z novější doby, připomínkami toho, co by ji přitáhlo k životu, který má teď, ne k životu, jaký mohla mít. Záměrně obrátila myšlenky k večírku a k jejich hostům. Advokátce a jejímu manželovi bankéřovi. Výkonnému řediteli zdravotní pojišťovny a jeho přítelkyni, která má něco společného s charitou pro postižené děti. Jednomu Peterovu kolegovi a jeho ženě. Která, jak se ukázalo, není ničím víc než tím. Miranda se nedokázala osvobodit od minulosti a nechtěně si pomyslela, jak by se Kid takové společnosti poškleboval. „Laciné," zamumlala a vrátila se zpátky do kuchyně.

„*Tak co způsobilo, že jste se místo do románů, které jste studovala v Americe, pustila do detektivních thrillerů?*"

(temné zachechtání) „*Z touhy po pomstě, Simone. Chtělo se mi zabít určité lidi, ale věděla jsem, že by mi to neprošlo. Tak jsem se místo toho rozhodla zavraždit je na stránkách knihy.*"

„*To zní docela děsivě, Jane. Proč jste je, pro boha živého, chtěla zavraždit?*"

„*Protože jsem jim kladla za vinu, že mi zlomili srdce.*"

„*Chtěla jste zavraždit svou přítelkyni?*"

„*Ne, chtěla jsem zavraždit lidi, kteří nás rozdělili a přitom ji div nezničili. Ale je to svým způsobem irelevantní. To, co spisovatele motivuje, je skoro vždycky irelevantní. Záleží na tom, jak s tím naložíte v tavicím kotlíku představivosti. Proměníme naši bolest a frustraci v něco nepoznatelného.*"

„*Takže kdyby si lidé, co jste je chtěla zabít, přečetli vaše knihy, nepoznali by se v nich?*"

„*Nejenom že by se nepoznali, Simone, nepoznali by ani situaci. To, co se objeví na stránkách knihy, má zřídkakdy viditelnou spojitost s událostí, která spustila spisovatelovu reakci.*"

„*To je úžasné, Jane. A teď, vaší další skladbou je Bachův šestý Braniborský koncert. Můžete nám říct, proč jste ho vybrala?*"

„*Vlastně hned ze dvou důvodů. Bacha jsem objevila, když jsem byla v Cambridgi, takže mě stejně jako Joan Armatradingová přivádí zpátky časem. Ale co je možná ještě důležitější, je to kánon. Otáčí se dokola, pořád se nově objevuje. Je složitý a perfektně vystavěný. V jeho začátku je jeho konec. Přesně tak by měla vypadat zápletka thrilleru. Dalo by se říct, že tím, jak mi moje první přítelkyně představila Bacha, naučila mě i tvořit zápletku. Byla to lekce…*"

Tentokrát Miranda natáhla ruku až k vypínači a rádio zmlklo uprostřed věty. Zatímco se bude marinovat hovězí, může koupit květiny. Vyšla kopcem vzhůru, opět se dohadovala, jak je možné, že Queen Street Gardens pod pokrývkou výfuků dopravy, které dusí centrum města, zůstávají zelené. Byla to úleva vstoupit do vůně květinářství. Když si prohlížela okázalou řadu květin, nasávala jejich těžké vůně a pod nimi ležící aroma humusu. Mezi nudnými domácími chryzantémami a karafiáty byly květiny pro

Skotsko exotické, v Mirandě ale vyvolaly prudké bodnutí nostalgie. Kolikrát ráno seděla na verandě a dívala se na tyto květiny, které rostly v její africké zahrádce. Leccos tam bylo jednodušší; nic nevyvolávalo takovéto nástrahy paměti, jaké ji přepadaly dnes odpoledne.

Zapsala si do paměti, co chce, a proplétala se kolem hliníkových kbelíků k pultu v zádi obchodu. Když se přiblížila, ukázalo se, že tiché mumlání na pozadí je Radio Dunedin, a Miranda zaváhala.

„Jane, bylo nesmírně příjemné mít vás tu dnes odpoledne.“

„Dokonce i kdybych z vás udělala mrtvolu?“

„Předpokládám, že je to lepší, než když vás ignorují. Mým hostem dnes byla spisovatelka Jane Carsonová, která večer v sedm hodin bude v Assembly Rooms předčítat ze svého nejnovějšího románu nazvaného Poslední sibiřský tygr, *a já vám můžu slíbit skutečné vzrušení.“*

Květinářka na Mirandu tázavě pohlédla. „Čím vám mohu posloužit?“

Miranda si odkašlala a ukázala na vědro se žlutými kalami. „Ráda bych dvacet těchhle květin.“

Květinářka přikývla a zamířila ke stojanu. „Jsou krásné, že?“

„Ano. A vezmu si ještě tři strelicie. A dva svazky alstromerií.“

Doma Miranda pečlivě naaranžovala květiny do elegantních křišťálových váz, které si vybrala do jídelny. Jako náměsíčná připravila jídlo, každý její pohyb byl přesný a uspořádaný. Zkontrolovala, jestli je bílé burgundské dostatečně vychlazené, a nalila červené víno do dekantační nádoby, aby mohlo vydýchat. Všechno je dokonalé. Všechno je připravené. Tohle je její život. Tohle je to, co od ní svět očekává. Vždycky očekával. A ona mu to téměř vždycky dodala.

Prsty jí zabloudily k jizvě na zápěstí druhé ruky. Zkontrolovala si čas. Půl sedmé. Peter se každou chvíli vrátí domů. Hosté přijdou mezi sedmou a půl osmou. Úvodní takty Bachova šestého Braniborského koncertu se jí proháněly hlavou jako utahující se smyčka.

Miranda Bryantová se naposledy rozhlédla po své dokonalé kuchyni a natáhla se pro kabát. Otevřela vchodové dveře a vyšla ven do edinburského večera.